LES FRÈRES DU DIABLE

DU MÊME AUTEUR

Chez le même éditeur

L'Angélus de minuit, 1989

Le Roi en son moulin, 1990

La Nuit des hulottes, 1991
Prix RTL-Grand Public 1992
Prix du printemps du livre 1992
Grand Prix littéraire de la Corne d'or limousine 1992

Le Porteur de destins, Seghers, 1992
Prix des Maisons de la Presse 1992

Les Chasseurs de papillons, 1993
Prix Charles-Exbrayat 1993

Un Cheval sous la lune, 1994

Ce soir, il fera jour, 1995
Prix Terre de France, *La Vie,* 1995

L'Année des coquelicots, 1996

L'Heure du braconnier, 1997

La neige fond toujours au printemps, 1998

Chez d'autres éditeurs

Beauchabrol, Lattès, 1981 ; Souny, 1990

Barbe d'or, Lattès, 1983 ; Souny, 1992

Le Chat derrière la vitre (nouvelles), L'Archipel, 1994

GILBERT BORDES

Les Frères du diable

ROMAN

L'Ecole de Brive

ROBERT LAFFONT

© Éditions Robert Laffont, S.A., Paris, 1999

ISBN 2-221-09058-6

Prologue

L'ENFANT TROUVÉ

La nuit est tombée, ce 13 décembre 1300, sur la petite ville de Tulle. Une pauvre femme courbée sur le paquet qu'elle porte marche très vite dans l'ombre de la rue boueuse : il ne faut pas trop s'attarder dans certains quartiers où sévissent les coupe-gorge, les tireurs de bourse, les criminels en tout genre. Elle est très maigre, ses joues creuses sont ridées, mais sa peau garde cette apparence duveteuse et satinée de la jeunesse. Ses grands yeux tristes ont cette lueur désespérée de ceux qui ne mangent pas à leur suffisance. Elle regarde autour d'elle, par peur des maraudeurs, certes, mais surtout parce qu'elle redoute d'être reconnue par quelque passant. Ce qu'elle va faire est puni du fouet, de la prison ou du bannissement, mais ceux qui inventent les lois n'ont jamais connu la misère ! Savent-ils seulement qu'un enfant dont la mère n'a pas de lait est condamné à mourir ? Alors, elle se faufile le long du mur de la cathédrale et, comme tant d'autres pauvresses l'ont fait avant elle, dépose le paquet sur le parvis. Elle a bien emmitouflé le bébé pour qu'il n'ait pas froid et survive jusqu'à prime, l'heure où les fidèles vont venir écouter la messe. Parfois, des femmes qui ont perdu leur enfant recueillent l'un de ces paquets pour se purger les mamelles d'un lait trop abondant. Souvent, ils sont morts et les hommes de la sénéchaussée ramassent ces petits cadavres qu'ils enterrent dans un coin réservé aux nouveau-nés sans baptême ou les donnent aux chiens.

Le paquet posé, l'ombre s'enfuit, disparaît parmi d'autres ombres plus épaisses. La nuit passe, humide mais pas très froide. À prime, les cloches sonnent le premier office. Les fidèles arrivent, souvent des bourgeois qui ont à faire en dehors de la ville ; l'un d'eux, de sa botte, écrase une jambe du bébé et s'éloigne sans entendre les cris de cette chose qui sent mauvais. La misère des autres ne se voit pas quand on vit dans l'opulence.

Une vieille femme échevelée entend les cris. Depuis longtemps son corps sec ne peut plus porter de fruits, mais les pleurs d'enfançons éveillent, même chez les plus âgées, le besoin de protéger ces minuscules vies offertes à tous les vents.

Sans penser que son sein ridé n'a plus rien à donner, la Grisette emporte le bébé, le réchauffe, panse la plaie que la botte bourgeoise a ouverte au minuscule genou. Elle remarque alors les beaux cils noirs, relevés et longs, de ce petit mâle qui n'a pas plus d'un jour.

À deux rues de là, la Jeanne Lorrain vient de mettre au monde son troisième enfant mort. Encore une fois, le ventre pourtant fertile de la jeune femme n'a pu garder son fruit jusqu'à maturité. Mais de sa poitrine coule un lait abondant et poisseux.

La Grisette, qui furète partout à la recherche d'une nourrice, croise la Jeanne. Leurs yeux s'accrochent, elles se sourient avec cet instinct sûr des mères qui savent reconnaître d'emblée ce qui leur est nécessaire. Elles ne se parlent pas, la Jeanne suit la vieille dans sa maison et découvre le bébé à la jambe bandée. Alors, elle ouvre sa robe de chanvre puis sa chemise et donne le sein à l'enfant aux lèvres froides. Et il tète, car il s'accroche à la vie en martelant la mamelle nourricière de ses petits poings serrés. Quand il s'endort, les deux femmes regardent avec ravissement ses yeux clos aux longs cils soyeux, son visage minuscule et ses petites mains posées sur le linge gris dans lequel il est plié.

— Nous l'appellerons Patte-Raide ! dit la vieille. Son genou écrasé ne saurait se réparer !

— Non, ce n'est pas beau ! fait la Jeanne. Moi, j'aurais voulu appeler mon premier enfant Godefroy.

— Va pour Godefroy Patte-Raide ! répond la Grisette en souriant de sa bouche où il ne reste que deux dents démesurées et jaunes.

Au château, sur le puy de la Bachellerie, on corne le retour de la chasse du comte Foulque de Masvallier et de ses amis templiers portant la croix rouge sur le poitrail. On dit que le comte leur doit tant d'argent que ce sont eux les véritables maîtres de la comté. Ils en prélèvent d'ailleurs les dîmes avec âpreté et tout le monde les déteste.

Les mois, les années passent. Le lait de la Jeanne a sauvé Godefroy Patte-Raide, qui a échappé aux maladies de la petite enfance. La Grisette exécute des travaux de broderie pour un riche marchand de draps et le jeune garçon étonne par son habileté précoce à manier l'aiguille.

Le 13 octobre 1307, à Tulle comme dans tout le royaume de France, les dignitaires templiers sont arrêtés par ordre du roi Philippe le Bel. Torturés, ils avouent des crimes qu'ils n'ont probablement pas commis et sont conduits au bûcher. Les Tullistes assistent dans la liesse à leur supplice. Officiellement, l'ordre du Temple n'existe plus. Ses biens ont été récupérés par la Couronne ou donnés aux frères hospitaliers, parfois aux villes.

Geoffroy de Masvallier, dit Barbe-Noire, qui a participé avec l'évêque Roger Lescure de Gimel à la dénonciation et à l'arrestation des templiers du Bas-Limousin, profite de l'aubaine pour chasser son frère, Foulque, du château de Tulle et le fait enfermer dans la tour de Boussac, maison forte située à Bar et appartenant aux seigneurs de Gimel.

Tous les templiers n'ont pas été décapités, brûlés ou pendus ; l'ordre des moines guerriers n'est pas mort. La tête coupée de l'hydre a aussitôt repoussé. Les survivants aidés de leurs frères venus de Lombardie, d'Espagne, de l'Europe entière se regroupent en une société secrète qui prépare sa vengeance.

Ainsi, les bûchers de Tulle sont-ils à peine éteints que de nouveaux frères arrivent dans la ville. Ils n'ont plus l'arrogance d'autrefois et ne collectent plus les impôts ; ils sont de simples maîtres d'école, des copistes, d'humbles écrivains publics. L'un d'eux, maître Perrot, découvre par hasard l'aptitude à l'étude de Godefroy Patte-Raide. Il s'émerveille devant tant de facilité du petit boiteux et lui apprend gratuitement à lire et écrire.

— Laissez-le venir étudier chez moi ! dit-il à la Grisette.
Ce serait un grave péché de ne pas l'instruire.

Ainsi, au début de l'an de grâce 1313, Patte-Raide parle
le latin couramment, l'écrit, récite les poètes anciens, étonne
par ses connaissances en théologie, en mathématiques et en
astronomie.

— Un jour, tu seras plus fort que le roi de France ! dit
maître Perrot. Le Temple a besoin de garçons comme toi.

Perrot initie Patte-Raide aux rites des frères chevaliers et
lui inculque la haine de ceux qui les ont abattus.

La Grisette meurt au mois d'avril 1313 et, quelques
semaines plus tard, maître Perrot. La disparition de ces deux
personnes que Patte-Raide aimait laisse le jeune garçon totalement désemparé et livré à lui-même.

L'ordre des Templiers reconstitué a toujours espéré que
Philippe le Bel libérerait son grand maître, Jacques de Molay,
qu'il garde en prison depuis plusieurs années. Celui-ci, loyal
et confiant envers le roi, son ancien ami (il est le parrain du
futur Louis X), refuse l'assistance de ses frères pour s'évader.
Philippe le Bel le condamne finalement au bûcher et le
grand maître est brûlé à Paris le 13 mars 1314, attirant sur le
royaume de France la malédiction des moines chevaliers...

Première partie

LA FAMINE

Parti de Toulouse ce matin, 4 janvier 1316, le voyageur vêtu de blanc tape de la main la cuisse de son âne pour lui faire accélérer le pas. Il est si grand que ses pieds touchent terre. La capuche relevée sur sa haute tête cache son visage maigre. Ses yeux brillent d'un feu contenu, une force qui impose le respect à celui qui l'approche. Il ne craint pas les voleurs de grand chemin car il ne possède rien, sinon la force de son regard et ce pouvoir sur les hommes et les choses qui va bien au-delà du pouvoir d'un comte, d'un duc ou d'un roi.

Sur le sentier tortueux qui conduit à la forteresse d'Avignonet, dans le Lauraguais, à huit lieues au sud-est de Toulouse, d'autres hommes, comme lui vêtus d'une robe blanche, se rejoignent. Ils sont montés sur des mules, parfois un vieux cheval, et viennent de loin. La fatigue creuse leurs visages burinés. Tous s'inclinent devant celui qui est arrivé le premier et les dépasse d'un pied.

— Enguerrand, Hugues, Pierre, Arthur, mes frères, vous voilà !

— Nous voilà, maître.

Ils arrivent au château, qui n'est plus que ruines. L'endroit est isolé, sinistre, et les bergers évitent de conduire leurs troupeaux sur les pentes de la colline. La nuit tombe ; les voyageurs en blanc connaissent le lieu : tous les châteaux construits par les templiers obéissent aux mêmes plans. Une partie est visible, le donjon, les chemins de ronde, une autre échappe aux regards indiscrets, les caves, les souterrains.

C'est dans une de ces salles voûtées que les dignitaires rencontrent en cet hiver, et dans le plus grand secret, le nouveau grand maître de l'ordre du Temple, Léon de Tolède.

Celui-ci parcourt ses frères du regard. Les torches font briller ses yeux d'un éclat qui n'en finit pas de bouger. Ils récitent les formules que seuls connaissent les initiés puis chantent l'office. À la fin, Léon de Tolède tend les mains vers l'assistance, les longues rides de son visage maigre s'animent.

— Que Dieu garde près de Lui notre grand maître, Jacques de Molay, brûlé vif par le roi félon !

Il se tait un instant. Sur sa poitrine, la croix rouge, insigne de l'Ordre, a une couleur de sang.

— Frères, vous m'avez fait confiance en me portant à la fonction suprême, et je ferai mon possible pour en être digne. Notre maître, nos frères torturés, accusés des pires péchés, réclament vengeance. Mort à ceux qui nous ont trahis, mort à ce royaume que nous avons servi loyalement et qui nous a honnis !

Sous ces voûtes en pierre grise, la voix de Léon de Tolède gronde, s'amplifie d'échos puissants qui se propagent dans ces souterrains jusqu'aux portes de l'enfer.

— Vous connaissez notre devise : qu'importe la bataille, seule la victoire compte ! Et souvenez-vous : il est difficile de battre un adversaire invisible. Restez donc dans l'ombre, n'agissez jamais directement. Votre force sera d'être où l'on ne vous attend pas ! Mais faites beaucoup parler de nous. Un ennemi qu'on ne voit pas, mais omniprésent, terrorise, et c'est ce que nous voulons. Mettez en place un à un les pions sur l'échiquier pour abattre ceux qui nous ont combattus... Hugues Cherront, où en es-tu dans ton pays de Languedoc ?

— Depuis l'automne, nos prêcheurs sèment la terreur ! Les gens vivent reclus, tremblent au moindre bruit et n'osent plus sortir de chez eux ! Des rumeurs terribles circulent. Les templiers ont dressé les loups à se nourrir de la chair des enfants. Les templiers ont ramené d'Orient des chevaux ailés. Enfin, les templiers brûlés reviennent chaque nuit tourmenter les bons chrétiens.

— Très bien, fait Léon de Tolède en souriant. Il ne faut pas leur laisser un seul instant de répit. La faim et la peur sont mauvaises conseillères, très vite cette populace stupide sera à notre merci. Et toi, Pierre Lebasset, que fais-tu dans ton Auvergne ?

— L'été a été pluvieux et la faim va de ville en ville sur son cheval noir. La peur des templiers l'accompagne. Les granges à foin brûlent, grand maître, c'est le diable, ami des templiers, qui allume ces feux puisque les vilains n'ont jamais vu les incendiaires. Les curés bénissent les bâtiments, mais les flammes continuent... Quant aux traîtres, ceux qui nous ont combattus, ils endureront bientôt la malemort !

— Parfait. Et toi, Enguerrand de Niollet, quelles nouvelles m'apportes-tu du Bas-Limousin ?

Enguerrand de Niollet se lève. Il est bossu, son épaule droite est plus haute que la gauche. Son visage anguleux est taillé de profondes rides. Sous ses sourcils épais brillent des yeux légèrement bridés. Il s'appuie sur une canne.

— Nos reîtres coulent les bateaux de poisson salé qui remontent la Dordogne. Les marchandises ne circulent pas et la faim est grande. Enfin, nos deux ennemis seront très bientôt terrassés.

— Notre frère, l'hermite de la forêt de Bronçais, est-il toujours aussi fol ?

— Il n'a pas plus de raison que sa chaîne, mais chacun sait que Dieu S'exprime souvent par la bouche des simples !

Enguerrand de Niollet a un sourire qui tord sa bouche et allonge son menton disgracieux.

— Très bien, mon ami. As-tu enfin retrouvé l'élève de notre regretté frère Perrot, cet orphelin à la jambe raide instruit dans les pratiques ordinaires de notre ordre ?

Enguerrand baisse les sourcils.

— Hélas non, maître ! Je l'ai fait chercher à Tulle et dans les villages alentour. Il a complètement disparu. Je redoute...

— Non, tranche Léon de Tolède. Il faut le chercher encore, il n'est pas mort. Rappelle-toi, le ciel de sa naissance que nous n'avons pu déterminer qu'approximativement était favorable et le destinait à accomplir de grandes choses près de nous !

De retour à Malemort, près de Brive, en Bas-Limousin, Enguerrand fait venir chez lui Jean Bolard, qui est écrivain public à Tulle. C'est un petit homme râblé, la tête ronde. Le maître salue son frère selon le rite des templiers et entre aussitôt dans le vif du sujet. Dehors, il fait froid, quelques flocons de neige papillonnent au-dessus de la Corrèze qui roule ses flots sombres en bas du jardin. Marthe, la servante, a allumé un grand feu et les deux hommes tendent leurs mains aux flammes.

— Le maître insiste pour que tu poursuives les recherches du jeune Patte-Raide ! dit Enguerrand à Jean Bolard. Selon lui, il vit.

— Jusque-là mes recherches n'ont rien donné. Mais dans ma boutique les gens parlent beaucoup et tu sais que je m'y connais pour délier les langues et poser les questions qui conviennent. J'ai découvert qu'il a eu une nourrice, car la vieille Grisette qui se disait sa mère était bien trop vieille pour lui donner son lait. Cette nourrice, c'est la Jeanne Lorrain.

— Bien, fais en sorte qu'il lui arrive quelque chose de grave. Et fais-la surveiller. Je suis sûr qu'il sortira.

— Le moyen est simple, frère Enguerrand, dit Jean en souriant. J'ai découvert un trafic de blé que fait son homme...

— Parfait ! Fais-le pendre, quand elle sera seule, Patte-Raide viendra sûrement l'aider...

— Et pour Barbe-Noire ?

Du bout de l'index, Enguerrand gratte le dessus de ses épais sourcils droits.

— Son frère Foulque va s'évader ! dit-il. Tout est arrangé avec un Juif d'Égletons pour qu'il ait de quoi engager un millier de lances. Cela devrait suffire pour mettre le sanglier hors du château de Tulle.

— Et l'évêque ?

— Tu sais, mon frère, qu'il a péché gravement en faisant un enfant à l'une de ses serves à qui il a donné la ferme du Val entre Vimbelle et Corrèze. Le garçon s'appelle Thibault. Ce serait une excellente chose de le monter contre son père ! ajoute Enguerrand. J'envisage de le faire page de Foulque de Masvallier quand celui-ci aura repris la comté de Tulle.

Jean sourit.

— C'est vrai que Foulque et l'évêque se haïssent. Tu penses à tout, mon frère.

Enguerrand sourit à son tour, découvrant ses dents mal plantées.

— Enfin, tu dois savoir, reprend Jean, que nos reîtres font merveille. Notre or leur plaît. Pas une charrette de harengs ou de morue n'est arrivée à Tulle, Brive ou une autre ville depuis le début de l'hiver. La famine est grande. Reste une incertitude : la pluie a été notre alliée en pourrissant les blés. Si l'été prochain est sec, que ferons-nous ?

Enguerrand tend ses mains aux flammes et les frotte l'une contre l'autre.

— Très simple, mon frère. Là où l'eau ne peut agir, le feu est de bonne action ! Sois rassuré, la faim sera grande encore l'hiver prochain !

— Courbez la tête, peuple maudit ! La colère de Dieu est sur vous ! La pluie a pourri vos récoltes et vous allez la faim au ventre !

Pierrette, la porteuse d'eau, n'en croit pas ses yeux. La barre de bois lustré glisse de ses épaules et les deux seaux se renversent, mouillant ses pieds nus. La bouche entrouverte, elle en oublie son estomac vide qui gargouille.

— Vous avez ri quand les templiers, coiffés de la mitre en papier, sont montés sur le bûcher. Leur malédiction est désormais sur vous ! L'enfer va s'ouvrir devant vous en ce mois de janvier 1316. Les loups sortiront des bois et viendront manger vos enfants sous vos yeux. D'autres bêtes comme vous n'en avez jamais vu capables de traverser les murs entreront dans vos maisons. Les hommes du diable vont envahir les campagnes. Bientôt il n'y aura que morts dans les villes et les villages, une odeur de pourriture empoisonnera la terre tout entière !

La pluie ruisselle sur le visage maigre et craquelé de l'homme qui roule autour de lui un regard blanc plein d'horreur. Ses paroles terribles grondent sur la place du marché, tout près de la cathédrale, ameutent le petit peuple tulliste, mais aussi les bourgeois, qui lèvent la tête de leurs registres de comptes. Les gens sortent de leurs échoppes, leurs ateliers, et se rassemblent sur la place, ébahis par ce qu'ils voient.

— Sa chaîne à la cheville..., dit une femme à côté de Pierrette.

— C'est un miracle ! fait un vieillard qui marche courbé, sa robe trop longue pendant devant lui comme un jabot.

— J'ai peur ! crie un enfant en s'accrochant à sa mère.

Une gifle claque et le silence ponctué de sanglots retenus se fait de nouveau. Du ciel où roulent de gros nuages tombe un crachin gelé, mais personne ne sent le froid. Ce qui glace par l'intérieur, qui remplit d'effroi, ce sont ces paroles et la présence incroyable de ce prêcheur aux cheveux blancs qui tombent en fils mouillés sur ses oreilles. Droit, face à la foule, il tend ses bras maigres. Sa barbe imbibée d'eau goutte sur sa robe de chanvre collée à ses épaules décharnées. La force de son esprit que tout le monde ressent impose le silence.

— L'hermite ! Sa chaîne est cassée ! dit encore une jeune fille en guenilles.

Des femmes se signent et murmurent une prière. Les hommes se taisent, mais pas un ne pense à rejoindre son atelier. Ils restent là, patrons et manouvriers, jeunes et vieux, dans le silence étrange de ces murs dressés comme ceux d'une prison. De tous les quartiers de Tulle, les gens sont accourus pour assister au prodige et écouter cette voix claire et puissante les menacer.

— Cela vous étonne de me voir ici ! s'écrie-t-il de nouveau. Dieu a fait un miracle. Il a rompu ma chaîne et me voilà pour vous annoncer tant de malheurs que personne ne survivra. Les hommes qui ont laissé tuer les templiers, torturer ces courageux guerriers de la foi, qui ont traité ces héros comme des criminels ne méritent pas de respirer !

— L'hermite de Bronçais, il est fou ! murmure une jeune femme aux yeux trop grands pour son visage maigre.

Personne ne sait d'où il vient. Il est arrivé à Tulle en 1308 et il marchait difficilement à cause de la question qui lui avait été appliquée. Il ne possédait rien que sa robe et une pièce d'une livre parisis qu'il donna au forgeron Gaspar : « Tu vas me faire une chaîne et un anneau solides que tu attacheras à ma cheville. Ensuite, tu fixeras l'autre bout de la chaîne au rocher Noir de la forêt de Bronçais, de sorte que moi ni personne ne puisse me libérer. » Depuis, il vit, attaché au rocher, avec juste douze pieds de liberté pour dormir dans sa cabane de branchages et aller boire à la rivière voisine. « Dieu qui nourrit les oiseaux me nourrira ou me laissera mourir de faim. Je lui appartiens ! » Vêtu de son unique robe de chanvre grossier, été comme hiver il passe ses journées à prier. Les gens du voisinage lui apportent à manger, mais, depuis que le pain manque, il doit sa survie à un jeune homme dont la jambe droite ne se plie pas au genou.

— Mais pourquoi fais-tu cela ? lui a demandé un jour l'hermite.

L'adolescent a de superbes cils noirs longs et relevés qui ajoutent à son regard droit et ferme cette grâce féminine semblable à de la douceur.

— Mon maître que j'aimais était ton frère. Il est mort.

— Comment le sais-tu ?

— J'ai reçu les ordres mineurs et appris les signes de reconnaissance.

L'hermite tend de nouveau ses mains aux doigts osseux, des pattes d'oiseau.

— Regardez cet anneau ! poursuit-il en brandissant la chaîne. C'est la main de Dieu qui l'a ouvert. Il m'a dit : « Va et désigne du doigt les coupables. » Et les coupables, c'est vous tous. C'est le peuple de France qui a laissé faire la pire des injustices de tous les temps. Mais plus coupables encore sont ceux qui ont menti au procès des templiers, ceux qui les ont arrêtés et emprisonnés comme de vils malfaiteurs. Ils sont deux dans cette ville, le premier, c'est l'évêque, Roger Lescure de Gimel...

Un remous parcourt la foule. Les uns se signent et se cachent la figure dans leurs mains. Les autres, apeurés par l'énormité de ce qu'ils viennent d'entendre, rentrent chez eux.

— Oui, l'évêque ! poursuit l'hermite. Il a pourchassé les chevaliers de Dieu pour s'emparer de leurs terres. Il mourra de la malemort !

Des cris d'horreur fusent dans la foule, une femme s'évanouit et tombe dans la boue. La panique s'empare des groupes qui se dispersent, mais la bousculade ne dure pas. Personne ne veut être surpris à écouter ces paroles démentes. L'hermite poursuit devant une place vide et sa voix semble porter plus loin.

— Vous avez peur ? Pas moi ! Le deuxième coupable, c'est Geoffroy de Masvallier, dit Barbe-Noire, à qui je prédis une mort semblable et prochaine !

Monté sur sa mule, un peu en retrait, un homme de forte corpulence, mais bossu, l'épaule droite plus haute que la gauche, pousse sa capuche et découvre son visage osseux. Sous ses sourcils épais brillent des yeux légèrement bridés. Un autre homme de petite taille se tient près de lui. Les Tullistes le connaissent bien, c'est Jean Bolard, l'écrivain public qui a boutique devant la cathédrale.

— Quel est ce prodige, maître Enguerrand ? Que signifie cela ? demande Bolard. Ne me dis pas que tu es venu de Malemort de si bon matin par hasard.

— Non, je ne suis pas là par hasard.

— Pourquoi as-tu détaché ce fol de son rocher ?

Enguerrand a un sourire qui l'enlaidit.

— Parce que, frère Jean, ce fol, comme tu dis, va menacer tout le monde et semer la peur.

— Mais ils vont le pendre !

— Si telle est la volonté de Dieu...

À cet instant, des sergents en armes font irruption sur la place, s'emparent de l'hermite et l'emmènent.

— Vous pouvez me faire ce que vous voulez ! crie encore le dément. Ma vie appartient à Dieu !

Roger Lescure de Gimel tourne la tête vers la fenêtre. En bas de l'évêché, la vie grouille, des hommes marchent dans la rue qui longe la rivière aux eaux sombres. Des enfants en haillons fouillent les tas de détritus en quête de quelque chose à manger. Lescure est songeur. Les paroles de l'hermite qu'il a entendues tonnent encore dans son esprit, pourtant, il sourit. Lui, le puissant évêque du diocèse de Tulle, de vieille noblesse, apparenté par sa mère aux ducs d'Aquitaine, peut-il craindre un illuminé ? Certes, il a combattu les templiers qui voulaient occuper sa place forte de Gimel pour étendre leur domination sur tout le Bas-Limousin, et il ne le regrette pas ! Ces hérétiques ne méritaient que ce qu'ils ont eu, le bûcher !

De sa main aux doigts longs, presque une main de femme, monseigneur Lescure tourne distraitement les pages de son livre, une merveille d'enluminures. Son visage est fin, son nez pointu, ses yeux en amande semblent sourire constamment à la vie. Il parcourt distraitement ces lignes qu'il connaît par cœur. À trente-cinq ans, le temps presse et il ne cache pas son impatience : il rêve de la pourpre cardinalice, mais comment espérer quoi que ce soit quand le siège de saint Pierre est vacant depuis des mois et que le conclave n'est pas pressé de se réunir ? Dieu le punit-Il pour son goût démesuré pour les cornues et l'esprit de la matière ? Certainement pas : beaucoup de grands du royaume pratiquent l'alchimie. Est-ce alors pour ses désirs de chair ? Lescure lutte pour respecter à la lettre les règles de son état, mais la tentation ne cesse de le harceler. C'est tout son corps qui entre en ébullition ! Certes, il n'est pas le seul : combien de clercs ont des concubines ? Et puis la loi qui ordonne la chasteté pour les serviteurs de Dieu n'a pas toujours existé, elle a été décidée au concile du Latran, en 1139, par de vieux hommes aigris !

Certes, l'évêque a fait un enfant à l'une de ses serves, mais tant d'hommes importants ont de nombreux batards et ne s'en tracassent pas ! Lui a réparé sa faute : Blandine a épousé l'Aîné, un solide vilain, et il lui a donné la ferme du Val. Et puis comment aurait-il pu résister ? Blandine était si belle ! Blonde comme une reine, un regard profond, une poitrine haute... Comment Dieu a-t-Il pu donner autant de charme à une serve qui n'est pas un être humain, mais à peine un peu plus qu'un animal ? Thibault, son enfant, ressemble pourtant au seigneur de Gimel, le même visage fin, le même nez, et ce regard pénétrant avec ce brin de malice qui chez l'évêque devient facilement moqueur alors qu'il reste enjoué chez le jeune vilain.

Lescure revient vers sa table, tourne les pages du livre pour se changer les idées, mais les menaces de l'hermite restent présentes dans son esprit. Quel sortilège cache cette chaîne à l'anneau ouvert ? Une supercherie inventée par ses ennemis ? Une plaisanterie de Barbe-Noire ? Dieu n'aime pas faire des miracles pour rien, surtout en ces années difficiles où la faim emporte les pauvres gens. Il agite un clocheton au son aigrelet. Un clerc aux joues pleines, ce qui est rare en ces temps, pousse la lourde porte de chêne.

— Monseigneur, vous m'avez mandé ?

— Qu'avez-vous fait de l'hermite ?

— Il est enfermé à la sénéchaussée où il continue de crier ses menaces.

— Tu as entendu ce qu'il disait contre ma personne ?

— Non, monseigneur. De l'endroit où je me trouvais, je ne le pouvais pas.

— C'est un dément. Qu'on l'amène ici.

— Les gens ont faim. On ne trouve plus à acheter que des glands au prix du blé. Je crains que...

— Qu'on embroche deux ou trois de ces traîne-rue et les autres rentreront calmement chez eux.

L'évêque pousse son fauteuil et fait quelques pas vers la fenêtre puis se tourne brusquement.

— Et puis, qu'est-ce que j'y peux ? J'ai prié et je prie encore tous les jours. Dieu ne m'écoute pas...

— On dit que ces malheurs sont pure volonté...

Lescure tourne ses yeux en amande d'où a disparu la moindre malice vers son serviteur.

— Les templiers... On n'a jamais autant parlé d'eux que depuis qu'ils sont partis en fumée. Qu'on passe l'hermite à la question pour en savoir plus.

La nuit tombe sur la ville. Quelques cheminées fument, celles qui ont encore du bois à brûler. On se chauffe comme on peut, avec de la tourbe humide qu'on arrache dans un marais, à Laguenne, mais qui coûte trop cher pour les plus pauvres.

Le silence pèse d'un poids qui écrase les épaules de Roger Lescure. Il va d'une pièce à l'autre, étonné du peu de bruit que font ses clercs, du silence des marmitons dans les cuisines, d'où vient un agréable fumet de sanglier. Depuis que la famine décime les pauvres, l'évêque ne fait plus que deux repas de deux assiettes par jour, viande ou poisson et laitages au miel. C'est sa manière à lui de demander à Dieu d'arrêter la pluie.

Un clerc vient le trouver et lui dit que le tourmenteur souhaite lui parler. Entre un homme, le torse nu sous son tablier de cuir maculé de sang. Ses énormes bras velus, son visage carré sur un cou de taureau montrent que ceux qui passent entre ses mains avouent tout et n'importe quoi. C'est lui qui a conduit l'interrogatoire des templiers du diocèse. Son zèle, sa manière d'arracher les aveux ont plu à Lescure, qui l'a gardé à son service.

— Alors, Poulard ? Qu'a dit ce suppôt du diable ?

L'autre passe sa main sur son front luisant d'une sueur grasse, comme un forgeron qui aurait trop frappé le fer. Il sent le suif et le cuir brûlé.

— Eh bien, monseigneur, je n'y comprends rien. Je lui ai appliqué la question ordinaire, il n'a pas eu un cri, pas une grimace.

— Voilà qui est singulier.

— J'ai tourmenté des centaines de prisonniers et j'avoue n'avoir jamais vu ça. Il est insensible à la douleur. Il prie.

Lescure tend ses fines mains vers l'homme comme pour l'arrêter dans sa marche vers lui, tellement son odeur l'incommode.

— Il prie, dis-tu ? As-tu entendu ses paroles ? S'adressait-il à Dieu ou bien...

— Je n'ai rien compris, monseigneur. Il murmurait.

— Et la croix, qu'a-t-il fait quand tu lui as mis la croix devant les yeux ?

— Il l'a repoussée, car, a-t-il dit, c'est la croix des tourmenteurs des templiers, donc du diable, mais il m'a dit d'une voix bien nette : « Je te pardonne. Dieu ne retiendra rien contre toi. Mais ton maître sera condamné ! »

Lescure fronce ses sourcils qu'il a peu épais. Voilà qui est net : repousser la croix est un geste d'hérétique.

— As-tu appris quelque chose à propos du Temple ?

— Rien que je ne sache déjà. Il m'a dit que sa vengeance sera implacable !

Lescure parcourt du regard cette masse d'homme qui se tient devant lui, les bras croisés sur sa large poitrine.

— Tu en as expédié plus d'un, de ces maudits hérétiques.

— Oui, monseigneur, mais c'était sous vos ordres...

Les larges épaules de Poulard se sont abaissées. La grosse tête se penche en avant en signe d'humilité. Un début de calvitie blanchit le haut de son crâne.

— Il ne faudrait pas qu'à cause de ça...

Lescure éclate d'un rire forcé.

— T'en fais pas. Dieu te garde une bonne place pour ce que tu as fait. Nous avons un motif de condamnation, il a appartenu aux hérétiques, ça suffit !

Poulard s'éloigne comme à regret, le dos voûté, comme si, d'un coup, toutes les douleurs qu'il a infligées aux frères chevaliers pesaient sur lui.

Des pas de chevaux retentissent dans la cour. Un grand remue-ménage se fait entendre, hommes qui s'interpellent, hennissements, et cette voix tonitruante qui couvre les autres :

— Eh bien, maraud, qu'est-ce que tu attends pour t'occuper de mon cheval ?

L'homme qui fait ce tapage est de petite taille, aussi large que haut. Ses cheveux et sa barbe enveloppent sa tête d'une épaisse toison noire d'où ne passe que l'éclat vif de ses petits yeux de porc en dessous d'épais sourcils qui barrent d'un trait unique son front étroit.

— Dois-je vous annoncer à monseigneur ?

— Je connais le chemin, ribaud ! dit l'arrivant de cette voix puissante qu'on entend au-delà des murs de l'évêché. Apporte à boire à mes hommes, ils ont eu froid, et pas du vin de taverne, du bon, tu entends ?

De sa large main dure, il frappe l'épaule du valet, un coup de gourdin. Lescure sourit : cette visite va égayer la maison. Quand Geoffroy Barbe-Noire est en un lieu, rien de désagréable ne peut arriver ; à croire que le diable lui-même a peur de cet homme qui ne respecte rien ni personne. Son pas de buffle résonne dans toute la maison. « Un fruste, pense Lescure, qui ne sait ni lire ni compter, mais qui manie l'épée mieux que quiconque. » Il fait quelques pas en direction de la porte et ajoute à haute voix :

— Et qui s'en sert souvent !

Il y a de l'envie dans ce propos. Les yeux en amande se sont plissés, des yeux de renard qui hume sa proie.

— Conduis-moi à l'évêque ou je t'arrache les oreilles ! tonne Barbe-Noire.

Le clerc veut l'annoncer, il l'écarte d'un rude revers de main.

— Ah, l'évêque, enfin ! J'ai failli me rompre le col pour vous venir voir céans. Il paraît qu'on menace votre sainte vie !

Barbe-Noire éclate d'un rire qui ressemble à un grondement de tonnerre. Il déplace beaucoup d'air avec ses grands bras toujours en mouvement, met le désordre partout où il passe, pourtant, les pillards le craignent parce qu'il est aussi retors qu'eux. Il administre sa comté d'une main de fer, sans jamais la moindre faiblesse. Pour l'instant, il rit en se tenant le ventre. Lescure a lui-même un sourire tant la bonne humeur de Barbe-Noire est communicative.

— On menace aussi la vôtre !

— Faut dire qu'il n'a pas complètement tort, ce prêcheur fol ! continue Barbe-Noire. Vous n'avez pas été particulièrement tendre avec les hérétiques !

Il rit encore. Il a mérité tous les sévices d'une damnation éternelle. Combien d'hommes a-t-il tués, humiliés, torturés, combien de femmes a-t-il violées ? Et cela dans l'humeur rigolarde de quelqu'un qui joue un bon tour à ses victimes. Il a pourtant la finesse des illettrés et sait discerner chez les autres des sentiments, des intentions qui échappent au savant Roger Lescure.

— Et à vous, dit l'évêque, il a prédit une malemort pour ceux à qui vous avez fait arracher la langue !

— Bah, ce ne sont que mignardises ordinaires !

Il se laisse tomber dans un fauteuil dont le bois émet une plainte.

— Donc, notre hermite a cassé sa chaîne ? Il a meilleurs bras qu'il ne paraît.

— C'est diabolique ! précise Lescure.

— Mais cessez donc de mettre le diable à toutes les sauces. Cette affaire est montée de toutes pièces par quelque ennemi qui a manipulé ce fol !

— Par quelque ennemi ? fait l'évêque. Vous voulez parler des templiers ?

Nouveau rire de Barbe-Noire, qui se frappe la cuisse de sa main large comme un battoir.

— Ne dites pas n'importe quoi, Lescure. Les templiers ont été expédiés voilà déjà presque neuf années. Si les survivants avaient eu les moyens de se venger, pourquoi auraient-ils attendu aussi longtemps ? Votre hermite sera pendu avec les voleurs de grain.

— Il n'a pas été jugé.

— Nous le jugeons, cela suffit. N'ai-je pas la haute justice sur cette comté ?

— Il s'agit d'une affaire religieuse et c'est donc le tribunal...

— Et justement, c'est vous qui le dirigez. S'il fallait réunir tous les clercs et les gens de noblesse pour pendre quelqu'un, nous n'irions pas très loin. L'affaire est entendue, il sera pendu !

— Si c'est vous qui endossez la responsabilité...

— J'endosse tout ce que vous voulez. Pour l'instant j'ai l'estomac dans les talons et le gosier tellement sec qu'il va partir en poussière ! Commandez qu'on m'apporte à manger et à boire avant que je devienne enragé !

Geoffroy Barbe-Noire abaisse ses sourcils sur ses petits yeux porcins et regarde un instant la femme qui s'est agenouillée sur les dalles souillées de boue. Il ne peut rester en place et va de la fenêtre au milieu de la pièce. Dehors, le ciel est gris, bas. Il ne fait pas froid, mais l'humidité s'infiltre partout, dans ce grand château sans âme. Depuis combien de temps n'a-t-on pas vu le soleil en ce mois de février 1316 ?

La femme se tord les mains et supplie une dernière fois d'une voix rauque, un cri d'animal.

— Pitié !

C'est tout ce qu'elle sait dire. Sa robe déchirée laisse voir la naissance de ses seins fripés qu'elle ne cherche pas à cacher. Son capuchon a glissé de sa tête ; ses cheveux mouillés tombent en mèches sur son visage maigre et pâle. Ses joues creuses sont taillées de rides noires. Même ses grands yeux sombres n'ont plus de jeunesse, mais marquent une détermination qui n'échappe pas à Barbe-Noire, cette force de femelle, qui défend sa nichée. La nature grivoise de l'homme prend très vite le dessus.

— Eh bien, quoi, ma ribaude, voilà que tu viens pleurer pour ton étalon ?

— On a faim ! dit la femme de cette voix criarde et en même temps mordante.

Il éclate d'un rire puissant. La femme ne baisse pas les yeux, elle est allée trop loin dans les privations pour avoir honte de sa pauvreté, ses pommettes ridées rougissent, ses lèvres fines prennent un pli dur.

— Comment tu t'appelles ?

— La Jeanne, Jeanne Lorrain, le savetier.

Un instant, elle ose soutenir le regard de Barbe-Noire, un instant, elle se hisse à son niveau d'être humain et il ressent la détermination qui habite ce corps trop maigre pour l'amour et usé par le travail, ce corps au gros ventre qui porte une autre vie. Maintenant, il est grave. Cette femme qui vient demander la grâce de son mari le touche. Barbe-Noire est un paillard, un rustre ; mais il s'y connaît en êtres humains pour en avoir dépêché beaucoup chez le diable et s'être toujours imposé comme un chef. Pourtant, il ne cédera pas devant cette prière. Aucune faille ne doit tarauder l'édifice, sinon, les serfs, les vilains, les pauvres de toutes sortes prendront la place de ceux qui commandent et font respecter l'ordre. La nature humaine est ainsi : sans contraintes, sans obligations, elle se laisse aller à tous les excès. Les vrais chefs sont ceux qui savent contenir cette exubérance. Pour eux, la pitié est une faiblesse, le premier pas vers le désordre.

— Ton homme a volé du blé. Il sera pendu !

Il fait un signe, deux domestiques prennent la femme chacun par un bras et la traînent dehors sans ménagement. Le cri qu'elle pousse traverse la lourde porte, s'amplifie sous les voûtes de pierre.

— Berthot ! appelle Barbe-Noire.

Un homme fluet en cotte de mailles accourt ; sous son chapeau de fer, ses yeux globuleux semblent constamment éberlués.

— Berthot, poursuit Barbe-Noire, fais hâter. Je veux que la population soit présente, et veille à ce qu'il n'y ait pas de débordements. Tout doit être fini à la vesprée.

Berthot s'éloigne et crie des ordres. Barbe-Noire s'approche de la fenêtre. Il pleut de nouveau. Demain, le gel transformera les chemins en patinoires. Au bas de la Bachellerie, sur laquelle est édifié le château de Tulle, la Corrèze roule des flots sombres et puissants. On a construit des murs pour contenir ses crues, mais depuis l'été dernier elle coule à pleins bords et le soir, quand la ville tente de s'endormir pour oublier sa faim, le grondement du torrent remplit l'air de sa menace.

Barbe-Noire se tourne avec cet instinct sûr des hommes qui n'ont dû leur survie qu'à une méfiance perpétuelle. L'évêque Lescure est entré comme à son habitude, en chat, sans le moindre bruit, accompagné seulement du froissement des longs plis de sa soutane. Il flotte dans ses vêtements trop grands ; son museau fin se dresse en face du groin de Barbe-Noire. Lescure furète, va d'un endroit à l'autre, toujours sans bruit. Une servante arrive, le regard du prélat s'allume, parcourt les formes de cette jeune fille, ses lèvres se mouillent. Barbe-Noire, à qui rien n'échappe, lui donne une bourrade dans le dos.

— Eh bien, Lescure ! Voilà qu'on hume la chair fraîche ? Puis, se tournant vers la servante : Toi, viens donc par ici.

La jeune fille rougit, s'approche, la tête baissée, les lèvres pincées. Des boucles de cheveux blonds dépassent de son châle. Sans manière, Barbe-Noire lui palpe les seins.

— Touchez-moi ça, l'évêque, c'est autre chose que vos nonnes, bien que j'en connaisse de fort paillardes. Et ces fesses, comme c'est ferme, avec tout ce qu'il faut pour vous envoyer un homme au paradis...

— Je vous en prie ! fait Lescure en prenant un air offusqué. Comment osez-vous parler ainsi devant un homme d'Église ?

— Tout le monde sait que vous aimez ça et je ne vous en ferai pas grief. Rien ne vaut une bonne garce pour apprécier cette vallée de larmes. Elle est à vous, je vous la donne. Une pucelle à délurer, ça vous fera oublier les mauvaises rentrées de dîmes.

— Voyons..., proteste l'évêque, mais il ne trouve pas les mots justes. C'est une créature de Dieu...

Barbe-Noire est grossier, arrogant, mais sait avoir un ton de bonne humeur et une naïveté bon enfant qui font de ses propos les plus outrageants de simples galéjades d'adolescent. Lescure regarde toujours la jeune fille.

— Retourne à ton travail ! dit-il. Puisque désormais tu es à moi, je veux bien que tu viennes travailler à l'évêché, tu n'en seras que plus proche de Dieu, qui te gardera de la tentation...

Barbe-Noire rit de nouveau.

— Et surtout n'oublie pas de caresser Dieu dans le bon sens...

La jeune fille rougit de nouveau et sort. Barbe-Noire montre son impatience.

— Berthot devrait déjà être là. Pourquoi faut-il faire autant de manières pour pendre trois ou quatre gueux ?...

La petite grimace de Lescure n'échappe pas à Barbe-Noire, qui en a compris le sens.

— Allez, ne faites pas cette tête. Des voleurs qui se balancent au bout d'une corde, c'est plaisant à voir !

L'évêque a toujours douté que Barbe-Noire soit croyant. S'il n'était le maître de Tulle, il y a longtemps que son corps massif aurait rôti entre des fagots. Mais Lescure a besoin de lui, ce qui lui assure l'impunité. Il a un petit sourire en coin et dit, sur le ton de la boutade :

— Je suis bien tranquille, vous rôtirez en enfer, et pour l'éternité.

— Nous serons deux, mon bon ami !

L'évêque sort de sa poche une poignée de petits œufs blancs et bleus. Barbe-Noire s'étonne :

— Voilà que vous avez déniché tous les moineaux de l'évêché.

— Ce sont des dragées. Du sucre parfumé qui enrobe une amande. Goûtez, le roi lui-même en raffole. C'est une invention lombarde, mais les moines de Cornil en fabriquent de fort bons.

Barbe-Noire glisse une dragée entre ses lèvres et la croque. Le sucre craque entre ses dents. Lescure garde la sienne sur la langue et en savoure le parfum délicat. Berthot arrive enfin.

— Tout est prêt, monseigneur.

— Parfait !

Barbe-Noire et l'évêque sortent dans la cour intérieure du château, où des hommes s'affairent autour d'une charrette remplie de tonneaux. Des chiens aboient aux chevaux qui piaffent. Quand ils voient leurs maîtres dehors, une foule d'hommes en armes, des clercs fraîchement tonsurés sortent de la pièce où ils s'abritaient. L'évêque traverse la cour en évitant les flaques d'eau et descend en compagnie de ses clercs jusqu'à une autre cour en contrebas où se trouve son char à bancs. Les hommes d'armes sont déjà à cheval et attendent Barbe-Noire, qui monte en selle. À ses côtés Berthot fait signe à un groupe de soudards de partir devant. Ils sortent de l'enceinte du château, descendent par la route tortueuse jusqu'à la ville aux maisons tassées entre ses hautes murailles, passent la Corrèze à l'unique pont et sortent par la porte de Laguenne qu'on appelle aussi porte Mauvaise, parce qu'elle se trouve à côté du gibet. La pluie vient de s'arrêter, mais l'eau coule partout, détrempe le chemin pierreux. « Je n'aimerais pas mourir par un tel temps ! » se dit l'évêque en frémissant comme s'il existait un temps idéal pour quitter ce monde.

Le gibet est situé sur une petite colline pelée qu'on appelle la Corbeautière à cause de la multitude de ces oiseaux qui viennent y dévorer les cadavres des suppliciés. Une foule silencieuse s'est assemblée autour des cinq potences qui se trouvent sur un promontoire et que Barbe-Noire a fait construire en solide chêne en remplacement des deux anciennes qui servaient si peu du temps de son frère ou de son père, l'ancien comte Charles. Des gens arrivent de la ville ou des hameaux voisins pour assister à l'exécution : les spectacles sont rares et il est toujours plaisant de voir mourir quelqu'un quand, pour une fois, on ne risque rien. Des enfants aux joues creuses tournent vers les cavaliers des visages blêmes et résignés. Les hommes se découvrent et baissent la tête au passage du cortège.

Dans son lourd char à bancs, l'évêque, en compagnie de quelques clercs, devise sur la nécessité d'un gibet permanent.

— La populace a besoin de punition. Elle ne sait se raisonner et céderait au diable sans réfléchir s'il n'y avait cette menace continuelle. Et je suis sûr que ce qui les retient le plus, ce n'est pas d'être pendus, mais d'être mangés par des grappes de corbeaux !

Il baisse la tête en imaginant son beau corps qu'il parfume chaque matin aux essences d'Orient déchiré par des centaines de becs durs et puissants. Il chasse cette mauvaise pensée en ajoutant :

— Le cardinal Duèze, originaire de Cahors, qui me fait l'honneur d'être mon ami, m'écrivait récemment qu'il était favorable au fait que les personnes de qualité qui ont commis quelque crime puissent racheter leur droit au paradis. Je suis de son avis, il ne faut pas appliquer la même peine à la piétaille et aux gens de noblesse.

L'évêque se pince le nez. L'air humide charrie des odeurs lourdes et pestilentielles, odeurs de chair pourrie, de cadavres mis en pièces que les loups viennent se disputer la nuit. Les sorcières achètent les testicules des suppliciés pour fabriquer des philtres d'amour, la langue, cette grosse langue bleue qui, desséchée et réduite en poudre, permet de détecter les mensonges. La charge n'étant pas bien rémunérée, les bourreaux complètent leurs revenus par ce petit commerce sur lequel tout le monde ferme les yeux.

Le char s'arrête à côté des potences. Une estrade couverte que l'on démontera après le supplice a été dressée pour les représentants des différents ordres de juridictions, le sénéchal, Chatelard de L'Huisne, collecteur des impôts puisque Tulle est ville franche et rattachée à la Couronne de France, Geoffroy de Masvallier, usurpateur du titre de comte de Tulle, l'évêque Roger Lescure de Gimel, l'échevin Hubert de Roy, magistrat de Tulle mandaté par les différentes corporations. Au temps du comte Charles, et même de Foulque de Masvallier, ces différentes administrations ne cessaient de se disputer des parcelles de pouvoir. Barbe-Noire les mit d'accord en précisant qu'il ne connaissait qu'un droit, le sien.

Les dignitaires s'assoient à leur place et la cérémonie peut commencer. Trois potences ont été pourvues de cordes neuves que le vent léger balance mollement. Sur la quatrième se décomposent les restes du dernier condamné, un voleur de pain. Des morceaux de vêtements pendent sur des os encore soudés aux articulations. Les corbeaux ont creusé le visage. Des cheveux sont encore collés à ce crâne gris d'où se détachent des lambeaux d'une peau noirâtre et visqueuse. Barbe-Noire souffle une plaisanterie grasse dans l'oreille de Chatelard, qui se sent obligé de rire ; Lescure regarde longuement ces restes qui lui font horreur, même s'il ne peut en détacher les yeux. Son corps peut-il devenir aussi méprisable ? Non, le corps d'un évêque ne pourrit pas comme celui d'un animal, la grâce de Dieu le préserve d'une telle infamie. Cette foule massée au pied de l'échafaud, ces hommes livides aux joues creuses, ces femmes criardes et édentées qui portent un enfant sur chaque bras ne sont pas de sa race. La chair des grands de ce monde a des facultés refusées aux corps bossus et puants de ces gueux qui s'accouplent dans leurs étables. En pendre quelques-uns de temps en temps reste le meilleur moyen de leur indiquer leur place, celle des laboureurs et des bouviers.

La foule se tasse dans la pénombre de ce jour d'hiver, les gens se parlent à voix basse dans un brouhaha d'église. Ils ont oublié les grosses plaisanteries des exécutions ordinaires, point d'éclats de voix, de rires, d'amuseurs qui profitent du rassemblement. Aujourd'hui, chacun se sent coupable de sa faim ; n'importe lequel de ces manants pourrait être à la place des condamnés, mais ils restent là : les supplices les fascinent parce qu'ils voient la mort tant redoutée. De cette hantise de chaque jour, ils font un spectacle banal.

Berthot a réparti des hommes en armes aux endroits stratégiques pour contenir cette horde de miséreux au cas où les choses tourneraient mal. Quelques victimes pour l'exemple suffisent souvent à ramener le calme.

Une charrette tirée par une mule arrive de la tour de Moissac, qui se trouve à la porte du Levant et sert de prison. Les trois condamnés en chemise regardent le gibet où ils vont mourir. L'un d'eux est attaché à la ridelle et gémit. Il tord son visage en grimaces qui font sourire l'évêque. Ses cheveux filasse ont roulé sur sa figure. À côté, la tête haute, un enfant d'une quinzaine d'années se tourne vers Geoffroy Barbe-Noire et le fixe du regard froid de ceux pour qui mourir n'est rien. L'hermite se tient à l'arrière, à genoux, les mains jointes. Sa robe, déchirée à plusieurs endroits, montre des côtes maigres, des épaules pointues, mais on ne voit de lui que ce regard perçant et ses mains maigres qui ne tremblent pas. Sa barbe blanche souillée pend sous son menton, raide et sale.

Barbe-Noire a fini par détourner la tête. Le regard de l'adolescent entre en lui comme un défi, une lame qui fait mal, un reproche. « Dommage qu'il ne soit pas mon fils, celui-là n'est pas un lâche, pense-t-il. »

Un prêtre suit la charrette et tend un crucifix à longue hampe vers les condamnés. Sa robe noire vole autour de son corps épais.

— Faites repentance ! Faites repentance !

Le jeune homme semble ne pas l'entendre, il fixe toujours Barbe-Noire, qui ressent un malaise profond, face à cet enfant, ce serf dont l'aplomb étonne la foule.

Le bourreau et ses aides, vêtus d'une robe et d'un capuchon rouges, attendent sous les potences. Un escabeau a été posé sous l'une d'elles. La charrette s'est arrêtée au bas de l'échafaud. Le prêtre tend le crucifix vers le condamné qui pleurniche tandis qu'on le détache de la ridelle.

— Repens-toi, Dieu t'acceptera en Sa maison...

Le malheureux lève sur le prêtre un regard terrorisé. Il se tord les mains.

— Pitié, monseigneur ! crie-t-il. Pitié, je ne recommencerai plus, je le jure...

Barbe-Noire plisse les lèvres en guise de mépris : « C'est donc de ce lâche que la femme est venue demander la grâce, pense-t-il. C'est toujours face à la mort qu'on montre sa véritable nature. Il ne mérite pas le moindre geste de clémence. » Un clerc tonsuré de frais monte sur l'échafaud et s'adresse à la foule.

— Bardot, Lorrain convaincus de tentative de vol d'un boisseau de blé dans la réserve constituée par Hubert de Roy, échevin de la ville de Tulle, ils ont été condamnés hier, mercredi 18 février de l'an de grâce 1316, à la mort par pendaison. Le même sort sera réservé à ceux qui, d'une manière ou d'une autre, tenteront de s'emparer par la force ou la malice de blé, farine, végétaux ou chair. Qu'on se le dise !

Il marque un silence. La foule se tait. La nuit n'est pas encore tombée, mais les nuages épais répandent une pénombre froide. Un peu en retrait, un jeune homme qui boitille à cause d'une jambe raide, enveloppé dans une cape grise, tourne vers sa compagne ses yeux noirs ornés de longs cils relevés.

— La nature est bien faite : ce lâche n'a jamais pu avoir d'enfant avec la Jeanne. C'est un bien !

La jeune fille pousse son capuchon le temps de tirer vers l'arrière ses beaux cheveux blonds. L'ovale de son visage est parfait, sa peau éclatante. Ses grands yeux bleus se lèvent sur son compagnon.

— Le courage ne s'apprend pas. C'est comme la force, l'intelligence, la beauté, on en a un peu, beaucoup, ou pas du tout.

— Tu te trompes, Lydia, cela s'apprend, mais il faut beaucoup de temps. Je ne veux pas que la Jeanne, qui m'a donné son lait, soit malheureuse !

— Et qu'est-ce que tu vas faire ?

— Je la protégerai et je lui apporterai à manger.

Sur l'estrade, le clerc demande de nouveau le silence.

— Cet homme, ajoute-t-il en désignant l'hermite, mérite le feu, en tant qu'ancien templier, donc banni. Cependant, dans son immense mansuétude, le tribunal n'a requis contre lui que la pendaison.

Le prêtre tend la croix au vieillard, qui la repousse d'un geste vif et crache.

— Malheureux ! dit le prêtre, tu comprends ce que tu viens de faire ?

Sa communication terminée, le clerc descend prestement de l'échafaud, comme s'il redoutait qu'on le pende lui aussi. Aussitôt le bourreau et ses aides s'emparent de Lorrain, qui pousse des cris de porc, se débat de toutes ses forces. Ils le hissent sur l'escabeau, lui passent la corde au cou malgré ses mouvements désordonnés et le poussent dans le vide. Un craquement se fait entendre, un bruit de bois sec qu'on casse d'un coup de genou. Les bras et les jambes s'agitent puis tombent, mous, le long d'un corps que parcourt un tremblement, tandis que les yeux, exorbités, énormes, hideux, conservent une expression de terreur figée. La langue trop grosse pour la bouche pend, un fruit qui tourne au violet comme certains champignons. La foule est déçue. Le lâche est mort trop vite pour qu'on s'en amuse. Une plaisanterie fuse pourtant, quelques rires lui répondent, puis le silence retombe. Dans le ciel, un vol de corbeaux tourne sur le vent. Les charognards savent que lorsque les hommes se rassemblent à cet endroit la nourriture ne manque pas.

C'est au tour de Bardot. La fierté de l'adolescent, qui n'a pas quitté Barbe-Noire des yeux, répand un lourd malaise. Pour ne pas y penser, le seigneur de Masvallier se rappelle la belle servante qu'il a donnée à l'évêque. Pourquoi a-t-il été aussi généreux ? Il aurait pu se l'attacher et profiter de ses grâces ; l'évêque ne manque pas de belles filles et celle-là avait un visage, des lèvres et un regard qui ont illuminé Barbe-Noire. C'est décidé, il donnera quelqu'un d'autre !

Sans frémir, l'adolescent a vu son compagnon mourir en lâche. Il regarde la corde au bout de laquelle il se balancera dans quelques minutes, la corde de son destin. C'est donc celle-là, en bon chanvre, qui va éteindre bientôt le jour pâle, qui va l'expédier dans l'inconnu. Qu'a-t-il appris de cette vie, sinon la misère, la faim pendant ces derniers mois, la douleur autour de lui ? L'amour aussi, brièvement, dans les bras de Manon. C'était l'été dernier, il pleuvait, mais Bardot ne voyait pas les blés pourris ; il passa trois nuits de suite avec la jeune servante. Il voulait mourir après l'amour, dans cet apaisement ravi du corps et de l'âme. Le voilà maintenant au seuil de ce qu'il avait imaginé plusieurs fois, mais jamais sur un gibet. Car ce blé qu'il volait, ce n'était pas pour lui, mais pour son jeune frère qui va mourir, lui aussi, mais de faim, et c'est pire.

Le bourreau a eu une hésitation. Dans son métier, il a vu toutes sortes de condamnés, mais ce garçon qui n'a pas encore de barbe au menton et qui le regarde avec hauteur a la noblesse de ceux qu'on ne pend pas, mais à qui l'on tranche le col.

— Qu'on en finisse ! s'écrie alors Barbe-Noire. On gèle.

Alors, l'homme en rouge se tourne vers l'adolescent, qui l'écarte :

— Je n'ai pas besoin de toi !

Il a parlé d'une voix ferme, qui ne tremblait pas, une voix éclatante de jeunesse. La foule retient sa respiration. Elle voit ce fils d'ardoisier, ce garçon d'apparence bien ordinaire montrer à l'instant ultime un courage qui l'émeut. En haut de l'escabeau, il se tourne une dernière fois vers Barbe-Noire et plante de nouveau ses yeux dans les siens.

Tout le monde a vu ce défi d'un enfant qui va mourir à un homme puissant assis dans son fauteuil, le manouvrier et le maître absolu. Et puis, sans détourner les yeux, le jeune homme prend la corde, passe la tête dans le nœud coulant et saute dans le vide. Sa mort est instantanée, sans la moindre gesticulation. Dieu n'a pas voulu de souffrances pour ce garçon qui se croyait lâche au temps de l'abondance et a découvert qu'il ne l'était pas au pied de l'échafaud. Son courage abîme le spectacle dans l'horreur. La mort doit être ridicule, la rendre grave en montre l'atrocité. Le silence glacé de la foule inquiète les hommes de Berthot qui se tiennent prêts, la main sur la garde de l'épée.

C'est au tour de l'hermite qui, les mains jointes, prie toujours. Ses lèvres remuent, sa barbe tremble. Le prêtre lui tend de nouveau le crucifix, qu'il éloigne de la main, puis, se tournant vers la foule, il crie :

— La vengeance du Temple ne fait que commencer, elle sera terrible ! Dieu est de son côté, préparez-vous aux pires souffrances...

Le prêtre s'exclame :

— Faites taire cet hérétique !

Les bourreaux s'emparent de lui et le hissent sur l'escabeau.

— Dieu a cassé ma chaîne...

Le bourreau a plaqué la main sur la bouche de l'homme, qui gesticule pour se libérer.

Ils ne sont pas trop de deux pour le tenir et d'un troisième pour lui passer la corde. Une fois poussé dans le vide, l'hermite s'agite dans une danse de pantin désarticulé. Ses longues mains tentent de desserrer la corde. Cette fois, la foule rit, accompagne cette pantomime d'encouragements et applaudit ; Berthot est soulagé. Et cela dure plusieurs minutes, les vieux os ne veulent pas se rompre et le pendu continue de gesticuler, les yeux sortis de leurs orbites, la bouche ouverte, la langue démesurée qui se tord comme une limace. Barbe-Noire fait un signe au bourreau, alors, celui-ci prend le pendu à bras le corps et pèse de tout son poids. Un craquement de vertèbres met fin au supplice de l'ancien templier.

La Jeanne quitte le gibet en courant. Elle bouscule une vieille qui lui crie une insanité, puis s'enfuit à toutes jambes. Qu'est-ce qui l'a poussée à assister à l'exécution de Lorrain ? La Jeanne ne saurait le dire, une force à laquelle elle n'a pu résister, le besoin de retrouver une terrible vérité qu'elle connaît depuis longtemps. La curiosité ? Non, c'était comme l'ultime rendez-vous avec cet homme dont elle n'ignore rien. La lâcheté de celui qui la frappait quand le vin lui montait à la tête est à la mesure de sa rancœur de femme. C'est pourtant pour cette loque qu'elle est allée se mettre à genoux devant Barbe-Noire, qu'elle s'est traînée dans la boue... Ce n'est pas le premier pendu qu'elle voit, mais le plus hideux. Jeanne vomit son dégoût en pensant au sexe dur pointé sous les braies de ce pantin.

Sa maison est une petite échoppe où Lorrain travaillait à réparer les chaussures. Elle regarde un moment l'établi encombré de morceaux de cuir, de poinçons et d'outils qui ne serviront plus, la minuscule table où ils mangeaient quand ils avaient du pain, la paillasse pliée, où ils dormaient, où Lorrain la harcelait de ses ardeurs constantes. Elle se penche sur le seau de nuit, l'estomac retourné. Le cœur battant, les joues en feu, pliée par la douleur de son ventre, elle passe dans le réduit où, autrefois, elle élevait un porc. Ses grands yeux noirs sont tout ce qui reste de beau dans son visage marqué par la faim. Ses joues creuses sont fripées. Ses cheveux précocement gris restent collés sur son front taillardé de profondes rides. Dieu ne l'a pas écoutée. Que lui reste-t-il maintenant ? Le souvenir de Lorrain au bout de sa corde ? Cette mort l'a salie à jamais ; les supplications du condamné l'ont éclaboussée d'une boue indélébile. Lorrain n'était pas capable de voler du blé sans se faire prendre. Pour voler, pour tuer, pour être du côté du mal, il faut être fort, comme Barbe-Noire, ne pas redouter l'adversaire. Elle pousse un cri perçant. Ah, mourir avec ce dernier enfant qu'elle porte de lui et qu'elle est en train de perdre. Mourir comme une bête, d'ailleurs, qu'est-elle de plus ? Barbe-Noire l'a à peine regardée. Il lui a demandé son nom comme il aurait demandé la race d'un chien.

Elle s'est allongée sur cette paille humide qui sent le moisi. La douleur grandit dans son ventre, la cisaille. De grosses gouttes de sueur roulent sur ses tempes. Un sang chaud mouille ses cuisses et coule, vermeil, sur la paille. Des vagues brûlantes la submergent, une pince arrache ses entrailles et, du fond de l'enfer où elle se trouve, une pensée se forme, jaillit comme la flamme sur l'étoupe chaude, si vive que la douleur est oubliée un instant : Elle tuera Barbe-Noire ! Non pas pour venger la mort de Lorrain, mais pour elle, pour cet instant de martyre, pour relever la tête et oublier qu'elle s'est traînée à ses pieds. Pour redevenir une femme, un être humain, une fille de Dieu. La mort est la seule porte où les puissants ne passent pas les premiers, où les pauvres n'ont pas à baisser la tête, c'est l'heure de vérité où l'âme se montre nue. Elle voudrait voir Barbe-Noire se traîner à son tour, supplier, être aussi lâche que Lorrain. Voilà que sa raison l'abandonne : comment une pauvresse faite pour les travaux les plus pénibles, les plus sales, pourrait-elle tuer l'homme le plus puissant de la comté ? Dans un effort qui coupe son corps en deux, elle expulse ce morceau de chair sanguinolente qui était son enfant. Avec des chiffons gelés, elle essuie le sang sur son bas-ventre et ses cuisses. Sa respiration est saccadée, des larmes roulent sur son visage. Elle tente de se mettre sur ses jambes mais trébuche. Le corps du bébé gît sur la paille, encore informe, avec seulement, entre ses jambes minuscules, ce sexe rouge énorme. C'était donc un garçon, un fils pour Lorrain qui l'avait tant désiré. Le sixième qu'elle n'amène pas à son terme.

Dehors la nuit tombe, épaisse, humide. La pluie a cessé, mais le vent qui s'est orienté au nord siffle entre les maisons et cingle les visages découverts. Les gens reviennent du gibet par groupes, en commentant les gesticulations des suppliciés. Le courage du jeune Bardot, cet air de défi qu'il avait en montant sur l'escabeau ont touché tout le monde, alors, pour chasser le malaise, on rit de l'hermite, dont la mort ne voulait pas.

— C'était un ancien templier, un hérétique ! Ils ont bien fait de le pendre !

— Vous savez pas ce qui se dit ? Je le tiens de la Persanne, celle qui va chaque jour avec sa charrette glaner du bois. Ils disent des messes noires pour attirer le malheur sur nous. Ceux qu'on a brûlés reviennent la nuit. Ils déterrent les morts pour les tourmenter. C'est à cause d'eux qu'il a tant plu et qu'on va le ventre creux.

— Que Dieu nous protège de ces maudits moines qui prient le diable !

Une fois arrivé chez soi, chacun s'enferme, se recroqueville sur son estomac vide et boit de l'eau pour tromper la faim. Les tavernes sont désertes, d'ailleurs, on n'y vend que du vinaigre qui brûle l'estomac. En ce mois de février 1316, personne ne pense aux fêtes qui pourtant marquent le calendrier et la fin proche de l'hiver. Quand il y a du pain, pendant les bonnes années, tout est occasion de réjouissances et de chansons. Un mariage met un quartier en ébullition. La jeunesse prépare l'événement longtemps à l'avance, et gare à ceux qui refuseraient un verre de vin ! Mais cette année, pour carnaval, les rues sont restées vides. Pâques arrive ; les enfants n'iront pas chercher les œufs, les poules qu'on n'a pas mangées sont trop maigres pour pondre. Quand le blé manque, tout manque. Les Tullistes, réputés paillards et heureux de vivre, se méfient les uns des autres ; ils barricadent leurs portes et gardent jalousement la pomme ou le trognon de pain qu'ils ont trouvés. Pas de partage ! La pitié n'existe plus, et ils prient Dieu de rappeler à Lui les vieillards, les fous et les impotents. Pour ne pas penser à la faim, ils se couchent dès que le jour baisse, se blottissent les uns contre les autres sous la peau de mouton, femmes, hommes, enfants, comme un troupeau de bêtes, et restent ainsi jusqu'au matin. Demain, à l'aube, comme chaque jour depuis Noël, une foule hagarde se pressera près du presbytère des quatre paroisses de la ville pour déclarer ses morts. La charrette de la sénéchaussée ramassera les sans-abri vaincus par le froid, ces pauvres sans nom qui dorment dans les coins de porte quand on ne les chasse pas à coups de bâton. À la cathédrale, pendant toute la journée, des processions, des prières auront lieu pour demander à Dieu une année meilleure, moins de pluie et enfin du blé. Mais Dieu est-Il encore au ciel quand Ses enfants sont en si grande détresse ?

Manger reste la préoccupation de tous. Des groupes se forment autour des maisons riches dans l'attente de débris de légumes, d'une couenne, d'un morceau de lard jeté par les cuisiniers. D'interminables queues se forment au couvent des Petites Sœurs de Marie où la mère supérieure fait distribuer une soupe maigre. Les plus habiles à la chasse tendent des pièges dans les jardins pour attraper des oiseaux, mais les oiseaux ont fui les cours sans miettes. Des hordes faméliques quittent la ville à la recherche de racines sauvages, des premiers pissenlits et autres plantes qui trompent la faim pendant quelques instants, mais ne nourrissent pas. Le cordonnier n'est plus dans son échoppe, le forgeron a quitté sa forge, le menuisier erre dans les fossés, fouille le moindre recoin de terre, comme le font les volailles et les porcs. Des jeunes garçons oublient l'interdit de chasse et de pêche, mais gibier et poisson sont rares, tout a été pillé au début de l'hiver. Des bandes s'attaquent aux fermes isolées ; rares sont les chariots qui arrivent à Tulle ou à Brive. Les hommes de Barbe-Noire poursuivent les malfrats sans répit, pendent beaucoup sans jugement, mais il y en a toujours plus. Et puis la peur ronge tout le monde. Les hérétiques sont sortis de l'enfer, ils capturent les enfants pour les égorger, forcent les femmes à s'accoupler avec eux. Les armées du diable hantent les nuits. La Foucelle qui tapait son linge au lavoir du Puisalet a vu un drôle d'homme aux pieds fourchus. Elle a eu tellement peur qu'elle est restée plusieurs jours sans pouvoir parler !

Seuls les riches ont encore des provisions et les font garder par des hommes en armes. Les moines du Chandoux distribuent du pain une fois par semaine, mais il n'y en a jamais assez et certains malheureux attendent deux jours dans le froid et la pluie pour un croûton.

Pour économiser la farine de blé, d'orge ou d'avoine, ceux qui ont la chance d'en avoir encore y ajoutent des glands pilés ou du plâtre, souvent des os d'animaux réduits en poudre. Barbe-Noire a interdit ces mélanges « qui gastent l'estomac », mais, malgré la discipline de fer qu'il fait régner, personne ne l'écoute.

Tulle a retrouvé ce silence grave de famine qu'il avait oublié depuis plus d'un siècle et auquel on ne croyait plus, celui de ces pauvres bougres hagards qui marchent sans but. Les rues se taisent. Les crieurs d'eau marchent la tête basse. Dans la rue des bouchers, les étals sont vides. Les gens ne se rassemblent plus pour bavarder ou médire, les chanteurs qui colportent les nouvelles désertent les places. Même quand ils se battent pour une épluchure, ces malheureux n'ont plus de voix. Leur mutisme est celui des animaux, la faim a tué leur âme.

Le jour se lève sans chant du coq. Le soleil éclaire l'occident d'une lumière livide. Il ne pleut pas, un peu de vent ride les flaques entre les immondices des rues. La Jeanne Lorrain ne s'est pas allongée sur son lit par peur de le souiller, mais sur la paille, dans l'étable du porc. La douleur ne l'a pas quittée de la nuit, son ventre gonflé est devenu dur comme du bois ; sur la peau tendue courent des veines bleues. Le sang ne coule plus, ce qui l'inquiète. Elle réussit à se mettre sur ses jambes et revient en titubant dans l'unique pièce contiguë à l'étable, l'atelier.

— Si Patte-Raide était là...

Elle a parlé à haute voix pour donner une certaine réalité à son désir. Comme elle n'a pas la force de ranimer le feu, elle déroule la paillasse et s'allonge en tirant sur ses épaules la couverture usée de mouton. La fièvre l'agite de tremblements. Les murs flottent autour d'elle dans une brume qui les déforme. Au coin de ses lèvres, une fleur blanche de salive a séché.

Tout à coup, une terrible pensée la remplit d'horreur : depuis hier, depuis qu'elle est revenue du château, qu'elle a

45

vu Barbe-Noire, la pensée de Dieu l'a quittée. Cela l'épouvante ; sans Dieu, elle n'est pas plus que cette bûche à moitié consumée, sans Dieu, elle marche vers le néant.

— Patte-Raide ! Ton absence me fait encore plus mal que le ventre ! dit-elle distinctement.

Elle claque des dents en se disant que la douleur de son corps n'est que le prémice de ce qui l'attend dans sa damnation éternelle. Elle voudrait prier, mais ses pensées fuient Dieu, s'en éloignent si vite qu'elle ne peut les retenir. Des mots sans suite sortent de cette bouche tordue, passent entre ces dents gâtées, s'échappent dans une haleine putride.

Pronelle Blanchard frappe à sa porte. En bonne voisine, elle vient proposer son aide et sa présence pour le réconfort. C'était une forte personne, les privations l'ont rendue osseuse. Son mari, savetier réputé, fournit plusieurs maisons riches de la ville. Jusque-là, elle a réussi à se procurer de quoi ne pas mourir de faim, du lard, des harengs salés, de la farine d'orge et d'avoine.

Tout de suite, elle comprend ce qui s'est passé. La Jeanne râle sur la paillasse, les yeux révulsés, les lèvres bleues.

— Jeanne, ma bonne...

Jeanne a sombré dans les tréfonds flous et souvent sales de l'âme, ces souterrains où grouillent la vermine et les monstres. Elle délire un bon moment puis se tait, semble dormir, tout à coup apaisée. Alors, ouvrant ses yeux pleins d'une lumière floue, elle prend la main de Pronelle et dit d'une voix presque calme :

— Je vais mourir, je le sais. Je veux revoir mon enfant, celui qui a tété mon lait...

— Pauvre Jeanne, dit Pronelle. Tu sais bien que tous tes enfants sont morts avant terme...

— Mon enfant, répète la Jeanne. Je te dis que je vais mourir. Je veux le revoir, c'est Godefroy Patte-Raide. Va vite le chercher.

Pronelle s'étonne de tant d'insistance.

— De quel enfant veux-tu parler ?

— Celui à qui j'ai donné le sein après ma troisième fausse couche. Un enfant ramassé devant la cathédrale par la vieille Grisette qui est morte...

Autant de précision alors que la malade ne cesse de délirer étonne Pronelle, mais elle ne sait rien de ce Patte-Raide, car la Jeanne a bien caché cela, bien gardé son gros secret, heureusement, car Lorrain l'aurait frappée.

— On va aller le chercher ! dit Pronelle, embarrassée.

Elle rassemble les brindilles sous le chaudron, allume le feu, puis sort. Elle revient quelques minutes plus tard avec une petite marmite.

— C'est de la soupe, dit-elle. Une rave et du pissenlit. C'est tout ce qu'on a, mais il faut que tu manges.

Jeanne repousse la soupe fumante. Son visage est animé d'horribles grimaces. Pronelle mouille un torchon à l'eau tiède du chaudron et l'applique sur la peau violacée du ventre. Jeanne n'a pas de réaction.

— Elle va mourir ! dit Pronelle.

Par moments, la malade ouvre la bouche en un rictus de chien qui s'apprête à mordre et pousse un cri qui n'est plus de douleur ni de désespoir, un cri pour rien, et la lame de ce cri traverse les murs, avertit les voisins. Le vieux Mallebaud qui boite arrive en tapant du bâton devant lui car il ne voit plus clair. Ses cheveux jaunâtres tombent sur ses épaules. Il ne pèse pas plus de soixante livres, mais son regard ardent montre que sa tête fonctionne encore très bien. Mallebaud sait un peu lire, il mesure une coupe de bois et compte sans se tromper. Les dents de sa mâchoire inférieure sont tombées, si bien que son menton touche son grand nez crochu. C'est un bon voisin qui a toujours une histoire à raconter.

— Faut aller chercher le Borgne ! dit-il en voyant ce ventre rond, tendu à éclater.

Le barbier, Pierre le Borgne, a appris avec son père la médecine et la chirurgie pour laquelle il montre une grande habileté. Il est tout en hauteur, le nez démesuré. Son œil droit percé autrefois par une aiguille de tisserand est vide, sa grosse paupière rouge pend, inutile. Il a une trentaine d'années et, comme la plupart des hommes de cet âge, quelques incisives en moins, ce qui lui fait une parole susurrée, chuintée, différente des autres. Cela aussi ajoute à sa renommée.

Le médecin examine rapidement la malade, prend son pouls et demande du linge et de l'eau froide qu'on lui apporte aussitôt. Il trempe le drap de chanvre dans le seau, l'essore et l'applique sur l'abdomen. La malade pousse un cri et se contracte.

— Je m'en doutais, elle est prise d'un réchauffement brutal. Surtout donnez-lui beaucoup à boire, et de l'eau froide.

De temps en temps, il mouille le tissu et le pose de nouveau sur la peau brûlante. Cela semble efficace puisque la malade s'agite moins et respire plus librement. Enfin, il demande :

— Qu'on m'apporte de la crotte de pigeon ayant mangé du chènevis.

On se regarde, étonné. Le vieux Jules Mallebaud s'exclame :

— Cela fait longtemps qu'on les a mangés, nos pigeons...

— Alors de la crotte de poule...

— C'est bien pareil des poules.

— Alors de la crotte sèche, c'est moins efficace que la fraîche, mais puisqu'on ne peut pas faire autrement...

Le vieil homme revient quelques instants plus tard avec une plaque dure de crotte grise. Dans un bol, le Borgne la broie en poudre puis la mélange à une mixture de sa fabrication qu'il prend dans un flacon bleu, prononce une prière à voix basse, fait deux signes de croix, un à l'endroit, l'autre à l'envers pour tromper le diable, ajoute douze gouttes d'eau bénite. Il malaxe le tout jusqu'à en faire une pâte onctueuse et odorante qu'il applique sur la peau distendue.

— Maintenant, elle va dormir.

Pronelle propose de payer le barbier. Elle pense à ce Godefroy Patte-Raide que sa voisine a nourri en secret avec son lait, mais comment le retrouver ?

Le Borgne se lave les mains dans l'eau froide du seau.

— Demain, elle sera guérie s'il n'y a pas quelque sortilège là-dessous ! dit-il.

De la pointe du couteau qu'il a réussi à substituer à ses geôliers, Foulque de Masvallier casse la glace qui vient de se former sur l'eau de sa bassine puis se dirige vers les planches qui lui servent de lit. Sur l'escabeau, il entaille le bois à la suite d'un chapelet de marques toutes identiques.

— Nous sommes donc le 8 mars 1316 ! dit-il.

Cette habitude de marmonner dans sa barbe, il l'a prise ici, en captivité. De la meurtrière du mur épais vient un air froid et humide. Le vent hurle en se brisant sur la haute tour du château de Boussac perché au sommet de son rocher qui domine la Corrèze, une forteresse construite par son aïeul, le comte Henry de Masvallier, pour protéger le pays des incursions des Normands. Elle appartient désormais à Roger Lescure de Gimel, que Foulque hait presque autant que son frère, Geoffroy Barbe-Noire, qui le retient prisonnier ici depuis huit longues années.

Foulque trempe son doigt dans l'eau sur laquelle flottent des débris de glace. Le froid pique sa peau, mais il trouve cela agréable. L'heure de la revanche approche, c'est ce qui lui donne la force de résister au gel, de ne pas en sentir la morsure à travers sa chemise et sa cotte usée. C'est un homme élancé, la tête haute, chauve sur le haut du crâne. Son abondante barbe blanche qu'il coupe avec son couteau puisqu'on lui refuse le barbier hérisse ses joues de poils inégaux. Il reste des heures à scruter la campagne, accoudé à la meurtrière. Comment s'évader par là ? Il faudrait avoir les ailes de ces corbeaux qui tournent autour du donjon pour oser plonger dans cet à-pic de près de trois cents pieds, au fond duquel la Corrèze se heurte à un chaos de gros rochers ! Non, ce n'est pas par là qu'il va s'en aller.

Un minuscule cri aigu le fait se retourner. Crécie, la petite souris qu'il a apprivoisée, lui rend visite tous les jours. Il lui donnait des miettes quand on lui servait du pain, mais, désormais, le blé est trop cher et il doit se contenter d'un peu de bouillon avec des morceaux de rave. Pourquoi Barbe-Noire le garde-t-il en vie en cette période de famine ?

Il tend la main droite vers la souris, qui n'a pas peur et se dresse en remuant ses longues moustaches.

— Te voilà, toi ! dit-il avec un léger sourire qui montre ses dents dont certaines sont gâtées, même s'il prend soin de les nettoyer chaque jour avec les cendres et le charbon pilé que lui apporte Picart, le sergent chargé de sa surveillance.

Picart a l'esprit faible et manque de détermination. C'est un pleutre qui se donne toujours au plus fort. Depuis longtemps Foulque en a fait un complice, mais il redoute que ce lâche ne le trompe au profit de ses ennemis.

— Tu sais que tu vas me manquer, petite Crécie !

Évoquer qu'il va s'ennuyer de ce petit animal est une façon de se persuader que son évasion va réussir.

— Le sanglier en crèvera !

Foulque serre les dents. La seule pensée de ce routier de Barbe-Noire qu'il se jure de faire pendre réveille sa haine. Son œil de corbeau étincelle. Ses paupières, légèrement bridées, ajoutent à son regard un éclat féroce, la détermination d'un prédateur. Comment deux frères qui ont grandi ensemble peuvent-ils en arriver à se haïr avec tant de force ?

— Éliabelle, que deviens-tu ? murmure-t-il entre ses dents.

Qui croire ? La rumeur, les chansons de taverne qui disent que sa femme n'a pas résisté bien longtemps ou Picart qui ne cesse de lui répéter que Barbe-Noire l'a prise de force ? Il frappe du poing les planches de sa couche. Il voudrait souffrir, alors il imagine Éliabelle dans les bras de ce porc, mais il ne ressent pas cette douleur vive qui plantait sa lame en lui au tout début de sa captivité. Après huit années de séparation, aime-t-il autant sa femme qu'il voudrait le croire, cette femme qui n'a jamais pu lui donner d'enfant ?

Foulque n'est pas resté inactif. Avec patience et tact, il a lentement tissé sa toile, acharné et précis, comme la grosse araignée entre les pierres disjointes du mur qu'il observe pendant des heures.

Le ciel est encore gris, uniforme. De cette chape tombent de fines gouttes de pluie gelées. La brume noie la campagne, les cabanes au bord du torrent, les champs accrochés au flanc de la colline pentue.

La lourde porte de bois sombre s'ouvre en miaulant sur ses gonds. Picart, un homme rond, trop gras pour l'époque, entre, une écuelle fumante à la main.

— Votre soupe, monseigneur.

Foulque plante ses yeux ardents dans le regard fuyant du sergent.

— Alors ? Qu'est-ce qu'ils ont dit ?

L'autre lui souffle :

— Ils ont dit que tout était en place. Ce soir...

Foulque écarte ses doigts aux ongles plats, sa main se lève sur le domestique comme la serre d'un oiseau de proie.

— Tu dis ?

— Ce soir.

Sans ajouter un mot, Picart sort, la grosse clef tourne dans un sens, mais le deuxième tour est à l'envers, ce qui n'échappe pas au prisonnier. Foulque sait ce qu'il doit faire : son évasion est arrangée dans le détail, pourtant, il doute. Maintenant qu'il va agir, un pressentiment l'agite. Si c'était un piège, une ruse du sanglier pour l'attirer dans un guet-apens et l'assassiner ? Tant pis ! Rester ici est pire que la mort. Foulque a trop attendu, trop espéré cette vengeance qui lui a donné la force de survivre deux mille neuf cent vingt jours dans le froid et la vermine. Il sort de sous sa couche l'épée que Picart lui a apportée.

La nuit tombe lentement sur la campagne. Près de la Corrèze, des enfants reviennent de glaner du bois et portent un fagot aussi gros qu'eux. Sur le chemin, un manant tente de faire avancer un âne bloqué des quatre fers et pousse des cris stridents.

Le temps ne passe pas. L'ombre se pose sur la brume et engloutit les chaumières, la rivière, les collines grises. Dans la cour, au-dessous de la tour, des guetteurs ont allumé un feu et se chauffent en bavardant. Une odeur de fumée arrive jusqu'à Foulque. Sa fuite ne sera pas aisée, même si des hommes l'attendent de l'autre côté de la rivière.

Un grattement à la porte lui indique enfin que l'heure est arrivée. Le gond tourne en émettant un grincement aigu. Le courant d'air gelé lui saute à la figure. Foulque écarquille les yeux mais ne voit rien. Le souffle bruyant de Picart le rassure. Le geôlier lui prend l'avant-bras et le guide dans l'ombre. Ils longent un couloir en tâtonnant, descendent un escalier, une porte grince ; son bruit paraît énorme.

Deux hommes, que Foulque ne connaît pas, en cotte de fer, l'épée au poing, l'attendent en bas sur un palier qui surplombe le vide. L'un d'eux tient une torche qui brûle en crépitant. Foulque ne voit pas son visage, mais seulement ses yeux qui brillent et, dans cette lueur, il lit l'indifférence de celui qui agit parce qu'on l'a payé. Tant pis si c'est un piège !

— Vite ! souffle le premier.

Ils s'éloignent par l'escalier. Dans la cour, le feu flambe toujours. Les guetteurs se pressent et tendent leurs mains aux flammes.

— On leur a fait distribuer du vin et du lard. Rien à craindre d'eux pendant un bon moment.

— Qui vous envoie ?

— Pas de questions. On continue !

Après quelques minutes de marche, le groupe s'arrête dans un renfoncement de l'escalier. L'homme à la torche ouvre une porte en bois ferré.

— Allez...

Il s'enfonce dans l'obscurité. La torche allume des murs gris couverts d'une lèpre verte. Ça sent la terre pourrie, la charogne, le rat et cet air vicié qui a séjourné longtemps dans une cave fermée.

Foulque suit, en se disant que ce souterrain a été le théâtre de bien des exécutions sommaires. Peut-être sera-t-il la prochaine victime, mais il n'a pas le choix. Entre ces deux soudards bardés de fer, il ne peut opposer aucune défense. Ils descendent encore un escalier aux marches de pierre glissantes qui arrive à un tunnel à moitié rempli d'une eau jaune et vaseuse.

— Maudite pluie, dit l'un d'eux.

Ils traversent une salle voûtée. La lumière réveille des chauves-souris qui se mettent à voler avec un bruit de tissu froissé et se cognent aux murs. L'une heurte Foulque en plein visage et se prend les griffes dans ses cheveux. Il la repousse d'un geste vif.

La marche se poursuit. Foulque frissonne. Son aversion envers l'homme qui marche derrière lui, silencieux, aussi sournois qu'un renard ne cesse de grandir. Il se tait pourtant, serre les dents et continue, prêt à riposter. Les voilà enfin dans la sacristie d'une chapelle qu'il ne connaît pas. Ils sortent par une porte basse et sont aussitôt entourés de cavaliers qui se cachaient derrière les buissons. Foulque reconnaît son ami, le sire Hugues de Sarran, cette fois, il est rassuré.

— Sautez à cheval et filons le plus vite possible, l'alerte doit déjà être donnée !

— Comment se fait-il que ce souterrain soit libre ?

— Il était comblé depuis longtemps, on a dû le dégager discrètement et ça nous a pris des mois. La pierre est dure par ici !

Foulque s'approche de son cheval en regardant la nuit autour de lui. L'air froid fouette son visage. Le grondement de la rivière en crue le tient un moment immobile, l'oreille tendue. Ce vent, ce bruit de l'eau, il les savoure.

Il essaie de monter à cheval mais doit s'y reprendre à plusieurs reprises. Sa longue captivité a raidi son corps, Hugues l'aide.

— La misère est grande, dit-il, très grande. Le pain manque, et les bois son infestés de loups et de voleurs.

— Et Barbe-Noire ?

— Il s'est mis à dos la populace et les vilains.

Foulque a un sourire moqueur.

— Il a décidé que l'on ne pouvait plus jeter ses fientes et son fumier à moins de deux brasses des fontaines et des puits de la ville.

Foulque éclate de rire. Une telle décision montre jusqu'où son frère veut étendre son autorité. Rien ne doit lui échapper, pas même les fientes et les ordures des Tullistes !

— Pressons ! fait Hugues de Sarran. Nous avons plus de quinze lieues à parcourir et les embûches ne manquent pas.

Le groupe, précédé de cinq éclaireurs, part dans la nuit. Le chemin se dessine sous les arbres. Foulque pousse sa monture, mais chaque soubresaut casse ses épaules affaiblies, meurtrit son corps qui a perdu toute souplesse. Des douleurs vives éclatent dans son dos, ses cuisses dures comme du bois sont parcourues de tremblements de feu. Mais ces désagréments lui font apprécier le bonheur de chevaucher, d'être entouré d'amis, lui qui, depuis huit ans, redoutait à chaque instant qu'on vienne l'assassiner. Le chevalier de Sarran chevauche à côté de lui c'est la garantie que tout va bien.

Les trois lieues sont accomplies sans mauvaises rencontres et les hommes passent enfin le pont-levis du château de Sarran, au pied des Monédières. Malgré l'heure avancée, ils se mettent à table dans la grande salle basse et les serviteurs apportent des pièces de vénerie qui attendaient au chaud. Foulque regarde cette nourriture avec envie, l'odeur de viande grillée le réjouit. La liberté, c'est avant tout ces petites choses, une table garnie, des amis près de soi, des chandelles qui chassent la nuit...

— Oui, continue Sarran en levant son hanap en face de Foulque, Barbe-Noire n'en finit pas de changer l'ordre ancien. Ainsi, il a nommé, comme cela se fait dans certaines villes royales, des maîtres de rues qui ont pour mission de veiller au curage et à l'évacuation de la vase et autres boues. Et les bouchers ne peuvent plus jeter leurs résidus dans la Corrèze parce que, dit votre curieux frère, « cela nuit à la santé des hommes et des bêtes » ! Il ne veut plus que le sang des boucheries coule dans la rue et pourquoi, je vous le demande ? Parce qu'il paraît que ça pue !

— Vous m'en voyez très satisfait. Les bourgeois ne supporteront pas longtemps tout cela et seront de mon côté. Le traître, je le ferai éventrer et c'est moi-même qui jetterai ses tripes à la rivière !

— Il a donné à plusieurs familles nobles le commandement des tours et celles-ci doivent entretenir à leurs frais des hommes d'armes et surveiller les entrées et les sorties. Il a nommé échevin ce voleur de De Roy, un marchand de grain qui s'est beaucoup enrichi depuis que le blé manque.

Un voile passe sur le regard sombre de Foulque. Le vin dont il avait oublié le goût depuis huit ans répand en lui une agréable ivresse et la pensée de sa femme l'irrite. Peut-être a-t-il cessé de l'aimer, mais la savoir dans les bras de cet ivrogne, de ce voleur sanguinaire, décuple son désir de vengeance. Hugues de Sarran a compris.

— Il ne cessait de tourmenter la pauvre Éliabelle qui lui résistait.

— Vous voulez dire que...

— Il la maintenait en détention dans une fosse puante, ne lui donnant à manger que du bouillon maigre et des raves. Il l'a forcée, je vous dis...

— À propos, fait Foulque qui revient à sa principale préoccupation, où trouverons-nous de l'argent ?

— Demain, nous irons rendre visite à Lartmann, un Juif qui tient banque à quelques lieues d'ici, précise Sarran.

Ce soir, Foulque a le vin mauvais. Tout pourtant devrait le rendre heureux, son évasion réussie avec une aisance telle qu'on se demande pourquoi elle n'a pas été possible plus tôt, ce bon repas de viande, lui qui ne mangeait que raves et carottes depuis huit ans, et maintenant cette perspective de constituer une armée. Il garde en lui une tristesse sans raison, ce ressentiment des hommes que la haine fait vivre et qui redoutent de la voir s'émousser par une victoire trop facile.

Patte-Raide s'est arrêté au coin de la rue, face à la taverne Au sanglier blanc qui ne vend plus de vin depuis longtemps. Aucune lueur ne vient des fenêtres basses. La nuit est complète, une chandelle brûle dans la maison du bourgeois Lamar, un riche négociant en draps qui ne craint pas la famine. Patte-Raide fait un signe. D'autres ombres arrivent des rues voisines et lui emboîtent le pas. Ils arrivent à la maison des templiers menacée de ruine. Dans le jardin, les massifs ne sont plus entretenus et les ronces ont envahi les allées. Personne n'a voulu la racheter quand elle a été mise en vente. Cédée par le roi Philippe le Bel aux frères hospitaliers, elle est désormais abandonnée. Les gens l'évitent. Des bruits curieux viennent de ces pièces froides, de ces couloirs nus. Le sabotier Lebrun assure avoir vu des hommes vêtus de blanc en train de festoyer dans la grande salle du bas. Les revenants hantent le jardin, on les voit parfois retourner la terre. Ce sont les âmes de ces diaboliques guerriers qui avaient pactisé avec le diable. Elles se réunissent là pour des bacchanales sordides. Lunnet, le marchand de laine, les a vus et en est mort foudroyé. Avant la famine, Barbe-Noire avait décrété la démolition du bâtiment, mais il ne trouva pas de journaliers pour accomplir le travail ; depuis, il a d'autres soucis.

Patte-Raide et ses compagnons se faufilent le long du mur qui perd ses pierres et entrent par une porte basse entrouverte. Ils longent une allée de tilleuls et pénètrent dans la bâtisse. Leurs pas résonnent dans le corridor. Ils descendent un escalier, arrivent à une cave voûtée, à l'endroit même où des frères furent gardés prisonniers et torturés. Une torche fichée dans un anneau métallique du mur éclaire de sa flamme tremblante une table, un fauteuil de bois, un coffre et des tabourets. Patte-Raide marche jusqu'au fauteuil. Il n'est pas très grand ; sur son visage se mêlent les traits d'adulte et d'enfant : un menton volontaire piqué des premiers poils de barbe, des joues encore couvertes d'un petit duvet blanc. Sous ses longs cils noirs relevés, il darde un regard d'ange. C'est lui le chef de cette bande d'adolescents de la rue, sans parents, sans attaches. Pour les sergents de la sénéchaussée, pour les gardes de la ville, les maîtres des rues, ils n'existent pas. Ils ne figurent sur aucun registre d'aucune paroisse. Hors du monde des adultes, ils vivent avec leurs lois dont l'application ne souffre pas le moindre écart.

Patte-Raide s'est assis dans le fauteuil, l'air pensif. Lydia, une superbe jeune fille blonde, au visage parfait, aux grands yeux bleus, vient se ranger près de lui. En face d'eux, debout, une dizaine de garçons et de filles dont certains ont moins de quinze ans attendent, debout, en silence. Patte-Raide les parcourt des yeux puis demande :

— Tout le monde est là ?

Gros-Jean, un garçon à l'imposante carrure, fait un pas en avant.

— Tout le monde est là.

— On peut y aller.

Sans un mot, Patte-Raide prend la torche et sort, suivi de la petite troupe. Ils descendent un nouvel escalier, suivent un couloir, montent des marches de pierre usées en leur milieu. Un sac sur l'épaule, ils marchent en file indienne. La lumière éclaire des visages décidés aux traits durs.

Ils suivent un étroit souterrain et arrivent enfin à une chapelle démunie des joyaux d'or qui ornaient autrefois ses murs et son autel. Il ne reste rien, pas une statue, pas un vitrail. Seuls les bancs sans valeur sont encore rangés dans la nef. L'autel de pierre n'a plus de croix. Patte-Raide tend sa torche à un autre enfant, qui se met à allumer les cierges. La troupe s'est rangée sur les bancs et reste debout. Patte-Raide monte dignement les marches, la tête levée, les mains posées à plat sur la poitrine. Il ouvre le tabernacle et, des deux mains, sort lentement, avec beaucoup d'ostentation, un crâne humain. Il s'incline et pose les lèvres sur l'os plat du front, puis se tourne vers les autres, qui se mettent à genoux, la tête baissée.

— Le grand maître du Temple attend vos offrandes.

Quelques enfants se lèvent, s'approchent et vident le contenu de leurs sacs au bas des marches, poules mortes ébouriffées, petits sacs de farine, bouteilles de vin et d'huile, fruits, lard salé... Une fille sort de sa poche une bague et deux magnifiques boucles d'oreilles. Patte-Raide s'étonne.

— Où as-tu trouvé ça ?

Elle baisse la tête, comme coupable.

— Dans une maison bourgeoise de la rue de la Juiverie.

— Je préfère des choses qui se mangent. C'est plus facile, et ceux qui achètent ne risquent pas de nous dénoncer. Quand on a faim, un sac d'écus vaut moins qu'un sac de farine.

Quand les offrandes sont terminées, Gros-Jean trie la marchandise qu'il répartit en trois sacs et ordonne à deux filles d'aller les ranger à la réserve et de préparer ce qui est nécessaire pour le repas. Patte-Raide remonte dignement les marches, pose les mains à plat sur le crâne et s'agenouille.

— Merci, maître de l'Ordre sacré ! dit-il sur un ton plein de recueillement.

Tous les adolescents, les mains sur la poitrine, récitent alors une incantation. Leurs voix mêlées remplissent l'ombre de cette chapelle, s'amplifient sous les voûtes de la nef.

Patte-Raide pose de nouveau les lèvres sur le front du crâne, tend ses deux mains vers la flamme de la chandelle, symbole de vie et de renaissance, puis ferme le tabernacle. Les adolescents quittent la chapelle et reviennent dans la grande pièce voûtée de la cave où ils prennent leurs repas. Ils s'assoient tous autour de la table, les cuisinières apportent les victuailles et ils se mettent à manger. Seuls Patte-Raide et Lydia, assis en retrait, ne participent pas au repas.

— Des renforts ont été placés aux portes de la ville, dit-il. Il va falloir faire attention...

Morlet, un gamin d'une quinzaine d'années, maigre, aux oreilles décollées, précise :

— Faudra placer quelqu'un à l'entrée du souterrain. Ce matin, j'ai failli me faire prendre.

Par ce souterrain que seuls les garçons de Patte-Raide connaissent, les templiers pouvaient sortir de la ville sans être vus, sans avoir à passer par des portes toujours gardées. D'autres existent, qui partent des maisons nobles, mais ils sont souvent effondrés. Certains que l'on croit bouchés sont toujours ouverts ; Patte-Raide a dressé la carte de ce dédale, lieu de repli idéal.

— Les vilains se méfient aussi et lâchent leurs chiens quand ils en ont. Il faut choisir les maisons isolées, les vieux, de préférence, et surtout pas de sentiment, prendre tout ce qui peut se vendre...

Patte-Raide se tait un instant et regarde les autres mordre à belles dents dans les tranches de pain qu'une fille coupe dans une énorme tourte. La lumière chancelante des torches révèle les angles de son visage, le pli des lèvres, son nez minuscule, le menton assez fort et ce regard fixe sous ses grands cils noirs. Lui et sa bande ne souffrent pas de la faim. Ils se débrouillent en chapardant dans les fermes, en attaquant les voyageurs, les marchands ambulants au nez des gardes de Barbe-Noire. Ils se déplacent toujours par petits groupes très mobiles et glissent entre les doigts des sergents, insaisissables anguilles. Leurs larcins accomplis, ils disparaissent, et où les chercher, où les traquer puisque personne ne connaît leurs noms, puisqu'ils habitent nulle part ?

Jacquot, un gamin d'une douzaine d'années, le teint brun, les cheveux frisés, s'approche de Patte-Raide.

— J'ai appris ce soir que la Jeanne Lorrain est malade. Le curé lui a apporté l'extrême-onction.

Le visage de Patte-Raide s'assombrit. Ses grands cils battent à plusieurs reprises.

— Je veux pas qu'elle meure. Si le diable a besoin de morts, je peux lui en donner dix, cent à la place, mais qu'il laisse la Jeanne...

Il a levé la tête vers la torche, comme si cette flamme était pour lui une image de ce diable, supérieur au Dieu des curés. Ses prunelles se sont allumées d'une lueur bleue et dorée, pleine de détermination.

— Je veux pas qu'elle meure ! répète-t-il.

Lydia lui prend la main.

— Elle ne mourra pas ! dit-elle d'une voix douce.

Il se tait un moment. Les autres respectent son recueillement et cessent de mastiquer. Enfin, il se lève de son fauteuil, passe une main dans ses cheveux noirs qu'il porte court, contrairement aux autres.

— Gros-Jean, on s'en va.

Gros-Jean a peut-être seize ans. Sa redoutable force est entièrement au service de Patte-Raide. Il n'hésite pas à tuer ; la souffrance de ses victimes lui arrache un rire gras. Patte-Raide le paie, comme un animal de trait, par un compliment et, quand le service est important, par une des filles de la troupe qui redoutent ce garçon brutal et sans finesse.

Le simplet prend une torche et suit Patte-Raide et Lydia. Les autres poursuivent leur repas. Ils peuvent manger, se goinfrer, se soûler du vin volé, cela n'a pas d'importance. La famine qui sévit dans le pays les sert, comme elle sert toute la racaille, les tire-laine, les bandes de routiers qui se cachent dans les forêts.

Patte-Raide et Lydia entrent dans la pièce qu'ils se sont réservée. Un lit occupe le fond avec une table, deux fauteuils, des tabourets et un coffre. Gros-Jean garde la porte, et gare à qui veut entrer ! Patte-Raide l'a trouvé dans une ferme. Il gardait les porcs à la glandée, exécutait tous les travaux pénibles. Et, quand il avait fini, son maître le frappait. Il était payé avec des coups, des humiliations. Les autres domestiques ne cessaient d'inventer de nouvelles brimades. C'était une bête de somme qui partageait la pitance des porcs et dormait avec l'âne. Sa maigreur faisait saillir les angles de ses os à travers une chemise déchirée. Patte-Raide a tout de suite compris l'avantage qu'il pouvait tirer de cet animal qu'il suffisait de dresser et de nourrir pour avoir le meilleur chien de garde qui soit.

Patte-Raide s'est assis dans le fauteuil. La torche accrochée au mur révèle la vie sournoise de chaque objet, allonge des ombres, éclaire des formes insolites. Le jeune garçon pense à Jeanne Lorrain, sa mère de lait. Les richesses entassées ici peuvent payer les meilleurs médecins, mais, depuis que sévit la famine, ceux-ci refusent de se déplacer par peur des attaques.

— Je veux pas que la Jeanne meure ! dit-il en frappant l'accoudoir du fauteuil de son poing.

Il s'en veut maintenant de ne pas avoir essayé de délivrer Lorrain, que Barbe-Noire a pendu, mais il ne l'aimait pas.

— Je vais aller te chercher à manger ! dit Lydia. Ça te changera les idées.

Quelques instants plus tard, la jeune fille revient, portant un plat où fument deux pattes de poulet. Elle s'assoit en face du garçon, qui la regarde longuement. Sa beauté l'étonne toujours. Comment peut-il être aimé d'une fille aux yeux si grands, au visage si parfait, à la chevelure blonde si abondante qu'à côté les princesses passent pour des laiderons ?

Il plante la lame de son couteau dans la patte de poulet et la porte à ses lèvres. Lydia lui verse un verre de vin et se met à son tour à manger avec la grâce et la délicatesse d'une grande dame. Ils se sont rencontrés dans une rue basse, près de la Corrèze, où la tenancière d'une taverne, qui avait recueilli la jeune fille, l'obligeait à se prostituer. C'était une maison sombre où l'on servait du vin aigre pour quelques deniers. Après une journée à porter des sacs, des fagots, des bûches, à pousser des tonneaux, les rouliers, rudes et grossiers, étaient si fatigués qu'ils mangeaient très peu, mais le bas-ventre avait ses exigences. Alors, la maquerelle leur proposait Lydia, qui avait treize ans. Un jour, Patte-Raide, en passant devant le tripot, la trouva en pleurs : un client grincheux venait de la battre. Elle avait repoussé ses abondants cheveux de sa figure et ses yeux bleus s'étaient plantés dans les yeux noirs du garçon ; les deux enfants perdus découvraient tout à coup que la solitude n'est pas une fatalité. Ils ne s'étaient jamais vus, mais, à cet instant, leurs âmes s'unissaient dans un profond accord. Il lui tendit la main et elle le suivit. La maquerelle la fit chercher, mais personne, pas même les clients habitués qui connaissaient bien la jeune fille, ne put fournir la moindre indication. C'était une grosse perte pour cette femme âpre au gain. Certes, elle trouverait facilement une autre fille, mais pas aussi belle, et il faudrait des mois pour la rendre docile comme l'était Lydia et lui apprendre ces jeux d'amour dont raffolent les hommes.

— Je veux pas qu'elle meure ! répète Patte-Raide en levant ses longs cils sur Lydia.

— Morlet a dit que son ventre avait la taille d'un tonneau. Elle ne connaît plus personne. Elle se bat contre des revenants...

Lydia se tait un moment puis continue :

— Tu veux qu'on aille chercher Gisbeau ?

— Ce serait aller se faire trancher la gorge. Et puis Gisbeau ne se déplace que pour les riches.

S'aventurer dans la ville à cette heure, c'est risquer de se faire assassiner. Chaque matin, les cadavres de pauvres bougres ne manquent pas sur les tas d'ordures, souvent mutilés d'un bras, d'une jambe. Les hommes de l'échevin les entassent dans le chariot avec les mendiants morts de faim.

Quand il a fini de manger, Patte-Raide demande à Gros-Jean d'allumer la petite lampe à huile au-dessus de son lit. Il fait frais dans ces caves, mais la consigne est formelle : pas de feu, car, même la nuit, la fumée attirerait l'attention ; les vêtements volés ne manquent pas pour se protéger du froid. Patte-Raide glisse sous l'épaisse peau d'ours étalée sur son lit, Lydia se pelotonne contre lui, comme un chat qui cherche la caresse, et les deux adolescents enlacés essaient de trouver le sommeil. Gros-Jean s'est couché en travers de la porte, lui aussi enroulé dans une peau d'ours.

L'emplâtre du Borgne n'a pas produit l'effet escompté et, ce matin, tandis que le jour blanchit le ciel, Pronelle sait bien que la Jeanne va mourir. La malade n'est plus de ce monde : elle roule un regard terrorisé par les démons sortis de l'enfer pour l'emporter. La peau de son visage a pris une couleur verdâtre ; ses lèvres se retroussent en un ricanement sordide. De brusques contractions soulèvent son corps, qui se tord à se casser. Son ventre bleu, distendu, va éclater. Pronelle lui tient la main, et les doigts, par moments, s'agrippent aux siens, comme pour ne pas tomber dans l'abîme béant ; les ongles mordent dans la paume de Pronelle, qui supporte avec un mot gentil. Elle est allée chercher un peu de bouillon où nagent une fève et une couenne, mais Jeanne la repousse. La vieille Mantille, que Dieu écoute puisque ses prières ont sauvé plusieurs personnes, arrive enfin. Quand la médecine des hommes ne peut rien, il ne reste que la clémence du ciel. Mantille est presque chauve, sous ses rares cheveux blancs, on voit la petite pierre luisante de sa tête. Elle se met à genoux près du lit, récite des litanies que lui a enseignées sa mère, un secret de famille qui se transmet par les femmes.

— Je le sens pas ! dit la vieille. La chaleur ne monte pas dans ma poitrine ; j'ai les joues froides. Je vous dis, je le sens pas...

Elle s'obstine, pourtant. Plusieurs fois, elle répète les paroles sacrées, mais sans résultat. Enfin, elle se lève en s'aidant de son bâton, se tourne vers Pronelle.

— Je peux rien. Cette femme n'appartient pas à Dieu. Elle s'est donnée au diable dans sa vie. Je peux rien...

Ses mains tremblent, ses yeux profonds se remplissent de peur.

— Je vous dis, le diable est ici. C'est lui qui commande et cette femme est d'accord !

Mantille sort précipitamment. Pronelle, qui n'est pas rassurée, demande à son mari de rester avec elle.

Patte-Raide arrive à tierce. Tout le monde s'est tourné vers la porte en voyant entrer ce curieux garçon à la démarche de vieux. Pronelle comprend : c'est l'enfant que la Jeanne réclamait quand elle avait encore sa raison. Il s'approche du lit, regarde longuement la malade sans se préoccuper des autres, lui prend la main et dit :

— Jeanne, je suis là.

La voix tranchée est celle de quelqu'un qui a l'habitude de commander. La scène paraît tellement irréelle que Pronelle ose :

— Vous êtes Godefroy Patte-Raide ?

Le jeune garçon acquiesce de la tête. Les beaux cils noirs battent à plusieurs reprises, alors Pronelle a peur et tremble de toutes ses rides. Qui est ce garçon ? Le diable ne manque pas d'idées pour tourmenter les pauvres gens !

— On va aller chercher Gisbeau ! dit Patte-Raide. Il va venir te voir.

Gisbeau ! Pronelle n'en croit pas ses oreilles. Sa réputation de médecin va au-delà des murs de la ville, mais il se fait payer si cher que seuls les riches peuvent avoir recours à ses soins. Il vit entre Bordeaux et Tulle, où il possède un hôtel particulier, rue Traversière, et mène grande vie, entouré d'une foule de disciples.

Pour contenir sa peur, Pronelle a besoin de parler.

— Vous êtes bien un grand seigneur, mais qu'est-ce qui vaut un tel dérangement pour notre pauvre Jeanne ?

— Il y a que je ne veux pas qu'elle meure ! dit Patte-Raide.

La malade s'est calmée et semble recouvrer ses esprits. Ses yeux s'ouvrent et se posent sur Patte-Raide, qui lui sourit. La bouche de la Jeanne se plisse enfin, comme si elle aussi voulait sourire.

— Vous êtes donc un ange du ciel pour faire un tel miracle ? demande Pronelle.

— Je reviendrai ! dit Patte-Raide, puis il s'en va, accompagné de son puissant garde du corps qui était resté à la porte.

La ferme du Val est entourée de murs mais ne résisterait pas longtemps à l'attaque d'une de ces bandes de voleurs qui hantent les environs depuis le début de l'hiver. Aussi Aîné vit-il dans la terreur. Il a des armes pour se défendre, des faux dressées comme des lances, des couteaux, des fourches en fer, mais cela ne suffit pas à le rassurer. On raconte tant de choses ! Des templiers à tête de mort ont ravagé plusieurs villages au pied des Monédières. Une licorne est née à Auba-zines de l'accouplement d'un âne et d'une vache ; à Donzenac, un veau s'est mis à hurler comme un loup. Plu-sieurs personnes ont vu les tombes s'ouvrir au cimetière du puy Saint-Clair et les morts en sortir en gesticulant ! Les prê-cheurs qui vont de hameau en hameau et colportent ces nouvelles assurent que la fin du monde est proche, ce dont personne ne doute.

Aîné reste sur le qui-vive toutes les nuits, dort peu et garde sa faux bien aiguisée à portée de main. À trente-six ans, c'est un homme assez malingre, déjà édenté, le visage long, l'œil ardent. Ce serf affranchi a épousé Blandine, la plus belle fille de tout le fief de Roger Lescure de Gimel. Elle était grosse d'un garçon à naître dans quelques mois, en compensation, l'évêque lui donna en tenure propre la ferme du Val, qui est d'un bon rapport. Aîné étonne ses voisins par sa manière de travailler. L'année dernière, quand il a compris que la pluie allait pourrir les blés, il a semé des pois sur les hauteurs épargnées par l'eau. Certes, la récolte n'a pas été très bonne, mais les pois séchés au four ont permis à la famille de survivre et de manger tous les jours. Il a même gagné quelque argent en vendant le surplus.

Un garçon d'une quinzaine d'années vient avec lui dans l'appentis où il répare des râteaux en bois. Thibault est blond et marche la tête haute, le regard fier, déjà volontaire. Grand pour son âge, il aime commander et peut se montrer aussi violent que gai et enjoué.

Aîné n'aime pas ce garçon dont il n'est pas le père et doit souvent se mordre les lèvres pour ne pas le reprendre quand il malmène ses sœurs.

— Ils ont dit que les templiers ont dressé les loups à attaquer le bétail et les hommes !

Aîné se gratte le menton.

— Qu'est-ce qu'on y peut ?

— Le curé a dit qu'il fallait dénoncer tous les étrangers et ceux qui nous semblent bizarres, poursuit Thibault.

Aîné retourne à la maison d'habitation. Blandine est en train de préparer une bouillie d'avoine pour les enfants. Ici, on mange, même si le pain manque, le bon pain de froment indispensable pour épaissir le sang et donner de la force au travail. On mange des bouillies d'avoine, d'orge, des purées de pois. On mange assez pour survivre.

Blandine penchée sur le feu s'active. Il ne reste rien de sa beauté ancienne qui avait séduit l'évêque. Son corps est déformé par les couches successives, ses hanches larges enlèvent toute grâce à sa taille autrefois si fine, ses seins tombent en mamelles fripées. Ses cheveux secs ont perdu leur lumière, son visage est lardé de rides précoces.

Le bois de châtaignier pète, des braises volent sur les pierres de l'âtre. La femme tourne le liquide blanc fait de farine et d'eau au miel. Dans un berceau de bois, un bébé s'agite et réclame la tétée avec des petits cris de rat. En face, dans le coin le plus sombre, Jean, le père de Blandine, accroupi près du feu, promène autour de lui son regard vide. Ses cheveux blancs aux reflets jaunâtres tombent en épis sur ses oreilles sèches. Il est vêtu d'une robe de chanvre gris constellée de taches. Des manches larges dépassent ses bras maigres, ses mains noueuses aux doigts qui ne se déplient plus. De sa bouche noire sans dents coule un filet de bave. Ses jambes sont trop faibles pour qu'il puisse travailler, pourtant, il mange ! Il a toujours faim et ne cesse de réclamer de sa voix tremblée qui ressemble de plus en plus à celle d'un jeune enfant.

— La nuit dernière, les loups étaient au moulin du Bos, dit Aîné. Le bordier me l'a dit ce matin, il paraît qu'ils sont entrés dans une cour de ferme aux Jussant. Sûr que c'est pas par hasard !

— Tu crois qu'ils vont venir ici ?

— J'en sais rien. Je sais seulement que quand il n'y a rien à manger pour les hommes, les bois sont vides de gibier et il n'y a pas grand-chose non plus pour les loups.

Blandine pense à Roger Lescure, sieur de Gimel, le beau cavalier qui partait sur son cheval chasser le loup et rentrait le soir, couvert de poussière, avec cette odeur de sueur et de cuir... Un frisson parcourt le creux de ses reins, un vague sourire passe sur son visage flétri.

— Tu vas bien m'en donner un peu !

C'est Jean qui réclame sa part de bouillie. Blandine retient un mouvement d'humeur : il mangerait tout si on ne lui enlevait pas le plat. Un garçonnet et une fillette de cinq à six ans entrent à leur tour. Le garçon porte un panier de pissenlits.

— On les a trouvés au bord du ruisseau.

— Vous avez eu de la chance ! dit Aîné.

— L'huile de noix est rance, ajoute Blandine en embrassant son fils, pourtant, beaucoup voudraient bien en avoir autant que nous.

La maison est tout en longueur, une chaumière avec des murs en torchis : d'un côté, l'habitation des hommes avec le feu, une table, deux paillasses que l'on replie la journée pour avoir plus de place, la cheminée ; de l'autre, l'étable des bêtes, une vache qu'Aîné attelle avec la mule, quatre moutons et une chèvre. Un coin est réservé aux deux cochons qu'Aîné élève les bonnes années et qu'il tue au mois de février. Une petite aisance que beaucoup de vilains lui envient.

Toute la famille dort dans la même pièce ; le soir, Blandine déroule deux paillasses et chacun s'allonge. S'il fait froid, tout le monde se serre sous la même couverture, sauf le vieux, qu'on couvre tant bien que mal dans son coin. Le contact de sa peau rêche fait horreur aux enfants et à Blandine.

La mangeoire en bois sépare les hommes des animaux. L'hiver, quand il fait très froid, Aîné aime aller se coucher à côté de sa vache et profiter de sa chaleur.

— Si on avait su garder le chien !

Aîné fait allusion au gros chien qu'il avait dressé contre les loups. L'animal savait avertir les hommes de leur présence et montait la garde autour des moutons quand le petit Pierrot les emmenait brouter. Mais le chien mangeait, alors, il l'a vendu à l'automne.

Le soir tombe, l'ombre monte entre les collines. Il pleut de nouveau, une pluie fine et froide venue avec la nuit. Le mois de mars va bientôt s'achever et le rossignol ne chante toujours pas. Aîné apporte une boule de foin moisi à sa vache et fait rentrer la mule qui broutait au bord du chemin. Il pense aux printemps de son enfance, à la fin du siècle dernier, pleins de soleil et de chants d'oiseaux. Le blé poussait dans les champs. Le soleil chauffait les collines, souverain. Comme elle était fraîche, l'eau de la source, comme il faisait bon, le soir, s'endormir après une longue journée de moisson ! Ce temps ne reviendra peut-être jamais et la pluie durera ainsi d'été en été, jusqu'à la fin du monde, jusqu'à ce que tous les hommes soient morts de faim !

Ce soir, il n'est pas tranquille. Une menace alourdit l'air et, à mesure que l'ombre s'épaissit, oppresse, étouffe. Le silence se remplit d'aiguilles. Blandine ajoute une bûche au feu pour faire de la lumière ; Aîné ne peut détacher son regard du reflet des flammes sur la cloison de planches. Des étincelles s'allument dans les yeux du vieux, qui dit :

— Les loups, j'ai entendu les loups !

Il est si sourd qu'il n'entend pas la mule braire ou la vache meugler, mais, pour deviner la présence des loups, les oreilles ne sont pas utiles. Un instinct aussi vieux que les hommes avertit du danger. Aîné tend l'oreille et ne perçoit que cette rumeur diffuse de la nuit mêlée au bruit des gouttes d'eau qui tombent du chaume. Blandine lui tend une écuelle de bouillie. Aîné se force à la manger. Comme tout le monde ici, il rêve de lard et de bon pain de méteil, froment et seigle mélangés qui tient l'estomac et non ces bouillies sans consistance. Blandine a essayé d'en faire avec autre chose que du blé. Elle a pilé les pois secs et pétri la farine verdâtre, c'était immangeable.

Le vieux, qui a encore faim, tend son écuelle. Blandine ne le regarde pas et verse le fond de la casserole aux enfants. La bûche s'est consumée et la nuit remplit la petite pièce. Le vieux se lève péniblement et, appuyé sur sa canne, sort. Blandine s'en veut de souhaiter la mort de son père, devenu bouche inutile. Personne ne connaît exactement son âge ; le vieillard résiste à toutes les maladies qui emportent les enfants et les hommes jeunes et forts.

Il rentre, se plie dans sa peau qui perd ses poils, se recroqueville dans son coin, près du feu. Thibault et ses frères se sont allongés sur leur paillasse, enfouis sous la peau de mouton. Blandine dégrafe son corsage et donne la tétée au nourrisson qui grogne. Demain, au jour, elle dénouera les bandelettes qui entourent ses membres pour le laver quand le feu brûlera, mais ce soir, dans cette ombre, cette nuit, elle n'a qu'une envie, se serrer contre le corps chaud d'Aîné et dormir pour que le temps passe plus vite. Au réveil, elle s'en voudra d'avoir rêvé à Roger Lescure, le père de Thibault, de s'être imaginée dans ses bras, dans la bonne odeur de son corps vigoureux...

Tout à coup, un hurlement monte à travers la nuit, menaçant comme l'enfer, clair comme une lame, plein de cette force diabolique et malfaisante. Aîné se dresse sur sa paillasse, enfile ses braies et sa chemise.

— Les loups ! s'écrie-t-il.

Un autre hurlement répond au premier, puis un troisième. La campagne tout entière est peuplée de loups. Les bêtes s'appellent, se répondent, se préparent à l'attaque. On croyait la victoire définitive sur ces animaux du diable, mais non, le bien ne gagne jamais contre le mal.

— Ils vont passer le mur ! dit Aîné d'une voix blanche. Quand les loups ont faim, il leur pousse des ailes ! Thibault, viens m'aider !

Il prend la vieille faux transformée en lance et se glisse dans l'étable, près de la porte. La meute se tait, pourtant, l'homme entend, à travers le bruit aérien de la rivière en crue qui monte de la vallée, les animaux aller et venir dans l'ombre près du mur, leur respiration rapide. Il n'a pas peur, une rage sourde gronde en lui et il en veut au monde entier. Se battre, toujours se battre, contre les loups, les voleurs, contre la pluie... C'est le prix de la liberté. Parfois, il regrette son ancienne condition de serf !

La lune passe entre deux nuages et éclaire la cour. C'est le signal : un premier loup saute le mur, un grand mâle efflanqué. D'autres vont arriver si Aîné n'intervient pas. Tenant fermement son arme, il ouvre le battant de la porte. L'animal s'arrête en face de lui, le défie : ses yeux luisent de cette lueur jaune, éclatante dans la nuit. Le vilain n'hésite pas et plonge la lame dans le flanc de la bête, qui pousse un long hurlement. Les crocs se referment sur le fer qui sonne. Blessé, l'animal escalade le mur avec difficulté. Aîné lui enfonce de nouveau la lame dans le flanc. La première attaque a été repoussée, d'autres viendront.

Aîné sait qu'il ne doit pas relâcher sa vigilance et revient se poster à la porte de l'étable. Thibault, grave, les lèvres serrées, est là, dans l'ombre. Il tient fermement un pieu de frêne emmanché d'une lame de vieille faucille redressée.

Derrière le mur, les loups poussent des petits gémissements, comme s'ils se parlaient. Tout à coup, l'un d'eux saute dans la cour, suivi d'un deuxième, puis d'un troisième et de toute la meute. Thibault et Aîné dressent leurs armes dont le tranchant des lames luit à la lumière bleue de la lune. Un fauve s'approche, les menaçant de ses crocs étincelants. Le garçon, avec une vivacité et un courage qui étonnent l'adulte, plonge sur lui. La pointe en fer érafle l'épaule. La bête pousse un hurlement et recule. Alors les six autres se mettent à tourner dans la cour, une ronde infernale qui se rapproche lentement de la porte.

— On n'y arrivera jamais ! dit Aîné. Ils vont prendre les moutons et la chèvre.

— Non, dit Thibault, ils ne prendront rien tant que nous serons là pour les en empêcher.

Dans cet instant, Aîné aime ce garçon comme si c'était son véritable fils, mais c'est aussi cette détermination, cette volonté qui le rendent parfois haïssable, car c'est bien la preuve que son sang n'est pas celui d'un serf ou d'un vilain.

Les loups ont compris que leur sarabande ne réussira pas à apeurer les hommes, alors ils changent une nouvelle fois de stratégie. Assis en ligne comme le premier rang d'une armée ils attendent la bataille.

— Au jour, ils s'en iront ! dit Thibault en serrant les dents.

— Et ils reviendront la nuit prochaine : les loups ne capitulent jamais.

La confrontation dure en effet jusqu'au jour. Dès qu'un animal fait mine de se lever et d'avancer vers la porte, Aîné et Thibault pointent sur lui leur arme et il retourne s'asseoir. Le ciel s'est découvert et les étoiles s'éteignent. La lune descend derrière les maisons. Alors, la meute décide de s'en aller, lentement, chaque bête se tournant une dernière fois, comme pour dire : « À ce soir, nous serons encore plus nombreux et nous finirons par gagner ! »

La première alerte est passée, Aîné pose son arme derrière la porte et rentre à la maison. Les loups ne reviendront pas avant la nuit prochaine, ils n'ont pas la ruse du renard qui peut faire mille détours pour tromper les chiens ou le vilain, ils attaquent toujours de face, et sans se cacher.

Thibault est fier, mais perplexe.

— Tu crois vraiment que les templiers peuvent commander les loups ?

— Avec de la sorcellerie, on peut même commander le diable ! répond Aîné, de mauvaise humeur.

Blandine ravive le feu qui s'est conservé sous la cendre. Quelques raves constitueront le repas. Elle ne les pèle pas pour ne pas gâcher une partie de la chair. Aîné la regarde en silence. Ses bras maigres à la peau trop grande bougent en mouvements lents et ordonnés. Ses grands yeux sont absents, comme si cette vie n'était pas la sienne. Les regards qu'elle a pour Thibault ne sont pas les mêmes que pour ses autres enfants. Aîné sait bien que cet adolescent dresse entre elle et lui un mur, une barrière que ni l'un ni l'autre n'a envie de franchir.

Quand le feu brûle, elle prend le bébé qui grogne dans son berceau de bois et l'approche de son sein flasque. Le vieux se traîne dehors.

— Ça ne peut pas durer ! dit Aîné en serrant les poings.

À cet instant, il pense à des tas de choses désagréables. Le cœur gros, il sort. Le soleil se lève, rouge et large sur l'horizon.

— On dirait qu'il va faire beau ! constate-t-il. Ce serait un événement.

Cette constatation suffit à lui faire oublier ces forces lourdes et brutales qui roulent en lui. Thibaut le ramène à la réalité.

— Faut avertir les autres ! Je vais y aller.

Face à la menace, tous doivent s'unir, ceux du hameau de Tigne et de Boisse ; ils vont faire une battue pour mettre la meute en fuite. Alors, ils seront tranquilles pendant quelque temps, mais les loups n'oublient pas, ils reviennent toujours achever ce qu'ils ont commencé. En tuer un, c'est en faire surgir dix, cent, une multitude toujours renouvelée.

Barbe-Noire plante la pointe de son couteau dans un morceau de viande et le porte à sa bouche. Il est capable, ainsi, en écoutant les histoires d'un troubadour, d'ingurgiter des quantités considérables de nourriture. En face, sa belle-sœur Éliabelle de Masvallier se contente de grignoter du bout des doigts. C'est encore une belle femme. Ses cheveux très noirs sont rassemblés en nattes sur son front haut et laiteux autour d'un hénin aux voiles bleus très légers. Ses gestes sont lents, remplis d'une grâce sensuelle et douce. Elle regarde Barbe-Noire s'empiffrer comme chaque soir et boire le vin qu'un serviteur ne cesse de vider dans son gobelet. Il frappe la table de son énorme poing.

— Assez, Lormand, de tes bouderies de fille, raconte-moi une histoire du cornard...

Ses minuscules yeux porcins étincellent. Barbe-Noire ne goûte que très peu la poésie courtoise et les lamentations amoureuses. Il aime les grosses farces, les histoires de maris trompés, de femmes galantes, de curés ou de moines surpris à la sortie d'un bordel.

Lormand, un jeune homme au visage fin et grave, tire quelques notes de son luth. Il va de ville en village, distrait les seigneurs pour une assiettée de soupe, un fond de pain, parfois un verre de vin qu'on lui tend à la fin d'une chanson. C'est un habitué du château de Tulle où généralement il est bien reçu. Barbe-Noire est généreux avec lui : bon public, il se laisse prendre par toutes les histoires, aussi invraisemblables soient-elles, pourvu qu'il y ait des femmes déshabillées et de bons coups d'épée. Dame Éliabelle préfère les chansons courtoises et, souvent, garde Lormand au château pour lui faire chanter les poésies de Bernard de Ventadour.

Le troubadour commence le récit de Lutorge, seigneur parti à la croisade et qui, à son retour, trouve deux enfants de plus. Sa femme lui explique que ces deux enfants sont jumeaux et nés juste après son départ. Leur différence de taille est due à un mauvais sort jeté par un chevalier errant...

À cet instant, Barbe-Noire éclate d'un gros rire et s'écrie :

— Ah ! la gueuse ! La ribaude ! Comme femme sait mentir !

Éliabelle a un léger sourire, ses yeux se remplissent de mystère.

— Croyez-vous ? L'histoire se peut sans qu'il y ait eu tricherie.

Il rit encore avant de réclamer la suite, qu'il connaît par cœur, ce qui ajoute du piquant à son plaisir. Il rit à l'avance quand arrivent les moments les plus croustillants, comme un enfant qui entend un conte pour la centième fois. Tout à coup, Berthot entre, tend la main pour interrompre le conteur.

— Monseigneur, un cavalier mande à vous parler tout de suite.

— Eh quoi ? On vient encore me déranger !

Dame Éliabelle, comme prise d'un pressentiment, retient sa respiration. Elle n'a pas ri en écoutant l'histoire du chevalier cocu. Tant de circonstances de cette histoire lui rappellent sa propre vie, cette année passée dans la fosse avec les rats. Depuis, elle triche pour garder sa place dans ce château.

— Bon, fais-le entrer ! s'écrie Barbe-Noire. Et dis-lui d'être bref, j'ai une autre chanson à écouter que la sienne.

L'homme entre, encadré par deux sergents qui le surveillent, labarde à la main, car Barbe-Noire redoute plus que tout d'être assassiné par un de ses nombreux ennemis.

— Voilà ! dit le chevaucheur encore essoufflé. Votre frère, Foulque de Masvallier, s'est évadé la nuit dernière !

Barbe-Noire bondit de son siège, se rue sur le messager, qu'il prend aux épaules.

— Qu'est-ce que tu dis ?

— Le comte de Tulle s'est évadé du château de Boussac. Il est actuellement chez le sieur de Sarran.

— Le comte ? hurle Barbe-Noire. Où as-tu entendu dire qu'il était comte ? C'est moi, le comte de Tulle, par droit d'aîné, pas ce vendu aux traîtres du Temple. J'aurais dû le faire pendre haut et court...

Dame Éliabelle a du mal à contenir son émotion. Son cœur bat très fort, le troubadour a remarqué que ses joues se sont colorées à l'annonce de l'évasion. Pourtant, elle se maîtrise très vite et pose son regard sur Barbe-Noire, prend une pose alanguie, comme totalement indifférente.

Barbe-Noire réclame du vin. Il congédie le chevaucheur et le troubadour.

— Toi, reste ! dit-il à Berthot.

Il boit son vin d'un trait, puis, levant ses petits yeux noirs sur Éliabelle, ajoute :

— Je le ferai empaler dans la cour du château ! Je lui ferai arracher la langue, je le castrerai comme un pourceau.

Il regrette maintenant ce respect du sang des Masvallier qui l'a conduit à épargner son frère.

En face de lui, Berthot attend les ordres. Il est de petite taille, comme son maître, large d'épaules, mais la ressemblance s'arrête là. Berthot est chauve et glabre. Sa tête sans poils ressemble à une tête de lézard. Ses lèvres épaisses s'abaissent en coin vers le bas et dénotent un perpétuel mépris de tout ce qui l'entoure. Il louche, et ses yeux globuleux ne regardent jamais personne.

— Je ne serais pas étonné qu'il y ait tromperie de templiers là-dessous !

— Ces serpents ! Qu'est-ce qu'on attend pour rallumer les bûchers !

— Pas facile, monseigneur ! On en parle beaucoup, mais ils restent invisibles !

— Tu vas prendre quelques hommes de confiance et tu vas aller te promener du côté de Sarran ! décide Barbe-Noire. Il faut savoir ce que manigance ce putois ! Je vais retarder mon départ pour l'Angleterre.

Barbe-Noire a en effet décidé de rendre hommage au roi d'Angleterre et non au roi de France, comme les comtes de Tulle le faisaient jusque-là. Ce voyage est prévu depuis longtemps et toujours remis. Barbe-Noire ne redoute pas les dangers de la route jusqu'à Bordeaux, les embuscades de ses ennemis qui rêvent de le voir se balancer au bout d'une corde, il ne craint pas plus son séjour chez les Anglais, dont on dit qu'ils se nourrissent de l'herbe qu'on donne ici aux mulets, mais la mer le terrorise, la seule pensée de devoir monter sur un bateau l'affole. Il frappe du poing sur la table.

— Qu'on nous apporte du vin. Au fait, il paraît que le roi d'Angleterre est pris de passion pour la maçonnerie. En voilà des manières pour un aussi grand roi, mais ce qui est encore plus curieux c'est qu'il délaisse sa charmante épouse, Isabelle de France, car il préfère les jeunes maçons...

Il rit. Barbe-Noire ne sait être lui-même que dans la bravade et les grossièretés.

— Le roi d'Angleterre percé comme une femelle ! dit-il encore.

— Permettez-moi de me retirer, dit dame Éliabelle. Je tombe de fatigue.

Son attitude n'a pas échappé à Barbe-Noire, mais il n'y prête aucune importance. Il a obtenu d'elle ce qu'il voulait et sait désormais que le ventre de sa belle-sœur est stérile. Elle peut rejoindre Foulque, il ne la retiendra pas !

Éliabelle s'éloigne, accompagnée de ses dames de compagnie que Barbe-Noire visite tour à tour. Elle les paie ainsi que quelques chambrières pour se trouver sur son chemin de temps en temps et calmer ses ardeurs de bouc.

Ce sera le cas ce soir. Quand, après avoir bu beaucoup de vin, écouté plusieurs fois la même histoire, ri aux mêmes endroits, vers la mi-nuit, il décidera d'aller se coucher, une des filles d'Éliabelle saura l'attirer dans quelque réduit. En amour, le sanglier n'est pas difficile. Il s'épuise vite et s'endort, pesant, répandant autour de lui cette odeur de venaison, de cuir chaud et d'ail qu'Éliabelle ne supporte plus.

Une fois dans sa chambre, elle congédie ses servantes et ne garde qu'Iseult, sa fidèle dame de compagnie depuis deux ans. Iseult est issue d'une famille anglaise venue s'installer en Aquitaine après une ruine et plusieurs crimes. De petite noblesse, elle a cependant toutes les allures d'une grande dame. C'est cette élégance, ce sens des couleurs, de l'harmonie qui ont d'abord séduit Éliabelle, puis son intelligence, son savoir.

Dame Iseult a environ vingt-cinq ans. Son corps de femme mûre allie la grâce de la jeunesse à la mesure tranquille d'une femme arrivée au sommet de son épanouissement. Elle partage souvent la couche de sa maîtresse quand Barbe-Noire est occupé ailleurs. Et il enrage de n'avoir jamais rien obtenu d'elle.

— Un aussi beau corps qui se garde pour qui ? s'exclame cet homme, qui ignore tout de la retenue et n'a jamais su résister à la moindre de ses pulsions.

— Pour Dieu !

— Dieu n'a que faire de tes tétons, belle gueuse...

La chasteté d'Iseult est un mystère pour tous dans ce château où le maître donne l'exemple de mœurs débridées. On imagine un secret bien gardé là où il n'y a que recherche d'un idéal, du sublime, que la moindre fêlure mettrait en pièces. Iseult sait qu'elle ne se prive pas pour rien, cette fidélité à un amour à venir la comble déjà. Quand elle y pense, ses yeux s'allument, sa poitrine se gonfle, elle renverse la tête vers l'arrière, abaisse les paupières pour garder plus longtemps ce beau rêve fugitif.

Les deux femmes se sont mises au lit. Une servante a allumé une lampe à huile qui brûle avec une odeur épaisse à laquelle on s'habitue vite et qu'on finit par assimiler à la tranquillité du soir, à ce moment calme qui précède le sommeil où l'on aime entendre de belles choses.

— Relis-moi ces poèmes d'amour. Quelle femme heureuse, cette Aliénor d'Aquitaine, d'avoir eu autour d'elle des poètes capables de dire des choses qui touchent si fort.

Iseult prend le livre, l'ouvre délicatement. Elle aussi aime ces phrases, ces mots pleins de musique, les sentiments qu'ils expriment, joie ou peine, cette vie intense qu'elle sent au fond de son âme et qu'il faudra bien, un jour, laisser éclater. Mais ce jour viendra-t-il à temps pour qu'elle puisse l'apprécier ? Parfois elle doute. Pour elle, la liberté retrouvée de Foulque, c'est le retour de la guerre en cette période de famine, c'est l'affrontement aveugle de deux frères qui se haïssent au-delà de tout, qui vont mettre le pays à feu et à sang, c'est toujours plus de souffrance pour ceux qui ne peuvent se défendre et qui subissent.

Éliabelle a deviné sa pensée. L'évasion de Foulque la tracasse aussi. Sait-il ce qui s'est passé ici ? A-t-il reçu ses lettres ?

— Je n'ai rien à me reprocher ! dit-elle. J'ai été contrainte. En refusant, je serais restée dans la fosse humide et je serais morte à présent.

— Bien sûr ! dit Iseult, dont les cheveux dénoués moussent abondamment autour de sa figure. Vous avez raison, mais votre époux voudra-t-il l'entendre ainsi ?

— Je me demande si cette évasion est une bonne chose pour moi.

— Auriez-vous peur ?

— Oui. Nous allons rejoindre Foulque à la première occasion.

Iseult a un sourire vague ; ses yeux sont gris avec des paillettes de cuivre. Elle a le regard fixe des gens qui vont droit à l'essentiel et comprennent ce qui se cache derrière les mots.

— Le rejoindre, certes, mais avec l'appui de qui ?

Éliabelle lève les yeux au plafond, puis se tourne vers son amie.

— Geoffroy Barbe-Noire a beaucoup d'ennemis, dit Iseult. Par contre, Foulque a des amis sûrs ! Le printemps arrive, et c'est fort bonne saison pour la guerre.

— Des amis sûrs ? Tu veux parler...

Iseult abaisse les paupières sur ses pupilles claires.

— Oui. Ils n'abandonnent jamais leurs amis et ne lâchent pas leurs ennemis.

— Tu me fais peur !

À Tulle, personne ne se plaint de Barbe-Noire en ce début d'année 1316, même si les reîtres qui ravagent le pays lui échappent toujours, comme s'ils avaient le don de se rendre invisibles. La ville est bien tenue, jamais les rues n'ont été aussi propres depuis que des charretiers emportent les tas d'immondices en dehors des murs.

Mais tout manque. Les boutiques sont vides, les marchés désertés. Le matin, à l'ouverture des portes, les chariots des légumiers ne sont chargés que de pissenlits, de raves, d'oseille, de ces herbes dont on fait des soupes trop maigres. Dans les quatre paroisses de la ville, les curés incitent leurs fidèles à prier. La veille des Rameaux, l'évêque décide une grande procession. On promène saint Benoît dans les champs, on chante des psaumes, mais les fidèles ne sont pas convaincus de l'efficacité de ce genre de pratique, tous entendent ce que disent les prêcheurs qui vont de village en village : la fin du monde est imminente.

La première quinzaine d'avril reste maussade. Une toux sèche emporte les vieillards que personne ne regrette. Chaque matin, des nourrissons abandonnés sur le parvis de la cathédrale montrent combien est grande la détresse du peuple. Certaines mères préfèrent noyer leurs enfants dans la rivière plutôt que de les laisser mourir de faim. Les curés vitupèrent contre ces mauvaises chrétiennes, promettent la damnation éternelle, mais ce ne sont que des mots, des morceaux de discours. Ils savent, pour manquer de pain eux aussi, que ces femmes préféreraient garder leurs enfants.

La mort fauche brutalement la pauvre Pronelle Blanchard qu'on croyait solide comme de l'acier et oublie la Jeanne Lorrain. Pronelle est venue chaque jour, est restée chaque nuit au chevet de sa voisine à qui le curé Bord a administré les derniers sacrements. Un matin, le mal d'entrailles la cloue au lit. Ce n'est pas d'avoir trop mangé, la pauvre femme se nourrit de raves et de bouillon. Ce mal de ventre devient si violent qu'elle se tord dans tous les sens et d'une manière curieuse qui apeure son mari. Elle retrousse les lèvres sans parler, bave, comme possédée. Blanchard court chercher Mantille, qui arrive en tâtant le chemin du bout de sa canne. La vieille se met à genoux près de la malade et récite ses formules. Tout à coup, la voix lui manque, la sueur coule sur son front, elle lâche la main de Pronelle.

— Elle me brûle ! fait la vieille. C'est le diable qui est ici !

— Voyons, Mantille, dit Blanchard, tu sais bien que ma Pronelle est bonne chrétienne !

— Le diable ! répète la vieille en sortant précipitamment.

À midi, avant même que le curé ait eu le temps de lui apporter l'extrême-onction, Pronelle rend son dernier soupir. Blanchard reste longtemps sans comprendre. Dans la maison voisine, la Jeanne est guérie. La vieille Mantille avait donc raison : la mauvaise force a quitté la Jeanne pour s'installer dans le ventre de Pronelle. Blanchard se met en colère, crie, hurle, cherche un coupable et pense tout à coup à ce garçon boiteux qui est venu chaque jour. Le curé Bord arrive presque aussitôt. Les voisins se sont rassemblés autour de la morte et prient.

— Voyons, voyons ! fait-il, en peine de son corps.

— Je vous dis, c'est le diable ! crie encore Blanchard. Il est entré ici, un garçon avec sa jambe raide. La Jeanne a couvé la mort, et quand elle a été prête, mûre, il l'a donnée à ma pauvre Pronelle qui l'a prise.

Le curé n'aime pas les situations compliquées. Il connaît ses limites et a toujours demandé à Dieu de ne le confronter qu'à ce qu'il peut comprendre et résoudre. Pour l'instant, il gratte ses cheveux gris.

— La chose est étrange, en effet, il faut que j'en parle à l'archiprêtre.

L'archiprêtre Leblond ne se déplace jamais seul. Chef spirituel des quatre paroisses de Tulle, il a conscience de son importance et la montre. Il marche avec superbe, encadré par deux gardes aux armes de l'évêché. De petite noblesse, Leblond rêve de monter dans la hiérarchie ecclésiastique et se délecte à régner sur ses clercs qu'il terrorise. C'est un homme de grande taille, assez épais — car il mange à sa faim —, qui parle avec hauteur. Les pauvres bougres l'appellent « monseigneur » et rien ne lui est plus agréable.

Un si haut personnage traversant le pont sur la Corrèze pour se rendre chez Blanchard donne aussitôt à la mort de Pronelle une importance considérable et la nouvelle fait le tour du quartier de la Barrière. Le doute n'est plus possible : le diable a une nouvelle prêtresse, la Jeanne Lorrain, dont on a pendu le mari. La rumeur s'enfle ; plusieurs personnes ont vu la Jeanne se signer à l'envers et caresser un chat noir. Et le sens de cette visite du garçon boiteux que personne n'avait jamais vu ici n'échappe à personne ! Leblond est formel.

— Le Mauvais sait prendre des aspects tout à fait ordinaires et peut ressembler à n'importe qui d'entre nous. Mais il a toujours un signe de reconnaissance. C'était sa jambe raide !

Leblond sait qu'il ne faut pas transiger avec le maître de l'enfer, surtout depuis que ces faux moines répandent la mauvaise parole de l'ombre où ils se cachent. Lui-même n'est-il pas tenté chaque jour par la bonne table et la puissance ? Dieu lui a fait comprendre son rôle ici-bas : combattre le diable et ses armées, arracher l'hérésie, réduire à néant les sorciers de ses paroisses. Il s'y emploie avec zèle tant il voudrait que soient reconnus ses mérites.

Les badauds s'écartent sur son passage et se découvrent. Le prélat entre dans la maison de la Jeanne. C'est si petit que sa suite doit rester à la porte.

Jeanne est sur son lit, hébétée. Ses grands yeux roulent autour d'elle un regard absent. Ses cheveux souillés tombent en algues visqueuses sur ses joues. Elle ne pense plus, elle ne garde aucun souvenir de sa maladie. Sa souffrance a été si forte qu'elle en revient avec une nouvelle âme. Il règne une odeur fétide et l'archiprêtre se pince le nez. Tous les regards sont tournés vers lui. Alors, calmement, Leblond prend la croix qui pend sur sa poitrine et la soulève devant les yeux de Jeanne. Celle-ci n'a aucune réaction, pas le moindre mouvement qui pourrait être interprété comme un refus ou une acceptation. Le curé insiste, approche la croix des lèvres de la femme. Jeanne sort enfin de son immobilité et, d'une main, chasse l'objet comme elle le ferait d'une mouche. Les clercs présents s'exclament, indignés. Le curé se tourne vers les autres restés en retrait.

— Voilà qui est sans équivoque ! dit-il, en tournant vers ses abbés un regard plein d'horreur et d'indignation, puis, s'approchant de nouveau de Jeanne : — Comprends-tu, femme, le sens du geste que tu viens de faire ?

Jeanne n'a toujours pas de réaction, alors, le curé approche la croix, qu'elle repousse de nouveau. Le prêtre s'emporte.

— Sais-tu, femme perdue, que tu viens de rejeter la sainte croix, que tu viens de renier le Fils de Dieu...

On se signe dans l'assistance.

— Nous allons réciter un Pater... Le diable est ici, cette odeur le prouve. Il nous espionne, il nous dévisage les uns après les autres, il rit de notre naïveté. Cette âme est au bord du gouffre, notre devoir est de l'aider.

Il joint les mains et, les yeux mi-clos, commence le Pater que reprennent ses abbés. Les voix puissantes, assourdissantes, éclatent dans cet intérieur minuscule. Jeanne tourne la tête vers ces hommes aux mains jointes. Elle s'anime tout à coup, ses lèvres se tordent, ses yeux prennent une expression d'horreur. Elle porte les mains à ses oreilles et pousse un cri strident qui arrête net la prière. Leblond fait un pas en arrière, comme s'il redoutait d'être lui-même touché par le maléfice.

— Voilà qui est clair ! répète-t-il en sortant, accompagné de sa suite, qui murmure.

Il traverse de nouveau la haie de badauds, sans un mot, digne, les mains jointes sur son aumônière. Au bout de quelques pas, il se tourne.

— Elle a eu commerce avec le diable, c'est certain. Tant que l'arbre du Temple ne sera pas totalement déraciné, nos malheurs continueront.

Enfin, il se tourne vers ses gardes.

— Que deux hommes restent à la porte et l'empêchent de nous échapper.

La nuit tombe lentement, une nuit de printemps qui sent déjà les premières fleurs, les bourgeons gonflés, près d'éclater. Il n'a pas plu depuis trois jours et le firmament, ce soir lisse comme une vitre, se troue de ses premières étoiles. Leblond a un regard circulaire : ce ciel serein, explique-t-il à son entourage, est bien la preuve que Dieu approuve enfin sa démarche et que la pluie s'arrêtera si les brebis galeuses sont remises dans le droit chemin !

Patte-Raide pose les lèvres sur le crâne froid qu'il tient dans ses mains et reste ainsi, les yeux clos, dans un recueillement intense. Il fait nuit et les deux chandelles sur l'autel vide éclairent la chapelle d'une faible lueur que reflètent les yeux des autres adolescents rassemblés. À genoux devant lui, les bras ligotés, un bandeau devant les yeux, un gamin baisse la tête. Il est pauvrement vêtu ; ses cheveux noirs tombent sur ses épaules en petites boucles poussiéreuses. Enfin, Patte-Raide s'adresse au prisonnier.

— Personne ne viendra te chercher ici. Tu ne seras pas le premier qu'on ne retrouve jamais... Alors, parle si tu veux garder la vie sauve.

L'enfant lève la tête, la tourne à droite puis à gauche. Patte-Raide comprend vite que ce n'est pas un geste de soumission, mais au contraire une quête d'indices pour se repérer.

— Alors, tu parles ?

— Je sais pas ! dit-il d'une voix flûtée qui ne manque pas d'assurance.

— Gros-Jean, ordonne Patte-Raide, aide-le à se souvenir.

Gros-Jean s'approche du bambin, un sourire méchant aux lèvres, la lumière vacillante soulignant la cruauté de son regard de simplet. Deux gifles claquent sur les joues du garçonnet, qui pousse un cri en roulant par terre. Gros-Jean le relève d'un coup de pied dans le ventre. L'enfant grimace de douleur, mais aucun sanglot ne soulève ses épaules.

— Elle est dans la tour Fervalle, dit-il. On l'a questionnée, elle a avoué avoir eu commerce avec des anciens templiers. Ils lui ont demandé les noms des hérétiques et elle a refusé de les donner...

Il a parlé d'un trait, sans reprendre son souffle. Devant lui, Patte-Raide réfléchit. La tour Fervalle se trouve à côté de la porte Mauvaise et reste bien difficile à prendre. Pourtant, il ne renoncera pas.

— Maintenant, je peux m'en aller ? demande le garçon.

— Pour aller où ? Comment tu t'appelles ?

Le gamin a un haussement d'épaules. Son oreille droite, touchée par la gifle de Gros-Jean, a pris une couleur de coquelicot.

— Ma mère m'appelle « le Cinquième » parce que j'ai quatre frères avant moi. Aux écuries, on m'a donné le nom de Petit Pierrot.

Patte-Raide se penche de nouveau sur le crâne qu'il tient à la hauteur de sa figure. Il a eu de la chance en réussissant à capturer ce jeune valet d'étable. Petit Pierrot est bien ce qu'il pensait : dégourdi, écoutant toutes les conversations et prêt à revendre un renseignement. Près des chevaux de la sénéchaussée, tout se dit, se commente, surtout les arrestations et les condamnations au bûcher des sorcières, peu fréquentes et très prisées de la populace.

— La tour Fervalle est bien gardée ?

Bien que prisonnier, Petit Pierrot ne perd pas le sens de ses intérêts. Il lève sa tête aveugle sur Patte-Raide, qui tient toujours le crâne dans ses mains.

— J'ai faim.

— On n'a pas plus à manger que toi.

L'enfant a un sourire incrédule.

— Quatre hommes la journée, deux seulement la nuit, dit-il. Avec du vin, surtout les deux qui y seront ce soir...

L'entreprise est périlleuse. Sortir la nuit, c'est s'exposer à tomber entre les mains de la milice qui patrouille ou des coupe-jarrets qui pullulent dans toutes les petites rues et qui, dit-on, tuent les passants attardés pour débiter leur chair et la vendre en la faisant passer pour du porc.

— Emmenez-le ! dit Patte-Raide en désignant Petit Pierrot.

— J'ai faim ! répète le gamin. Si on me donne à manger, je dirai autre chose.

Cette insistance prouve à Patte-Raide que Petit Pierrot a compris que les réserves ne manquent pas ici, qu'il se sait entre les mains d'une de ces bandes qui rapinent dans les fermes, tirent les bourses des bourgeois, n'hésitent pas à attaquer un convoi et, une fois le larcin commis, se volatilisent.

— On va te délier les mains et tu auras un peu de pain. Attention, si tu enlèves le tissu devant tes yeux, tu seras immédiatement tué. Maintenant, tu parles.

— On m'appelle aussi la Rapiette parce que je suis pas plus gros qu'un lézard et que je passe partout. Et d'ordinaire je suis pas aveugle...

— Dépêche-toi, je suis pressé.

— Eh bien, je sais que le sergent Larry, qui commande la tour Fervalle, peut s'acheter.

— Comment ?

Lydia apporte un morceau de pain. Gros-Jean détache les mains du prisonnier, qui tâte le pain, éprouve la fraîcheur de la mie du bout des doigts et le porte à sa bouche. Il mastique un instant et s'écrie :

— Mon âme, ma place au paradis je donnerais pour avoir du pain comme ça tous les jours.

Il mord de nouveau dans la croûte qui craque.

— Si tu me donnes le moyen de sauver la Jeanne, tu auras d'autre pain.

— Pour du pain, je couperais la main d'un moine.

— Te fais pas plus fort que tu n'es.

— Le sergent Larry aime l'argent et les filles.

Un sourire allume la bouche de Petit Pierrot.

— Tu lui envoies une garce, mais la plus jeune que tu peux trouver, il les préfère à l'âge de la première communion, bien fraîches et pas trop maladroites. Elle saura vite le convaincre, avec des mignardises et une petite bourse, à remplacer ta Jeanne par une pauvresse trouvée dans la rue qu'il questionnera un peu pour faire plus vrai...

— Mais ils verront vite que c'est pas la Jeanne...

— En période de faim et de joues creuses, tous les pauvres se ressemblent. Et puis il peut dire qu'elle est morte, ça arrive souvent, et qu'il a jeté le corps dans la Corrèze ou aux loups...

Le silence retombe un instant. Patte-Raide va poser le crâne dans le tabernacle et se tourne de nouveau vers Petit Pierrot.

— Pour un autre morceau de pain, je peux m'occuper de ça ! dit le gamin.

— Lydia ! fait Patte-Raide. Tu iras libérer la Jeanne. Petit Pierrot, tu attendras Lydia sur la place devant la tour Fervalle. C'est elle qui viendra te parler.

Lydia a levé ses grands yeux bleus pleins d'effroi sur Patte-Raide. Elle blêmit, puis, dans un souffle, répond :

— J'irai où tu veux.

Une larme que les deux chandelles habillent de pépites d'or brille au coin de l'œil et roule sur la joue droite de la jeune fille.

Thibault sait qu'il va bientôt quitter la ferme du Val. Il en a eu la certitude l'autre nuit, tandis qu'il défiait les loups. Sa véritable vie est ailleurs, les armes à la main, face à l'ennemi. Il a vécu jusque-là sous l'autorité de son père, obéissant à ses ordres, ne remettant jamais en cause sa volonté. Il s'est levé matin comme Aîné et a appris à se servir d'une faux, à couper l'herbe humide sur les pentes qui surplombent la Vimbelle. Il a marché derrière l'araire pour labourer en sillons croisés et sait semer le blé. Le travail ne lui fait pas peur et pourtant quelque chose le pousse ailleurs.

Lorsque le loup touché à mort par son père s'est mis à hurler, Thibault a senti une forte excitation monter en lui. Il a souri quand l'animal s'est enfui en poussant des gémissements de chien battu. Sans le savoir, Aîné, en défendant ses moutons, lui a donné une leçon de courage. Thibault n'aime pas son père, souvent brutal avec lui, injuste, pourtant, il en admire la volonté, l'obstination, qui le différencient des autres vilains. Le garçon pense que c'est à cause de ces qualités que le serf a été affranchi et que le seigneur de Gimel, l'évêque de Tulle, lui a donné la ferme du Val, avec ses bonnes terres à blé sur la colline quand la pluie ne pourrit pas les récoltes. Il a aussi découvert par des indiscrétions d'adultes qu'un mystère entoure sa naissance, mais il ne pose aucune question.

Ce matin, il va avertir les gens des hameaux voisins.

— Tu diras, précise Aîné, que nous en avons blessé deux. Ils risquent ce soir d'aller ailleurs, peut-être à Boisse, qui est proche de la forêt.

Sur le chemin, Thibault croise des enfants qui font paître des porcs efflanqués et des chèvres. Il regarde ce paysage de collines grises, de pentes raides au-dessus de la petite vallée de la Vimbelle où se succèdent les moulins. Il ne pleut pas, le vent du sud apporte une douceur agréable qui fait espérer le printemps. Des violettes fleuries entre les herbes sèches montrent bien que la terre veut vivre, que la pluie et l'hiver trop froid n'ont pas usé sa détermination. Une vieille femme porte un fagot de bois mort qu'elle a glané en lisière de forêt, des hommes sont déjà occupés à tailler les châtaigniers. L'opération consiste à couper les branches maîtresses qui feront du bois de feu l'hiver prochain et à permettre au bois jeune de pousser sur un tronc souvent creux. Les noyers sont taillés de la même manière, mais ce sont de mauvais combustibles qui font beaucoup de cendres blanches et légères. Dans les prés gavés d'eau, il est temps de creuser les rigoles pour assécher le sol et éviter l'invasion des joncs. Ce travail de début de printemps, avec les premiers semis de légumes, redonne un peu de cœur à l'ouvrage à des bandes de manouvriers si maigres qu'ils arrivent à peine à soulever l'outil.

Le village de Boisse se trouve à une lieue du Val, sur le sommet d'une colline qui part en pente douce d'un côté vers le petit plateau de Croussac et, de l'autre, plonge vers la Vimbelle. Le sieur Renaud de Boisse est fier de sa noblesse acquise par son ancêtre à la première croisade. Pourtant, il n'est guère plus riche que les vilains et travaille aux champs avec ses serfs. Il est fier de son fils, Guibert, qui à dix-sept ans manie la charrue mieux que beaucoup de laboureurs. Marie, la sœur jumelle de Guibert, ne manque pas de beauté mais a les manières des filles simples. Sa vie est toute tracée : son père la mariera à un veuf trop vieux pour prétendre épouser une fille dotée. Renaud a eu des propositions de riches bourgeois de Tulle qui rêvent de noblesse, mais a toujours refusé une telle mésalliance : à Boisse, on n'est pas riche, mais on a de l'honneur ! Marie, qui voit arriver ce temps avec horreur, ne veut pas quitter Guibert avec qui elle partage tout. Ce lien qui unit les jumeaux est particulièrement fort entre eux et ils ne se séparent que rarement.

Une activité fébrile règne dans la cour du vieux château qui aurait tant besoin de réparations. Un forgeron ferre le cheval qui va devoir tirer la charrue. De jeunes valets s'occupent d'un troupeau d'oies qu'ils vont emmener brouter dans une prairie afin que l'herbe future profite de leurs déjections. Thibault trouve Renaud de Boisse dans les écuries et lui explique les raisons de sa visite. C'est un homme d'une quarantaine d'années. Ses cheveux blancs contrastent avec sa barbe épaisse, restée bien noire. Il s'habille comme les paysans, braies, chemise, cotte courte de chanvre, et chaperon quand il fait froid. La longue robe en fourrure d'ours qui lui vient de son grand-père ne sert que le dimanche pour entendre la messe.

— Les loups, tu dis ? Ils ont osé passer par-dessus un mur de cinq pieds !

— Oui, dit Thibault, mais nous les avons repoussés. J'en ai blessé un !

Le sieur de Boisse pose la fourche de bois avec laquelle il distribue le foin aux bêtes et regarde attentivement le jeune garçon.

— Et tu n'as pas eu peur ?

— Non.

Renaud de Boisse se tourne vers Guibert, qui préparait les outils pour la taille des châtaigniers.

— Les loups sont au Val ! Appelle quelques vilains, on va faire une battue, sinon, ils seront ici la nuit prochaine.

Renaud se préparait à aller labourer, mais cette éventualité d'une journée de chasse lui sourit. Il aime débusquer le cerf ou le renard, traquer le sanglier, il aime, à l'occasion, transpercer les flancs d'un grand loup, entendre son cri d'agonie. Ce droit de chasse sur ses terres, privilège de noblesse, a souvent évité la faim à la famille de Boisse.

Guibert de Boisse a de solides épaules qu'il doit à son goût des jeux violents. Il a grandi parmi les paysans, les serfs de son père, en suivant un entraînement aux armes. Il rêve d'être adoubé chevalier et sait qu'il ne pourra compter que sur son mérite. Il éprouve son courage en chassant le loup et le sanglier à l'épieu, rêve de tuer un ours, et ne manque pas une occasion de se faire remarquer par son audace dans les différents jeux et joutes. C'est aussi un beau garçon au visage fin et souriant. Ses cheveux noirs bouclés tombent avec grâce sur sa nuque. Son nez bien droit est un peu fort, ses petits yeux noirs ne manquent pas de malice.

Thibault le salue, son chapeau à la main, même si cette marque d'infériorité lui paraît humiliante. Guibert sourit au jeune paysan.

— Ça te plairait de venir avec moi ?

— Oh oui, fait Thibault, j'en ai blessé un cette nuit, je demande à recommencer.

— Eh bien, c'est entendu, je t'emmène.

Il ne faut pas longtemps pour rassembler une cinquantaine de jeunes hommes pour qui cette battue en compagnie de leur seigneur est une fête inattendue.

Thibault est allé avertir son père, qui accourt armé de sa faux. Lui préfère son arme de la nuit, la faucille redressée et fixée au bout d'un solide pieu de frêne. Il en éprouve le tranchant du bout du pouce et rejoint les hommes de pied. Le sieur de Boisse monte son cheval, qui sert surtout aux labours. Guibert s'est juché en riant sur une grosse mule vive et têtue.

— L'important, dit le sieur de Boisse, c'est de les effrayer suffisamment pour qu'ils s'enfuient et ne reviennent pas la nuit prochaine.

Les hommes à pied armés de pieux, quelques cavaliers montés sur des ânes ou des mules se dirigent vers la forêt entourés d'une nuée d'enfants à qui on promet le fouet s'ils ne regagnent pas tout de suite leur travail. À l'orée du bois, les chasseurs se divisent en deux groupes et se mettent en ligne pour battre les fourrés, car les loups aussi ne se comportent plus comme au temps de l'abondance. Généralement, ils fuient, ne s'approchent des troupeaux qu'en se cachant pour fondre sur le mouton convoité et disparaître ; désormais, ils ont toutes les audaces. Les proies manquent et ils osent affronter les bergers armés dont ils ne redoutent plus les coups.

Il n'a pas plu depuis plusieurs jours. Des nuages fins comme des draps défilent dans le ciel d'un bleu pâle. Le soleil illumine les collines où fleurissent les prunelliers, chauffe agréablement les épaules, et les chasseurs oublient la dureté des temps. Ensemble, ils se sentent bien. Distants d'une vingtaine de pieds les uns des autres, les deux groupes pénètrent dans le bois, l'un par l'est, l'autre par l'ouest, et se rejoignent lentement en frappant les fourrés avec fracas. Pris dans cet étau qui se resserre, les loups ne peuvent s'échapper. Et, bien qu'ils parlent et rient fort, les hommes avancent avec un pincement au cœur : quand on chasse le loup, c'est souvent le Malin qu'on débusque.

La progression se poursuit dans les taillis. Les vilains marchent les pied nus pour la plupart, mais une épaisse corne les protège des épines, et ils avancent tels des automates. Un cerf est débusqué. Renaud de Boisse ordonne qu'on le laisse s'en aller, et l'animal s'éloigne sans se presser.

Thibault, le premier, voit les loups montés sur un tertre. Les hommes s'arrêtent à quelques mètres des bêtes, qui regardent à droite puis à gauche. La fuite est encore possible mais elles ne sont pas pressées. Un grand mâle se détache de la bande, avance résolument vers les chasseurs. Les cavaliers lancent une première charge qu'il évite facilement, puis il se rapproche du petit groupe à pied derrière Guibert, toujours sur sa mule qui piétine. Thibault serre le manche de son arme. Son cœur bat d'impatience, d'envie d'en découdre. Le silence de la forêt, cette rumeur à peine perceptible de branches frottées, de brindilles déplacées ajoute aux mouvements lents et déterminés du loup une menace qui impressionne les plus courageux.

— Qu'on me le laisse ! fait Guibert d'une voix sûre.

Il saute au bas de sa mule, qui s'enfuit en ruant des quatre fers. Les hommes restent en retrait, prêts à intervenir, mais ne contrarient pas la volonté du jeune maître. Thibault avance d'un pas, son arme pointée devant lui. Le loup, la langue pendante, regarde le garçon s'approcher et semble le défier. Un peu de vent hérisse les longs poils sombres qui sortent de la toison laineuse du dos. Les vilains retiennent leur souffle.

Le pieu devant lui, Guibert serre les dents et marche lentement sans quitter le loup des yeux. La meute s'enfuit. Avec facilité, l'animal évite la première estocade. La deuxième effleure son flanc, un peu de poil s'envole. La troisième accroche enfin l'épaule, tranche la peau et salit de sang le poitrail du grand mâle, qui pousse un hurlement puissant. Il va et vient face à son adversaire qui le suit de la pointe de sa lance, puis, brusquement, avec une rapidité étonnante, évite le coup et saute sur Guibert, qu'il renverse. Thibault, qui avait prévu cette attaque, s'est élancé, la lame de sa faucille glisse une première fois sur le poil, puis trouve un point faible et se plante dans le flanc du loup, qui lâche prise pour faire face à son nouvel attaquant. Thibault ne recule pas, il sait où frapper, à la naissance du cou, entre les pattes avant. Il fonce en sachant que s'il rate son coup ce sera lui la victime. Mais la lame bien aiguisée traverse le cuir, pénètre dans la chair. Le loup, touché à mort, tente de se libérer, mais c'est fini. Guibert est étendu sur la mousse humide, une large plaie à la poitrine saigne abondamment. Thibault se penche sur lui, passe les doigts sur son visage. Le jeune homme ouvre alors les yeux.

— C'est lui qui vous a sauvé la vie ! dit un paysan en désignant Thibault.

Quand il voit son fils étendu sur le sol, Renaud de Boisse s'en prend à tout le monde. Il ordonne qu'on charge le blessé sur son cheval et qu'on l'emmène au plus vite. Enfin, il se tourne vers Thibault, qui tient toujours son arme à la lame rougie de sang.

— Tu passeras me voir demain. J'ai à te parler !

La fête vient de basculer dans le drame. Les hommes rentrent au village la tête basse derrière le cheval qui transporte Guibert.

Au château, c'est la consternation. Dame Isabelle fond en larmes tandis que Renaud essuie le sang qui coule encore des blessures ouvertes de son fils. Marie montre un courage admirable ; les épaules secouées de gros sanglots, elle aide sa mère à changer les vêtements déchirés de son frère. Guibert n'a pas recouvré ses esprits. Sa respiration est saccadée, ses doigts tremblent...

— Faut aller chercher frère Auguste !

Renaud a déjà sauté sur son cheval, mais la bête n'est pas de première jeunesse et ne va pas assez vite au gré du cavalier. Frère Auguste est un ami de la famille. Avant d'entrer au monastère Célestin de Cornil, il a appris la médecine avec les meilleurs maîtres de Montpellier. Il connaît aussi la chirurgie et quelques secrets de guérisseur qui ne sont pas dans les livres des anciens auteurs mais ont sauvé beaucoup de gens.

Renaud frappe sa monture fatiguée. Cornil se trouve à douze lieues de Boisse, par-delà Tulle. Le monastère surplombe la Corrèze et l'on y accède par un chemin escarpé, taillé dans une roche rougeâtre friable. Quand Renaud arrive, la nuit tombe ; pourvu qu'il ne soit pas trop tard !

Frère Auguste est toujours essoufflé. Grand, maigre, il flotte dans son aube. Son crâne haut luit, son grand nez pointu ressemble à un bec de héron. Ses mains aux gros doigts conviennent mieux pour forger des charrues que pour pratiquer la chirurgie, pourtant, c'est lui qui a opéré et guéri l'évêque Roger Lescure après sa chute de cheval.

Renaud lui explique que son fils a été mordu par un loup.

— Blessure de loup, dit le chirurgien, mauvaise blessure ! Morsure du diable ne guérit pas facilement !

Ils partent aussitôt dans la nuit, longent l'étang qui reflète les premiers rayons de la lune et s'éloignent dans la forêt, peu rassurés.

Ils traversent plusieurs hameaux, croisent des fermes isolées. Les hommes se sont barricadés chez eux dans ce silence d'une nuit sans chiens avec les seuls bruits de la forêt. Quand ils arrivent à Boisse, la fraîcheur de l'air surprend Auguste, qui attache sa mule dans la cour et se précipite au château. Dame Isabelle, qui a beaucoup pleuré, accueille le moine avec un visage fermé.

— La plaie de la poitrine ne saigne plus ! dit-elle à l'intention de Renaud.

Auguste grimpe un escalier sombre et arrive dans une grande pièce où brûle un feu nourri. Allongé sur un lit qu'on a approché de l'âtre, le blessé délire. Une lampe à huile donne du relief aux meubles et aux gens sans vraiment les éclairer. Assise près du lit, Marie pleure en silence et tient la main de son frère, cette main qui se contracte et la serre à crier.

Auguste regarde un instant le visage mouillé de sueur du jeune homme, ses lèvres tordues, puis soulève le drap qui le recouvre. Les blessures ont été pansées tant bien que mal. Le sang rougit le tissu collé à la chair à vif.

— Il me faut de la lumière, toutes les chandelles que vous avez, allez les chercher. Et puis mettez de l'eau à chauffer sur ce feu. Et allez quérir quatre hommes forts.

Isabelle sort de la pièce et revient quelques instants plus tard avec quatre jeunes hommes à la solide charpente auxquels la malnutrition a laissé quelques muscles. Les chandelles allumées sont posées sur des bougeoirs autour du lit. On croirait une veillée mortuaire.

Auguste a ouvert son sac sur la table et dispose ses instruments, couteaux, tenailles, fers aux formes différentes qu'il plonge dans le feu et des pots contenant des onguents particuliers dont il détient le secret.

— Maintenant, tout le monde dehors, sauf les quatre hommes.

— Je reste ! dit Renaud de Boisse d'un ton déterminé. Je suis son père...

— Bon, fait le moine en poussant Marie vers la porte, je ne veux surtout pas les femmes.

Il revient vers le malade, sa tête d'oiseau dominant la lumière tremblante des chandelles. Son ombre est immense sur le mur, contre la fenêtre.

— Bon, dit-il de nouveau avec l'assurance de quelqu'un qui sait ce qu'il fait, les quatre gaillards, c'est pas le moment de faiblir comme des filles. Vous allez tenir le blessé pendant que je regarde tout ça.

Les chairs ont commencé à se coller et suintent un sang noirâtre. Du bout de son canif, le médecin décolle les peaux trop grandes. Guibert pousse des cris d'animal, sursaute à chaque avancée de la lame dans ses muscles. Quand les bords de la blessure sont écartés, le chirurgien, à l'aide d'une pince et de son canif, coupe les parties déchirées qui dépassent.

— Ce sont elles qui portent la mort ! explique-t-il.

Les hommes pèsent de tout leur poids sur le corps allongé qui se contracte, se débat, tente de se libérer. Auguste prend une fiole dans sa trousse, ôte le bouchon de liège et vide le contenu sur la chair à vif. Guibert pousse un cri. Avec méthode, le médecin referme la partie profonde de la blessure, puis prend un fer rougi au feu avec sa pince, l'applique sur la blessure. Guibert hurle, se plie en deux malgré la force des bras qui l'immobilisent. Une fumée âcre s'élève de sa poitrine tandis qu'une odeur de viande grillée envahit la pièce. Le blessé, qui a perdu connaissance, respire par saccades. De ses gros doigts, frère Auguste passe dans le chas d'une aiguille une cordelette en boyau de mouton et coud ensemble les peaux déchirées avec l'habileté d'une dentellière. De temps en temps, il s'essuie le front et les joues où ruisselle la sueur. Guibert gémit faiblement, la tête sur l'oreiller, il a repris connaissance et regarde son père, qui serre les poings.

— À la deuxième blessure ! continue le moine médecin sans rien changer à sa lenteur obstinée.

Foulque de Masvallier se réveille la tête en feu. Il a dormi deux heures allongé sur une paillasse dans la salle commune en compagnie du chevalier Hugues de Sarran. Il est crotté jusqu'aux yeux, mais libre. Un moment, il croit rêver, mais la présence de son ami encore allongé à côté de lui le rassure. Les servantes ont allumé un grand feu, il ne les a pas entendues aller et venir. Enfin, Hugues se tourne et se dresse sur les coudes.

— Ma tête ! dit-il. Je crois que nous avons trop bu cette nuit et nous n'avons même pas eu la force d'aller au lit. Cela n'a pas d'importance. Nous dormirons plus tard.

Des servantes remplissent d'eau chaude une grande cuve en bois cerclée d'osier et apportent des vêtements propres. Foulque s'approche du feu et regarde un moment les flammes lécher le ventre rond du chaudron. Ses yeux noirs pétillent. Ses cheveux, parsemés de fils d'argent, ont les reflets bleus des plumes de corbeau. Hugues le rejoint près de l'âtre. Il a fière allure avec sa haute stature, son visage fin, ses cheveux blonds et frisés. Il se dit descendant d'un bâtard d'Henri Ier, donc apparenté aux rois de France. Et c'est vrai qu'il a une vague ressemblance avec Philippe le Bel mort récemment, la taille, les yeux bleus, les joues creuses et un peu longues.

Foulque serre ses fines dents d'animal carnassier. Ses yeux lancent des éclairs.

— Le pourceau sait déjà que j'ai filé. Il va en perdre le sommeil. Je ne le lâcherai plus.

Hugues de Sarran, par son sang qu'il dit d'origine royale et surtout par son bon sens, sa réflexion, a acquis une réputation de grande sagesse. Ses conseils sont toujours judicieux et Foulque le sait.

— D'abord l'hommage au roi ! dit-il. Cet hommage est la meilleure garantie de votre droit.

Foulque repousse ses cheveux raides qui roulent sur son front. Il regarde la servante vider un autre seau dans la cuve.

— Pendant ce temps, le pourceau ira rendre hommage à l'Anglais. Et cela ne changera rien.

— Si, répond Hugues. Le roi d'Angleterre n'a rien à voir là-dedans. Votre père, Charles, vous a reconnu dans un acte comme son seul successeur. Ainsi, le soutien du roi de France est le meilleur gage d'application de la volonté du défunt et de reconquête de votre comté.

— Oui, ma comté, dit Foulque en serrant nerveusement les poings. Huit années retenu dans une tour humide et noire, à attendre, pendant que ce félon décidait des lois insensées.

Il s'est dressé nerveusement. En face, Hugues montre une tranquillité, une placidité d'homme réfléchi. Sa force le dispense d'élever le ton. Il parle lentement, pesant la portée de chaque mot et ses conséquences.

— Il faut avant tout rendre hommage au roi.

Deux servantes proposent à Foulque de se déshabiller pour son bain, ce qu'il fait sans manières devant tout le monde. Son torse maigre n'est pas squelettique. Malgré les privations, ses muscles roulent encore, puissants sous la peau. Une abondante toison grise mousse sur sa poitrine. Il entre dans l'eau avec un ravissement qui se marque dans son regard ardent.

— Le barbier va arriver, monseigneur ! dit la servante la plus âgée, dont les cheveux gris s'échappent du fin chaperon blanc.

Enfin avoir la figure lisse, couper ces poils qui lui agacent la peau ! Foulque apprécie ces petites choses de la vie quotidienne qui lui ont tant manqué pendant sa captivité. Surtout se faire raser, le comble du luxe.

— Le roi Louis le dixième, reprend Hugues, n'a pas le caractère de son père. On le dit assez indécis...

— Et qu'est-ce que ça change pour ma comté ?

— Pas grand-chose, monseigneur, pas grand-chose.

Hugues se tait un instant, regarde la jeune servante frotter le dos de Foulque, qui ferme les yeux de plaisir.

— Cependant, le roi est un faible et prend ses décisions en suivant les conseils de celui qui parle le plus fort. Du temps de son père, tout le monde obéissait à la loi. Ce n'est plus le cas, maintenant !

— Et nos amis ?

Hugues se tait un moment. Ils revoient tous les deux les mêmes images : les templiers attachés sur des charrettes comme de vulgaires criminels et emmenés dans les geôles de l'évêché.

— Tout le monde en parle ! précise Hugues. Des rumeurs ne cessent de circuler, mais personne ne sait rien. Ils sont tellement secrets !

— Bien, quand partons-nous pour la cour de France ? J'ai hâte de chasser le pourceau de mon château.

Foulque pense à Éliabelle. « Je la ferai empaler sur le donjon », se dit-il tandis qu'avec l'agrément du bain tiède il retrouve son animosité.

— Nous partirons dès que maître Jugues, le notaire, aura préparé le nécessaire, poursuit Hugues. Ensuite nous lèverons une armée, mais, pour cela, il faut de l'argent.

L'eau du bain fraîchit. Avec regret, Foulque se dresse dans la cuve ; la servante lui couvre les épaules d'un linge sec. Arrive un petit homme portant une cuvette et un rasoir.

— Le barbier, monseigneur.

Foulque, enroulé dans la serviette, s'assoit sur un siège près du feu. Le petit homme remplit sa cuvette de l'eau du bain.

— Oui, reprend Foulque, c'est l'argent qui manque le plus.

— Toutes les caisses ne sont pas vides ! dit Hugues. Celles des banquiers lombards sont pleines. Mais je préfère que nous allions voir un usurier juif de ma connaissance.

— Pourquoi pas le Lombard ? Le Juif nous prendra tout, jusqu'au couvre-chef.

Puis, se tournant vers le barbier, il demande :

— Tu sais arracher les dents ?

Le petit homme maigre, aux cheveux secs et aux yeux globuleux, prend un air étonné.

— J'ai appris dans le temps, mais...

— En prison plusieurs m'ont lâché, mais celle-là, tu la vois, ce chicot noir, me tourmente à m'empêcher de manger.

Il a ouvert la bouche et tire ses lèvres en coin pour montrer sa dent gâtée.

— Pas facile, il n'y a pas beaucoup de prise ! dit l'homme de l'art en fronçant les sourcils. Enfin, je vais aller chercher des pinces.

— Cela va vous abîmer cette première journée de liberté, monseigneur, dit Hugues. Cette dent peut attendre ce soir.

— Qu'on en finisse, elle ne cesse de m'agacer, de me ronger. Je ne me supporte plus.

Le barbier revient avec une petite caisse en bois, qu'il ouvre sur la table. Y sont rangés différents rasoirs, des couteaux de plusieurs tailles, une scie, une sorte de gros tire-bouchon, des pinces. Il en choisit une aux mâchoires courtes et solides.

— Si monseigneur veut bien s'asseoir.

Foulque reprend place sur le tabouret de bois, et le chirurgien dispose des torchons de chanvre sous le menton du patient. Foulque se cale, inspire profondément et, fermant les yeux, dit d'une voix décidée :

— Fais vite.

Le chirurgien appuie sur la lèvre pour bien dégager le chicot, glisse les mâchoires de fer et serre fermement. Foulque a une contraction du visage et pousse une sorte de bruit de poitrine. L'homme commence alors à déchausser la dent en imprimant un mouvement de rotation à son outil. Foulque fronce les sourcils, émet des bruits sourds, mais ne bronche toujours pas. Le sang ruisselle sur les torchons qui l'aspirent. Enfin, la dent cède d'un coup avec un bruit d'os brisé, Foulque a un cri de gorge, une sorte d'éructation qui semble le soulever de son siège.

— Vous voilà soulagé, monseigneur.

Alors Foulque, d'un revers de main, bouscule le barbier, qui tombe à la renverse, sa pince à la main toujours serrée sur la dent sanguinolente, puis se dresse comme un diable hors de sa boîte.

— C'est que tu n'as pas la main douce !

Il crache un jet de sang dans les cendres puis s'essuie le visage avec le torchon.

— Monseigneur, dit le barbier, je vais tout arranger ! Restez assis, je vous en prie.

— C'est pas la peine.

Le barbier n'insiste pas. Il nettoie sa pince dans l'eau du bain qu'une servante est en train de vider dans une petite rigole entre les pierres du sol et qui passe par un trou du mur. Foulque se masse la joue.

— Maintenant, allons voir votre usurier !

Le plaisir d'être dans des vêtements propres, la griserie de la liberté retrouvée, les grandes choses qu'il lui reste à faire occultent un peu sa douleur. Un goût de sang caillé gâte sa bouche, mais Foulque ne va pas s'arrêter pour cela : il en a vu d'autres, en particulier ce coup d'épée en travers de l'épaule qui faillit l'emporter. Et cette maladie de peau, des croûtes purulentes qui avaient couvert son corps et qu'il ne put guérir qu'avec des bains dans du lait d'ânesse.

Quelques instants passent pendant lesquels Foulque s'abîme dans une rêverie, une sorte de réflexion sur cette vie si fragile qu'un souffle venimeux suffit à éteindre comme la flamme d'une chandelle, cette vie à laquelle on s'accroche tant au prix des pires souffrances. Que fait-il, ici, dans ce château de son vassal, fugitif, évadé de prison, avec cette douleur dans la bouche ? Après quoi court-il ? Sa comté, certes, la reconnaissance de son droit, mais aussi après un passé, un amour charnel qui n'a pas résisté au temps.

Le chevalier de Sarran se racle la gorge, Foulque sursaute ; il s'était assoupi. Il se masse la mâchoire avec la paume de sa main.

— Ne vous en faites pas, monseigneur, avant ce soir, vous aurez assez d'argent pour soudoyer une armée de mille hommes, et des meilleurs.

Ils sortent. Le chevalier est plus grand que Foulque, mais

il marche avec lourdeur et n'a pas cette élégance féline de son suzerain.

Les chevaux sont prêts. Les deux seigneurs, accompagnés d'une escorte de six hommes qui attendaient dans la cour, montent en selle et s'éloignent au galop.

Le village de Sarran se tasse au pied des Monédières. La terre noire est pauvre, pourtant, les hommes ont défriché les flancs de la montagne, coupé les bruyères et cultivent le seigle et le sarrasin. La châtaigne ne mûrit pas sur ces hauteurs et la misère est encore plus grande qu'ailleurs, dans la vallée de Tulle ou le cirque de Brive réputé pour la douceur de son climat.

Les hommes chevauchent dans le chemin boueux entre les maisons.

Ils gagnent la ville d'Égletons, située à trois lieues et centre important réputé pour ses foires. Ils y arrivent vers tierce et vont directement rue de la Juiverie où sont regroupées la plupart des boutiques. On y vend des tissus de lin, de chanvre, de soie pour les bourgeois, des chaussures, des objets importés d'Orient, des épices, des remèdes infaillibles contre l'impuissance, le choléra, la lèpre. Mais, de tous les commerces, le plus fructueux reste celui des reliques. Les Juifs sont passés les maîtres dans l'art de retrouver les restes des saints et de les débiter de manière à en tirer le plus grand profit. Une dent attribuée à saint Jean, une touffe de cheveux de la Vierge et surtout des morceaux de la Vraie Croix. Les Juifs savent qu'ils doivent s'enrichir vite et surtout ne pas le montrer. Aussi sont-ils humblement vêtus et se disent-ils misérables.

Hugues de Sarran s'arrête au comptoir de maître Jartmann, un des plus gros banquiers de la région à qui il a souvent eu affaire, comme beaucoup de nobles qui se débattent dans d'incessants soucis d'argent. Le grand bâtiment est divisé en deux, d'un côté la banque, de l'autre, la boutique des reliques. Jartmann est un expert réputé en morceaux de saints et on vient le consulter de loin. Il possède aussi la joaillerie voisine où ses ouvriers fabriquent de superbes châsses ou des montures pour dents, phalanges, divers morceaux d'os, cheveux, ongles... Sa banque et ce commerce lui ont rapporté une énorme fortune qu'il cache en se plaignant tout le temps.

Dans la pièce où les deux chevaliers pénètrent, une foule d'employés alignent des chiffres sur des livres de comptes et vérifient les marchandises apportées par un roulier. L'un d'eux sourit à Hugues de Sarran.

— Je veux voir ton maître, et le plus vite possible.

L'homme grimpe lestement un escalier puis revient presque aussitôt.

— Si vous voulez bien me suivre.

À l'étage, le mobilier est aussi humble qu'au rez-de-chaussée, une table simple, des chaises paillées de jonc, des coffres en bois blanc.

Jartmann est de petite taille, assez rond. Il a une cinquantaine d'années et marche lentement en s'aidant d'une canne. Un peu voûté, son regard triste de chien battu fait oublier son embonpoint. Il vient au-devant des visiteurs, le buste en avant, la main droite sur les reins.

— Ah, messires... Quel plaisir de vous voir ! C'est sûrement la dernière fois, mon vieux corps n'est que douleur et misère...

Sa voix traînante est celle d'un vieillard, mais rien ne lui échappe. Tandis qu'il évoque les malheurs du temps, il observe, sous ses lourdes paupières, les deux arrivants car il sait déjà ce qu'ils vont lui demander. Il poursuit son monologue.

— Temps difficiles ! Les affaires vont si mal que je vais être obligé de vendre cette maison où je me plais tant, mais je n'ai plus de santé...

— Cesse de te plaindre, tu es solide comme un roc ! dit rudement Hugues de Sarran. Je te présente mon suzerain et ami, le comte de Tulle, Foulque de Masvallier.

Jartmann fait une grimace comme s'il avait mal à la jambe sur laquelle il s'appuie.

— Mais, monseigneur, le château des Masvallier, sur la colline de la Bachellerie qui domine Tulle, est occupé par Geoffroy de Masvallier qu'on appelle aussi Barbe-Noire, le propre frère de monseigneur ici présent.

Le regard sombre de Foulque s'est allumé. Un instant,

il en oublie la douleur qui ronge sa mâchoire. Jartmann ne le quitte pas des yeux.

— Assez bavardé ! reprend Hugues. Tu vas nous prêter de l'argent pour lever une armée et envoyer ce ribaud chez le diable.

Le Juif ne se presse pas. Il fait péniblement quelques pas, baisse la tête et dit enfin, d'une voix geignarde :

— C'est que, monseigneur, je voudrais bien, mais je ne peux pas... Vous comprenez que l'affaire est risquée et qu'un tel prêt va me mettre sur la paille...

— L'affaire est risquée ? Le notaire est en train de réunir toutes les preuves nécessaires et nous partons demain rendre hommage au roi de France. Si ça ne te suffit pas comme garantie !

— Mais, monseigneur, l'argent est chose trop sérieuse pour être ainsi traitée. Je vous prie de m'accompagner dans la pièce voisine, nous allons consulter mon livre de comptes.

Agacé, Hugues se place devant le Juif.

— Veux-tu que j'aille crier sur tous les toits que dans tes ateliers on fabrique des morceaux de la Vraie Croix ? Veux-tu que j'aille raconter comment tu achètes aux fossoyeurs des dents, des membres tout entiers, des crânes que tu débites en reliques de nos saints ? Il me semble que tu ferais mieux de ne plus nous faire perdre de temps si tu ne veux pas te balancer au bout d'une corde. La mort d'un Juif, c'est peu de chose, tu le sais...

Jartmann n'a pas perdu son sourire en coin. Les yeux toujours baissés, il murmure :

— Un Juif au bout d'une corde, c'est en effet bien peu de chose... Monseigneur, vos amis ne vous oublient pas, mais ils seraient peinés de me voir la corde au col !

— Que veux-tu dire ? Explique-toi, quels sont ces amis dont tu parles ?

— Des amis dont on a pillé les biens, qu'on a brûlés comme des sorciers. Les survivants vont, désormais, la haine au cœur, et ils agissent pour le malheur de leurs ennemis. Mais ils vous gardent leur reconnaissance, monseigneur. Je peux vous donner deux mille livres.

— Deux mille livres ? Mais que veux-tu qu'on fasse avec deux mille livres ?

— La famine est partout et ce n'est pas bon pour les affaires. L'or se fait rare. La main-d'œuvre ne manque pas puisqu'il n'y a rien à faire, et, pour la guerre, les hommes sont souvent prêts...

Pendant toute cette conversation, Foulque n'a pas dit un mot. Il pense à Tulle, à ses ruelles, à ses filles de joie. Il a besoin d'une femme. Son abstinence forcée depuis huit ans lui trouble l'esprit.

Le Juif écrit un ordre sur un bout de papier de Chine et agite une sonnette. Un garçon d'une vingtaine d'années entre.

— Mon fils ! dit Jartmann, tu vas aller compter deux mille livres pour ces messieurs.

Quand le jeune homme est sorti, Hugues s'approche du Juif et le domine de sa haute stature. L'autre inscrit la somme en belles lettres sur son livre de comptes.

— De quoi voulais-tu parler tout à l'heure en évoquant mes amis. Des templiers ?

— Monseigneur n'a pas besoin de moi pour reconnaître ses amis !

Le jeune homme revient avec un sac rempli de pièces d'or qu'il pose sur la table à côté de son père.

— Voilà, monseigneur, dit Jartmann en posant la main sur le sac, comme pour éviter qu'il s'en aille trop vite. Il est à vous. Toutefois, et ce n'est qu'une formalité, vous allez signer ici cette reconnaissance de ma participation à votre effort de justice.

— Signer ? Mais qu'as-tu écrit ?

Hugues de Sarran regarde le parchemin avec curiosité. Comme beaucoup de grands nobles, il ne sait pas lire. Mais il est pressé, alors, il s'assoit et dessine avec application et maladresse les lettres de son nom. Jartmann lui tend la bourse.

— Voilà, monseigneur, bonne guerre ! Et je vais vous faire un cadeau qui vous portera chance.

Il prend un écrin posé sur une étagère avec d'autres, l'ouvre et le tend à Hugues.

— Ce sont des cheveux de saint Pierre. Authentiques, monseigneur.

— Comme les morceaux de la Vraie Croix ?

— Authentiques, je vous dis. Ils vous porteront chance.

Hugues regarde un instant les cheveux arrangés en une minuscule tresse, ferme la boîte et la met dans une poche de son surcot.

À Malemort, les lilas sont fleuris en ce mois d'avril 1316. Enguerrand de Niollet rentre chez lui après deux mois passés chez Lionel Dubos, à Toulouse. Comme lui, Lionel a échappé aux bourreaux en 1307, comme lui, il dirige les frères templiers de sa région avec une volonté sans faille. Tous deux originaires de Touraine, l'évocation du pays et de la Loire les rapproche. Enguerrand est heureux de retrouver sa maison au bord de la Corrèze, mais le torrent froid lui semble bien modeste à côté du fleuve roi de sa jeunesse, majestueux et libre. La douceur du climat tourangeau lui manque, même si, dans le bassin de Brive, il n'a pas à supporter les rigueurs du haut pays, par-delà les Monédières.

Son vieux chien, un barbet roux, vient lui faire la fête. Enguerrand, qui marche difficilement, pose sa large main sur le front de l'animal. Son visage sombre s'éclaire d'un sourire. Sa servante lui propose un peu de bouillon qu'il accepte volontiers.

— Maître Jean Bolard doit être devin, dit Marthe, une femme maigre et vêtue de noir, puisqu'il vient d'arriver. Je ne sais pas comment il a pu être prévenu de votre retour.

— Ce bon Jean ! Fais-le donc entrer et laisse-nous.

Lui aussi a dû supporter la question, mais il ne boite pas. Sa tête ronde, sa petite taille lui donnent un air bon enfant qui cache sa ruse et sa roublardise.

Les deux hommes se saluent. Enguerrand sourit, ce qui enlaidit son visage osseux. Il montre un siège à son visiteur.

— J'ai un grand bonheur à te revoir, mon frère, et je t'apporte de si bonnes nouvelles ! Mais, d'abord, comment s'est passé ton séjour à Toulouse ?

Enguerrand sourit de nouveau, se gratte l'oreille du bout du doigt.

— Bien. Frère Lionel, comme moi, d'ailleurs, s'ennuie de sa Touraine...

Jean Bolard pense, lui, à ses Alpes natales, de si hautes montagnes à côté des collines limousines ! Il porte une cape en renard, un chaperon de laine, car il est frileux.

— Tout se passe comme prévu, dit-il. Foulque de Masvallier s'est évadé. Il se trouve chez Hugues de Sarran et prépare une armée.

— Très bien. Il faut qu'il déloge le sanglier. Mais, avant, vous devez mettre en sécurité Éliabelle, l'épouse de Foulque.

— Elle est surveillée par Iseult, que vous avez vous-même amenée au château de Masvallier.

— Bien ! fait Enguerrand.

— Le fils de l'évêque est exactement comme je le pensais. Il a du sang noble dans les veines et ça se voit.

— Nous allons le monter contre son père, mais, avant, il faut que Foulque retrouve son château de Tulle. Tout partira de là, puisque tu sais, mon frère, combien Foulque et Roger Lescure de Gimel ne s'aiment pas !

— Ils se haïssent presque autant que les frères Masvallier ! ajoute Jean Bolard en riant.

Enguerrand se lève de son siège. Son corps tordu semble en continuel déséquilibre. Il se dirige vers la fenêtre avec de grands mouvements du torse, une main posée sur le rebord de la table.

— C'est tout ?

Le regard de Jean Bolard s'allume.

— Non. Nous avons retrouvé Patte-Raide.

— Quoi ?

Enguerrand a fait volte-face avec une rapidité qui étonne Jean. Il se dresse en face de son ami, son épaule gauche plus haute que la droite, le buste courbé, sa grosse tête dressée.

— Que dis-tu ? L'élève de frère Perrot ?

Jean opine, un air de triomphe dans le regard.

— Nous avons fait pendre Lorrain et la Jeanne est tombée malade. Il s'est alors dévoilé. Il s'est fort bien débrouillé et applique la consigne de l'Ordre : nuire, piller, voler, semer la désolation sur la terre de France.

Enguerrand est tellement surpris qu'il ne trouve rien à dire.

— Il est à Tulle, mais sous les maisons, dans les souterrains abandonnés depuis longtemps avec sa bande de petits voleurs qui vont, dans la journée, piller les fermes isolées et les voyageurs...

Enguerrand n'en revient pas. Il reste un long moment, les mains levées devant lui, les yeux fixés sur Jean Bolard, la respiration courte.

— Sait-il quelque chose ? A-t-il vu les nôtres ? Soyez prudent, il a reçu les ordres mineurs du Temple et les signes de reconnaissance...

— Non, il ne sait rien. Mais la maison des templiers où il se cache va être détruite... Nous avons un frère auprès de l'échevin.

— Très bien. Je l'accueillerai ici.

Jean Bolard, qui semble tout à coup gêné, baisse la tête.

— C'est que...

— Quoi ? dit Enguerrand en haussant le ton. Il faut qu'il vienne ici, tu entends ?

— Il vit avec une fille. Une blonde qu'on croirait descendue du paradis, d'une beauté qu'elle a dû voler à un ange.

— Une fille ? demande Enguerrand, comme s'il n'avait pas compris.

— Oui. Une fille qui est sûrement de noblesse tellement elle est délicate, tellement ses gestes sont gracieux ! Et cette beauté !

Le visage de Bolard s'est illuminé, il lève les yeux au ciel.

— Il ne manquait plus que ça ! fait Enguerrand en joignant les mains. Comment s'appelle-t-elle ?

— Lydia.

— Bon, arrange-toi pour faire disparaître sa bande et qu'il se retrouve seul.

— Seul ?

— J'ai bien dit : seul !

Depuis que Foulque s'est évadé, Barbe-Noire n'a jamais recherché la compagnie de dame Éliabelle. Ainsi ne l'a-t-il courtisée, harcelée, que parce qu'elle était la femme de son ennemi. En la sortant de prison, en faisant d'elle sa maîtresse, il infligeait un affront supplémentaire à son frère. Maintenant, il l'ignore et c'est ce qui fait mal à cette femme orgueilleuse.

À mesure que les jours passent, l'image de Foulque grandit en elle, l'obsède. Après huit ans, elle n'a pas oublié les contours de son visage grave, son menton bleu de barbe épaisse, ses yeux minuscules, identiques à ceux de Barbe-Noire, mais sans l'expression enjouée, gaillarde, avec, au contraire, une intelligence froide qui transperce comme une lame.

Elle s'est allongée sur son lit et pense à ces années de semi-liberté. La preuve est faite qu'elle ne sera jamais mère, ce qui la condamne immanquablement à la solitude. Foulque n'est pour rien dans leur mariage stérile et, si elle n'a pas donné d'enfant à Barbe-Noire, la faute lui en revient, trop de petits paysans des environs ont un seul sourcil épais qui traverse leur front étroit au-dessus de minuscules yeux noirs.

— Iseult...

La tenture qui sépare sa chambre de celle de sa dame de compagnie s'anime. Iseult arrive, vêtue seulement d'une fine robe de soie qui ne cache rien de sa nudité. À chacun de ses pas, ses hanches ondulent, tout son corps est animé de ce mouvement lent et gracieux. Ses cheveux défaits tombent sur ses épaules en vagues rousses.

— Tu es sûre qu'il ne se doute de rien ?

Cette question, Éliabelle l'a posée pour se rassurer, pour croire encore que sa fuite contrarierait Barbe-Noire. Iseult a un battement de cils.

— Et même s'il se doutait !

Éliabelle regarde un instant le profil de ce visage près du sien, les yeux ouverts pleins de cette lumière changeante des bougies qui lui confère un air mystérieux et tendre, ce nez étroit, l'oreille minuscule entre deux vagues de cheveux roux. Elle doute : Iseult est peut-être en train de la tromper. Peut-être a-t-elle monté cette conspiration pour la livrer à Barbe-Noire et prendre sa place ? Il y a dans ce regard, sur ces lèvres qui accrochent un peu de lumière une ombre de perfidie. Éliabelle ne sait pas grand-chose de son amie, sinon qu'elle lui a été recommandée par maître Enguerrand de Niollet, qui venait autrefois au château lui enseigner l'écriture et la calligraphie.

— Réponds-moi franchement...

La voix un peu rauque d'Éliabelle se fait langoureuse.

— Que voulez-vous savoir ?

— Est-ce vrai que tu n'as jamais eu d'amant ?

Les yeux d'Iseult se plissent, s'animent d'une lumière plus vive. Les ailettes du nez frémissent, les lèvres bougent enfin.

— C'est vrai !

— Tu n'as donc pas cédé au beau Richard, qui joue si bien du luth ?

— Non, mais dites-moi, Foulque est-il aussi différent de son frère qu'on le dit ?

— Comme s'ils n'avaient aucun lien de parenté. L'un parle abondamment, l'autre peut rester une journée sans dire un mot. D'ailleurs, il n'a pas besoin de parler, ses yeux s'expriment à la place de sa bouche. Foulque a la force du fer, une volonté sans la moindre faille. Il a tout ce qu'il veut.

— Comment un tel homme a-t-il pu se faire battre par le sanglier et rester emprisonné pendant huit ans ? demande Iseult.

— Il a été trahi...

Les paupières d'Iseult s'animent de battements rapides. Une lueur nouvelle allume ses prunelles, un frisson parcourt son menton, ses lèvres s'allongent en un sourire de plaisir.

— Trahi par un représentant de Dieu, par le plus important messager de ce diocèse ?

— Vous voulez dire que...

— Oui, l'évêque, monseigneur Lescure !

— Monseigneur Lescure, répète Iseult. Aime-t-il les femmes ? Les hommes d'Église ne dédaignent pas les plaisirs de la terre. D'autant que leurs compagnes sont absoutes du péché.

La voix d'Iseult est devenue plus lente, modulée, sensuelle.

— On dit beaucoup de choses sur l'évêque, qui a fait un enfant à l'une de ses serves. Mais il faut se méfier de ce qui se raconte et ne pas trop le répéter. Tu dis que tout est prêt ?

— Tout se fera demain, pendant la chasse.

Elle ne dit pas, Iseult, que le pigeon emporté par Lebrun n'est pas revenu, mais cette incertitude ajoute à l'excitation que cette aventure lui procure. Enfin, elle va bouger, quitter ces couloirs sombres et froids, cette forteresse, et échapper au harcèlement du maître à qui elle finirait bien, un jour, par céder.

De longs hurlements montent dans l'ombre puis se répètent.

— Les loups ! dit Éliabelle d'une voix grave.

Iseult a un sourire.

— Oui, les loups ! répond-elle.

Le lendemain, le soleil se lève au milieu de larges pans de brume qui s'effacent lentement. Il n'a pas plu depuis une semaine et la douceur du printemps redonne envie de vivre, même si les estomacs sont encore vides. Avec le soleil revenu et la douceur de l'air, la faim fait moins mal, les membres amaigris sont plus vaillants au travail.

Ce matin, l'évêque est pressé. Il rouspète contre ses servants qui ne lui présentent pas assez vite ses habits sacerdotaux. La messe est expédiée avant prime et il ordonne aussitôt à ses domestiques de seller les chevaux. Il s'emporte contre les clercs empotés. Certes, la chasse ne partira pas sans lui, mais il a hâte de courir le cerf ou le sanglier derrière les chiens, un plaisir terrestre qui, fort heureusement, n'est pas interdit aux hommes d'Église. Et puis il est de mauvaise humeur. Ses informateurs lui ont rapporté l'évasion de Foulque de Masvallier, et Roger Lescure redoute cet homme froid qui le hait.

Les nouvelles d'Avignon sont mauvaises. Il espérait une réunion du conclave en ce début de printemps et le cardinal Duèze vient de lui écrire qu'il ne faut pas y compter de sitôt : *Chacun tire de son côté. Les Italiens, les Français et les autres. Les cardinaux, au lieu de s'occuper d'élire un pape, passent leurs journées aux quatre coins de la région avec leur cour. Vous savez que je ne prise guère ce genre de distraction...*

L'évêque rouspète contre les garçons d'écurie qui n'ont pas harnaché son cheval comme il le souhaitait. Il va des uns aux autres, nerveusement, rabrouant ses serviteurs qu'il juge trop mous pour un départ de chasse.

Enfin, la troupe s'ébranle. Lescure monte son cheval vêtu d'une cotte de mailles légère, d'une épaisse cape, de chausses en fort tissu des Flandres et un camail sur la tête. Poser ainsi l'habit ecclésiastique pour une tenue plus guerrière suffit généralement à le mettre de bonne humeur, mais pas aujourd'hui. Ses hommes de garde le précèdent en armes. Il s'est fait accompagner de l'archiprêtre Leblond qui lui sert de faire-valoir auprès de Barbe-Noire. Un clerc copiste a pour tâche de noter les idées qui lui viennent parfois, comme une flammèche, illuminent son esprit et s'en vont. Ce sont les meilleures, les plus pertinentes, celles que Dieu allume dans son esprit et qu'Il reprend aussitôt.

Dans la rue, les sergents à cheval chassent les curieux, les manants, les pauvres bougres qui se pressent, se mettent à genoux, chapeau ou bonnet à la main, et attendent la bénédiction de leur évêque, qui rouspète à nouveau.

— Plus on leur en donne et plus ils en veulent. Et puis j'ai pas le temps !

Les fouets claquent, les bâtons frappent les échines courbées.

— Au soleil, la misère est moins triste que sous la pluie ! constate l'archiprêtre.

— Quelle misère ? demande cyniquement l'évêque. Ils sont en train de gagner le paradis éternel pour quelques années de souffrance. Tandis qu'à nous la justice divine saura reprocher le moindre fait.

Ils passent la rivière toujours en crue, sortent de la ville par la porte d'Ussel et piquent leurs chevaux qui se mettent au galop. Le soleil illumine les pentes et l'énorme masse du château. Le cortège croise des groupes de paysans en chemise et chaperon de chanvre gris, allant nu-pieds dans leurs champs. Certains labourent avec un âne si maigre qu'une femme ou un enfant doivent aider l'animal à tirer le petit araire de bois. Les plus riches ont une vache et un mulet. Dans les grands domaines, les serfs, en ligne, tournent la terre à la pelle, seule manière de la renouveler et d'obtenir de bonnes récoltes.

Au passage de l'évêque, les laboureurs se signent, certains s'agenouillent à même la terre. Lescure leur adresse une rapide bénédiction en pensant à autre chose.

Ils arrivent enfin au point de rendez-vous. Les invités saluent Lescure, baisent respectueusement sa bague. Des femmes montées en amazones sur leurs chevaux qui piétinent d'impatience s'inclinent à leur tour devant le prélat. Les aboiements d'une meute annoncent enfin Barbe-Noire et sa suite. Le maître-chien retient ses animaux impatients d'aller flairer le sanglier. Barbe-Noire a un mot amusant pour tout le monde et ne manque pas, sur un ton fanfaron, en haussant la voix pour que tout le monde l'entende bien à la ronde, de demander à Lescure :

— Alors, l'évêque, avez-vous lutiné votre chambrière toute la nuit pour avoir cette tête ?

Il éclate d'un rire puissant imité par les autres. Lui seul peut se permettre de parler de la sorte. L'inconvenance, la grossièreté, les propos orduriers sont si naturels chez lui qu'ils ne choquent pas. Lescure rit à son tour. Ce matin, cette gouaille, cette gaillardise lui font du bien.

Éliabelle observe Barbe-Noire. Elle le sait capable de dissimuler parfaitement ses intentions, mais son indifférence à son égard lui est de plus en plus insupportable. Si tout n'était arrangé depuis quelques jours, elle refuserait de rejoindre Foulque. Elle se force à sourire en saluant les autres femmes avec qui elle se contentera de suivre la chasse à distance, dans les sentiers de la forêt, en bavardant.

— Faites corner la chasse ! dit Barbe-Noire.

Aussitôt, les cors annoncent aux vilains courbés sur la terre que leur seigneur chasse, qu'il courre le cerf ou le sanglier. De même, les sans-logis, les tire-bourse qui se cachent dans les taillis savent qu'ils sont aussi du gibier et doivent éviter de se trouver devant ces chasseurs assoiffés de sang qui manient la lance aussi bien dans une poitrine d'homme que d'animal. Les yeux pétillants de plaisir, Barbe-Noire se lance à la suite des chiens. Il est increvable, les autres le savent et s'économisent. À la fin de la journée, ils seront exténués et lui toujours frais comme s'il venait de monter à cheval. Iseult et Éliabelle restent en retrait avec les autres dames et vont à l'allure tranquille de leurs haquenées. Les aboiements fusent dans les taillis, encouragés par les hommes. Tout à coup, l'un d'eux s'écrie :

— Un margaud ! Ah ! le diable !

Aussitôt, le maître-chien siffle ses bêtes qui s'arrêtent. Le chat noir, apeuré, grimpe prestement à un arbre. Barbe-Noire arrête son cheval.

— Messeigneurs, voilà que le Mauvais nous défie, qu'il ose se montrer par une aussi belle journée de printemps. Langlois, monte dépercher.

Un des plus jeunes hommes de pied grimpe à l'arbre. Le chat, retranché sur les plus hautes branches, le regarde approcher, toujours hérissé, la bouche ouverte, montrant ses crocs acérés. Langlois, qui sait combien un si petit animal peut être redoutable, le fauche avec son bâton. La bête virevolte, s'accroche à une branche morte qui cède et tombe sur le sol. Là, un autre homme de pied se jette dessus et réussit à le prendre par la peau du cou en tenant fermement les quatre pattes dans son autre main.

— Bien, dit Barbe-Noire. Le diable est vaincu. Bien nourri, le margaud, quelle toison ! Mais on ne prend pas la fourrure du diable, ça porte malheur. Allez, pendez-moi ça et que la chasse continue.

Quatre jeunes garçons, des rabatteurs, ont déniché des clous de fer à cheval et, riant des cris du pauvre animal, de ses contorsions pour se libérer, le clouent sur un tronc d'arbre, pattes écartées, puis tout le monde s'en va en s'esclaffant des miaulements qui ressemblent à des plaintes d'enfant. Barbe-Noire a déjà oublié l'événement et caracole en tête de ses cavaliers, parcourant trois fois plus de chemin que les autres et faisant autant de bruit qu'une armée en campagne.

Arrivées à une clairière, Éliabelle et Iseult échangent un regard. C'est Éliabelle qui parle :

— Continuez sans nous, mesdames. Iseult a des douleurs de ventre et doit s'arrêter un instant. Nous vous rattraperons sans difficulté.

— Nous pouvons faire une halte et vous attendre ! dit dame Berthe.

— Non, il est préférable que vous poursuiviez. Les chasseurs s'inquiéteraient.

Personne n'insiste, et, quand le groupe s'est éloigné dans les taillis, Éliabelle et Iseult font faire demi-tour à leurs montures et, au galop, reviennent à la hauteur du chat crucifié. Un sentier part sur la droite. Iseult arrête son cheval à la hauteur du petit félin, toujours vivant ; ses grands yeux jaunes semblent l'implorer.

— On va le libérer ! dit-elle en mettant pied à terre.

Éliabelle s'étonne.

— Comment ? Tu veux libérer cette bête du diable ?

Iseult a l'un de ces sourires légers qui font briller ses yeux d'une curieuse manière. Elle renverse la tête en arrière.

— Oui, cette bête du diable !

La jeune femme s'approche du chat. La tête carrée des clous n'est pas très large et elle n'a pas de mal à libérer une première patte, puis les autres. Le chat pousse des petits cris, feulements dont le ton presque humain n'échappe pas à Éliabelle. Il n'essaie pas une seule fois de mordre sa libératrice qui peut même le prendre dans les mains et le poser par terre. Éliabelle comprend tout à coup que son amie lui a caché beaucoup de choses.

— Il n'a pas essayé de te griffer ! dit-elle d'une voix profonde, comme pleine de reproches. Qu'est-ce que cela signifie ?

Iseult sourit une nouvelle fois et, de ses gestes moulés qui n'appartiennent qu'à elle, se remet en selle avec la légèreté d'une plume, tandis que le chat tente de s'éloigner en boitant.

— Le diable, dit-elle, doit toujours être de votre côté. Et, s'il vous est redevable de quelque manière que ce soit, vous avez un gros avantage sur les autres.

Elle s'éloigne dans les taillis suivie d'Éliabelle qui se demande si elle a eu raison de laisser son amie préparer cette fuite.

Elles arrivent à une clairière. Des hommes en armes surgissent des fourrés. Le chevalier de Sarran, qui dépasse les autres d'un bon pied, sa chevelure blonde au vent, s'approche, salue dame Éliabelle puis Iseult.

— Le comte, votre époux, vous attend en mon château. Je vais vous escorter.

— Allons ! fait Éliabelle, pas vraiment rassurée.

Ils partent au galop. Le sentier cède vite la place à un chemin creux. Les deux femmes échangent un regard. Les cavaliers n'ont pas dit un mot depuis leur départ. Iseult a les yeux brillants, pleins d'une excitation nouvelle. Enfin elle va vers l'inconnu, vers l'aventure et peut-être vers cet amour qu'elle attend depuis si longtemps !

À mesure que les chevaux approchent du but, dame Éliabelle s'assombrit. Elle se sent aussi inquiète qu'une jeune fille allant à son premier rendez-vous. Comment Foulque va-t-il l'accueillir ? Comme une femme infidèle ou une prisonnière qui a réussi à s'évader ? Un sentiment ambigu l'a unie à Barbe-Noire. Il l'a contrainte, mais cela ne lui a pas déplu. L'envie de ce péché était en elle, comme le ver dans un beau fruit, placée là depuis longtemps, depuis qu'elle écoutait les chansons de Bernard de Ventadour. La violente grossièreté de Barbe-Noire, sa totale impudeur dans les jeux de l'amour lui ont montré un aspect de sa personne jusque-là caché. C'est pour cette raison qu'elle a cherché des arguments en sa faveur, imaginé les réponses aux questions de son mari, et tout à coup elle ne se souvient de rien...

— Parfois, j'ai l'impression qu'un animal vit en moi, une louve..., dit-elle à sa voisine, mais le bruit des chevaux couvre sa voix.

La vesprée sonne au clocher de Bar. Il reste encore deux lieues à parcourir et les chevaux fatigués ralentissent leur cadence. Les chasseurs ont dû s'apercevoir de la disparition des deux femmes, mais Barbe-Noire ne s'en inquiète pas : maintenant, dame Éliabelle est persuadée qu'il a laissé faire, trop content de se débarrasser d'une femme inutile. À cette heure, en compagnie de ses amis, il lutine quelques garces spécialement invitées pour la fin de la chasse. Ce soir, après le dîner, ces fiers chevaliers seront trop ivres pour profiter des servantes, autant le faire tout de suite. Des charretiers emmènent au château les sangliers que les cuisiniers vont préparer pour le banquet. De pauvres bougres que la famine a mis sur les chemins regardent avec envie cette viande à profusion qui passe devant eux. Comme cela doit être bon de mordre dans un cuissot grillé à point, d'avaler à pleine bouche ce lard savoureux ! Ils en salivent et restent là, sur ce rêve éveillé ; les hommes d'armes les bousculent et leur montrent le plat de l'épée.

Le soleil se couche à l'horizon dans une montagne de nuages rouges. Il fera encore beau demain. L'air est frais tout à coup ; un peu de vent du nord coule des Monédières qui dressent devant les cavaliers leurs formes arrondies d'un bleu profond. Tandis qu'elle passe le pont-levis, Éliabelle s'étonne que Foulque ne soit pas venu à sa rencontre, mais c'est dans ses manières, toujours sombre et distant.

Dans la cour intérieure, ils abandonnent leurs chevaux fourbus. Un forgeron, en train de ferrer un âne, rouspète car la bête capricieuse ne veut pas se laisser faire. Des porcs se vautrent dans une flaque de boue. Une intense odeur de purin, d'excréments, d'eau croupie prend à la gorge, mais personne n'y fait attention, c'est l'odeur de la vie, d'un soir de printemps dans une forteresse. Les chevaucheurs posent leurs chapeaux de fer, défont leurs cottes de mailles et prennent le temps de souffler. Le chevalier de Sarran secoue sa belle chevelure comme un animal qui s'est roulé dans la poussière, puis invite les deux femmes à le suivre. Éliabelle cherche des yeux la silhouette de Foulque, mais il n'est pas là. Pourquoi cette absence ? Ils montent l'escalier de pierre. Iseult se mord les lèvres. Quelque chose lui dit que sa vie va basculer très bientôt.

Ils arrivent enfin dans une pièce tendue de tissus ocre. Des minuscules fenêtres vient la lueur rouge du couchant qui se perd dans le rouge sombre des tentures. Assis au fond, sur un siège de bois, près d'une table, un homme qu'Éliabelle reconnaît tout de suite fait semblant de méditer, car le bruit des pas l'a averti depuis longtemps de la visite.

— Monseigneur, dit Sarran, voici les deux fugitives de Tulle.

Foulque lève lentement la tête, comme s'il se donnait en spectacle, et se tourne. Éliabelle voit son visage anguleux, son menton un peu fort. Il n'a pas changé, à peine est-il amaigri. Sa silhouette est un peu plus frêle, malgré cette impression de force, de volonté qui s'en dégage.

Les petits yeux se lèvent lentement et s'arrêtent sur Iseult ; une lueur nouvelle semble les agrandir. Cela n'a pas échappé à Éliabelle et lui fait mal. Enfin, au bout d'un temps qui lui paraît interminable, Foulque se tourne vers elle.

— Je vous remercie de m'avoir rejoint, madame. Désormais, le pourceau n'aura aucun moyen de pression sur moi.

Elle bredouille :

— Pardonnez-moi.

— Vous pardonner quoi, madame ?

Toute cette cérémonie, ce vouvoiement, cette distance agacent Éliabelle, qui a envie de se jeter aux pieds de son mari et de laisser les larmes couler sur ses joues. Mais le regard l'a déjà quittée et s'est de nouveau posé sur Iseult, un regard où tout à coup elle croit deviner un monstrueux désir.

— Une chose est sûre, ajoute Foulque de sa voix posée, je ne prendrai de repos que lorsque j'aurai fait pendre ce voleur de grand chemin, qui, hélas, est mon frère.

Lydia accepte de sauver la Jeanne Lorrain, emprisonnée à la tour Fervalle pour sorcellerie. Que ne ferait-elle pas pour Patte-Raide ? Quand il se pelotonne contre elle comme un chat pour dormir, quand il dit qu'il préférerait mourir que de vivre sans elle, la jeune fille voit s'ouvrir une porte du paradis. Patte-Raide est un mélange d'enfant et d'adulte, il ne connaît pas la pitié, ne recule devant aucune cruauté et, pourtant, il sait être tendre et généreux. Elle a fait de lui un homme ; ils savent tout l'un de l'autre, se comprennent sans un mot et n'ont qu'une même pensée.

Petit Pierrot a introduit Lydia auprès du sergent Larry, responsable de la tour Fervalle, un petit homme roux d'une trentaine d'années, trop bien nourri en ce temps de grande disette. Le gamin explique qu'il a trouvé la jeune fille en pleurs dans la cour. Les yeux de l'homme s'allument de convoitise.

— Laisse-nous ! dit-il à Petit Pierrot. Je vais l'interroger.

Le gamin sort et ferme la porte. Alors Larry s'approche, sourit.

— Tu sais que tu es rudement belle, toi !

Il tourne autour d'elle et la détaille du regard, comme un marchand estime une bête. Lydia s'aperçoit vite qu'il est tel que l'a décrit Petit Pierrot : grossier, sans intelligence et incapable de résister à ses envies.

— Dis-moi, pourquoi es-tu venue ?

— Je veux voir ma mère.

— C'est possible si tu es gentille avec moi.

Lydia lève ses grands yeux sur l'homme au visage poupin.

— Que faut-il faire pour être gentille avec vous ?

— Ce qu'une femme peut faire d'agréable à un homme !

Lydia est pressée d'en finir tant cet homme la dégoûte. Elle s'approche de lui, un sourire engageant aux lèvres.

— Pour cela, je ne manque pas de savoir-faire.

Très vite, Larry découvre que Lydia est une perle rare, une de ces filles des bordels de luxe qu'il ne peut pas se payer. Elle le conduit avec habileté à ce point ultime du plaisir où l'homme rêve d'anéantissement. C'est là qu'elle s'arrête.

— Il faut libérer Jeanne, la Jeanne Lorrain.

— C'est ta mère ? demande-t-il, haletant.

— C'est ma mère.

Larry promet, il promettrait n'importe quoi. Un peu plus tard, libéré de lui-même, il se ravise.

— Tu es une jolie ribaude, toi ! dit-il en remettant ses vêtements en place. Tu me joues le grand jeu pour me pousser à la faute... Va-t'en, je ne veux plus jamais te voir.

Elle n'insiste pas. À force de fréquenter les rouliers, les manants de toutes sortes, Lydia s'est fait une bonne idée de la nature de ces hommes qui poussent la faiblesse jusqu'à acheter du plaisir : leur volonté ne dure que le temps de l'apaisement, c'est-à-dire bien peu.

— Petit Pierrot sait où me trouver ! dit-elle en se dirigeant vers la porte.

Le lendemain, Lydia retrouve Petit Pierrot près de la tour. Larry lui a donné l'ordre d'aller la chercher. Elle se rend dans l'appartement privé du sergent, mais cette fois ne cède pas.

— Il faut libérer la Jeanne Lorrain avant qu'on l'ait pendue ou brûlée.

— Depuis quand une ribaude comme toi me donne des ordres ? Je te ferai fouetter.

— Alors, vous n'aurez plus rien de moi. Jamais.

— Mais ma parole, voilà que tu insistes ! Tu sais que je peux t'enfermer en prison, te mettre aux fers, te tuer ?

— Vous pouvez tout, en effet, répond calmement Lydia. Tout, sauf m'obliger à vous aimer. La Jeanne Lorrain et bien d'autres malheureuses n'ont pour vous pas plus d'importance que des chiens. Il vous suffit de dire qu'elle est morte et que le corps a été jeté dans la Corrèze ou donné aux loups.

Larry fronce ses épais sourcils roux. La cornée de ses yeux a des reflets de cuivre. Il s'offusque.

— Si j'ai bien compris, tu voudrais que je mente à la justice de cette ville. Que je devienne le complice d'une sorcière.

— La Jeanne n'est pas une sorcière.

Lydia va à la fenêtre. Larry veut la prendre dans ses bras, elle le repousse.

— Je connais bien le sénéchal Jacques Chatelard de L'Huisne, de qui vous recevez les ordres, ment-elle.

— Tu le connais comment ?

— Comme je vous connais, vous, depuis hier. Il ne me refuse jamais rien.

Larry est embarrassé. Il rêve en effet d'avancement et considère que la garde de cette tour est trop petite chose pour son talent de chef militaire. Ses nombreuses demandes auprès du sénéchal pour obtenir un commandement plus important n'ont jamais abouti.

— Mais qu'est-ce qui me prouve que tu dis vrai ?

— Rien. Vous pouvez ne pas me croire, mais qui ne risque rien n'a jamais rien.

C'est vrai que cette fille n'est pas du peuple, elle n'en a ni la grossièreté ni les manières. Elle parle comme quelqu'un qui a été instruit dans le latin et les sciences ordinaires.

— Dis-moi, tu sais lire ?

— Oui, je sais lire et écrire.

— Bon, en supposant que j'accepte...

— Je vous visiterai tous les jours, car...

Elle baisse les yeux, comme honteuse d'avouer son sentiment.

— On était si bien, hier...

Il se tait un instant. Tout homme aime croire ce genre d'aveu, surtout les imbéciles. Larry a pourtant un sursaut de bon sens.

— Bon, n'essaie pas de m'avoir par des bonnes paroles. Ta Jeanne, on la connaît dans le pays, dans sa rue... La supercherie ne pourra pas passer inaperçue.

— Elle ne reviendra jamais dans sa rue, je vous le jure, elle partira hors de la ville.

— Non, c'est trop risqué. Je ne veux pas finir au bout d'une corde. Monseigneur Lescure ne plaisante pas avec les affaires de sorcellerie !

— Monseigneur Lescure n'en saura jamais rien. La Jeanne ne va pas rester dans une ville où on a pendu son homme ! Elle va partir dans une ferme, à Vimbelle, avec sa parente.

— Mais c'est une femme libre ?

— Et ça lui sert à quelque chose, elle qui n'a rien à manger !

— Nous verrons ! Je crois qu'on a assez bavardé ! Approche, ma luronne. Si tu as été bien hier, aujourd'hui tu seras encore mieux !

La troisième visite est la bonne, Larry cède : il a réfléchi et comprend que les risques ne sont pas très importants. Si la Jeanne retourne chez elle, il lui sera facile de l'arrêter de nouveau avec la complicité de ses voisins qui ne manqueront pas de la dénoncer. Dans quelques jours, il dira qu'elle est morte, comme cela arrive souvent avec des femme trop maigres pour supporter la prison. Elle sortira dissimulée dans un coffre à charbon. Lydia la récupérera près de la Solane, à l'endroit dit « Le Petit-Pas ».

— Et n'oublie pas que tu dois venir me voir tous les jours...

Mais Lydia, comme le vent, comme la fumée, est insaisissable. Où la chercher ? Quand il comprend qu'il s'est fait rouler, Larry cherche la jeune fille aux quatre coins de la ville, fait surveiller les abords de la sénéchaussée, mais personne ne connaît Lydia. Il fréquente les tavernes, les bordels, surveille les allées et venues des maisons nobles et rentre bredouille, de mauvaise humeur, mais sur qui faire passer ses nerfs ? Petit Pierrot aussi a disparu...

Patte-Raide est soucieux. Ce soir, il reste un long moment debout devant l'autel, les mains posées à plat sur l'os froid du crâne. La Jeanne a été sauvée, mais a-t-il eu raison ? Sa nourrice reste assise sur un siège et tourne autour d'elle des yeux vides qui ne voient rien. Hébétée, son visage se contracte parfois comme si elle souffrait d'un mal intérieur. Les coins de la question ordinaire ont blessé ses genoux et elle ne peut pas se déplacer seule. Patte-Raide comprend que cette pauvresse qui lui a donné le sein sera un fardeau. Ici, dans la maison des templiers, elle ne risque rien, mais que va-t-il en faire dans quelque temps, quand l'échevin Hubert de Roy aura mis à exécution son projet de raser l'édifice pour construire un hôpital ? Les crieurs de rue l'ont annoncé dimanche dernier après la grand-messe. Compte tenu de la particularité du travail, les ouvriers seront payés le double de ce qu'ils reçoivent pour une démolition ordinaire. Et, malgré cet avantage, on ne se bouscule pas à l'embauche.

Après avoir longuement réfléchi, Patte-Raide rassemble sa bande dans la salle souterraine.

— Nous allons devoir quitter ces caves où nous sommes à l'abri. Mais pour aller où ? Partout ailleurs, nous finirons par nous faire prendre et nous serons pendus.

Il se tait un instant. En face de lui, Simon le Fort, qui a une quinzaine d'années et de solides épaules, gratte son oreille droite grande et décollée.

— On doit se cacher sous la terre comme des taupes ! dit-il. En surface, on se fera prendre un jour ou l'autre.

— C'est bien mon avis ! précise Patte-Raide.

Il pense à cela depuis deux jours, mais, sous la terre, il ne connaît qu'une place sûre, le vieux souterrain qui conduit de la cathédrale au monastère des Sœurs des Pauvres. En son milieu se trouve une grande pièce sombre et humide. Ce tunnel avait été creusé en d'autres temps, d'autres guerres, et tout le monde l'a oublié sauf ceux qui l'occupent, la bande de Vilain-Loup. Une nouvelle sortie a été creusée, hors la ville, près du rocher du Diable, dans cette lande hantée par des loups-garous où personne ne va jamais.

— Et si on délogeait Vilain-Loup ? propose Pierre l'Œuf, surnommé ainsi parce que sa tête a vraiment la forme d'un œuf.

— Ils sont plus nombreux et plus forts que nous.

— Qu'est-ce que ça peut faire ?

La bande de Vilain-Loup et celle de Patte-Raide évitent de se rencontrer. Chacune a son terrain de chasse : Vilain-Loup les deux paroisses du nord de la ville, Patte-Raide celles du sud. Ils savent que leur survie est liée à cette bonne entente qui conditionne leur discrétion. Aussi ne se mêlent-ils jamais aux voleurs ordinaires, aux mendiants, aux faux boiteux qui tendent la main sur les marchés.

— Dis-moi, Pierre l'Œuf, demande Patte-Raide, comment ferais-tu pour déloger la bande de Vilain-Loup ?

Le garçon a un sourire qui aplatit sa tête ovale. Il ouvre sa bouche où manquent déjà plusieurs dents comme pour reprendre souffle et finit par dire :

— Tu connais l'entrée de leur taupinière ?

— Oui.

— Alors on fait pas dans la dentelle. On y va quand ils sont au travail, on entre, on élimine ceux qui restent et on attend les autres, bien cachés, prêts à les envoyer chez le diable d'un bon coup d'épée ou de hache. L'embuscade, la surprise, voilà ce qui paie.

— Bien. Et tu ferais ça quand ?

— Le plus tôt possible sera le mieux. Plus tu attends, plus ils risquent de se douter de quelque chose et c'est déjà peut-être trop tard puisqu'ils ont dû penser la même chose que moi !

— Je ne crois pas que tu aies raison ! dit Patte-Raide.

Il s'éloigne. Gros-Jean le suit, avec la fidélité et la confiance aveugle d'un chien de garde.

Quelques jours passent. Patte-Raide est préoccupé et s'enferme souvent seul dans la chapelle pour réfléchir, le front au contact du crâne dont il implore l'âme désormais libre. La Jeanne va un peu mieux ; elle a retrouvé la parole, mais pas la raison. Elle roule autour d'elle un regard blanc et ne cesse de dire :

— Que la malédiction retombe sur les riches, sur les curés et les tourmenteurs.

Patte-Raide tente de la raisonner.

— Voyons, la Jeanne, tu ne peux pas parler comme ça. Tu sais bien que c'est blasphème et que tu seras brûlée comme une sorcière.

— Brûlée ? Si c'est Dieu qui leur commande de brûler les pauvres gens, il ne nous reste plus aucun espoir !

Pendant son séjour en prison et sur la table de torture, la Jeanne a trouvé le goût de la révolte.

— Depuis que tu es ici, tu manges, alors pourquoi te plains-tu ?

— Je ne me plains pas, car je suis avec toi ! dit-elle d'une voix douce, puis elle ajoute : Mais ce n'est pas Dieu qui me donne ce plaisir, c'est le diable !

— Où as-tu appris tout cela ?

— En prison. J'étais avec un vieillard qui croupissait là. Il m'a dit que le diable veut le bien des hommes, mais il faut savoir le prier !

Patte-Raide se décide enfin, il se sent libéré, mais en même temps écrasé par cette appréhension qui le ronge depuis plusieurs jours. Enfin, il réunit tout le monde à la chapelle.

— Je crois que j'ai trouvé une nouvelle cachette.

Il se tait un instant, parcourant du regard les visages fermés de ses compagnons.

— Ils vont raser la maison, soit, mais pas le grand souterrain que nous sommes les seuls à connaître puisque nous l'avons trouvé par hasard. C'est là que nous irons.

— Il sort au presbytère de Laguenne où nous serons vite repérés ! dit un garçon.

— Il y a une autre sortie du côté de Belleclaie, ajoute Patte-Raide. Je me souviens qu'en son milieu se trouve une sorte de grotte que nous pourrons arranger à notre manière. Nous allons l'explorer, mais il faut être prudent : tous les rats n'ont pas quatre pattes ! La place est peut-être déjà occupée. Lydia, tu resteras ici avec la Jeanne.

Ils quittent la ville par la porte Mauvaise, six garçons et trois filles, sous le commandement de Patte-Raide, qui claudique en tête. Le capuchon relevé, rien ne les différencie des nombreux vagabonds, demandeurs de pain ou journaliers qui cherchent à se faire embaucher dans une ferme.

À Belleclaie, quelques maisons sont rassemblées au milieu des champs d'un vert tendre en bordure de la colline. L'entrée du souterrain se trouve dans le puits d'un ancien hameau dont il ne reste que des ruines. Une curieuse maladie a décimé tous les habitants, une dizaine de familles, sans jamais inquiéter les fermes voisines. Le puits a été abandonné, car on pense que l'eau est empoisonnée. Patte-Raide et ses complices descendent le long de la muraille en s'accrochant à un robuste lierre. Au-dessus de l'eau sombre où flotte le cadavre d'un chat se trouve l'entrée du souterrain. Gros-Jean réussit à allumer sa torche malgré son étoupe humide et, l'épée pointée devant lui, avance prudemment entre les éboulis de ce boyau de terre. Les autres suivent, prêts à faire face. La lueur de la torche éclaire des murs gris couverts de vomissures vertes. Le moindre bruit, pierre dérangée, gravier qui tombe de la voûte, s'amplifie, devient énorme, descend jusqu'au centre de la terre. Ils arrivent enfin dans une grande salle voûtée. À la lumière chancelante, les jeunes gens découvrent un amas de pierrailles sur leur gauche, un escalier à droite. Patte-Raide fait un signe et ils montent prudemment en retenant leur souffle. Tout à coup un grand bruit retentit à l'étage, des voix d'hommes que l'écho transforme en grondement de tonnerre. L'attaque est si rapide que Gros-Jean ne peut éviter la lame qui lui transperce la poitrine. Il vacille et tombe dans le vide. En un éclair, Patte-Raide comprend ce qui se passe et saute dans l'ombre tandis que des hommes surgis de chaque recoin frappent les intrus à grands coups d'épée ou de hache. La torche tombe dans une flaque d'eau et s'éteint en grésillant cependant, les murs émettent une espèce de luminescence qui permet de se diriger. Patte-Raide s'est blessé au coude, mais il ne sent pas la douleur et court vers le tunnel de sortie. Les cris de ses compagnons qu'on massacre n'en finissent pas de se multiplier à l'infini. Un homme le prend en chasse. Il entend le bruit de ses pas et sa respiration que la voûte amplifie en un soufflet de forge.

Il arrive enfin au puits. L'autre a dû cesser la poursuite pour bloquer la fuite des survivants à l'attaque surprise. Patte-Raide grimpe sur le lierre et sort enfin à l'air libre. Il attend longtemps, mais pas un de ses compagnons n'a échappé au massacre. Son bras déchiré lui fait mal. La tête basse, il retourne à la maison des templiers.

— C'est fini ! dit-il à Lydia, qui s'étonne de le voir seul. Nous devons fuir.

Deux jours plus tard, l'évêque, l'archiprêtre suivis des curés, des moines de l'abbaye, des clercs des quatre paroisses de Tulle et de toute une procession de fidèles sortent de la cathédrale en chantant derrière la croix. Le cortège se dirige vers la maison des templiers, pénètre dans les jardins. Roger Lescure de Gimel, en habit d'apparat, bénit ce lieu maudit pour en chasser les démons et tous les êtres maléfiques que les templiers avaient attirés. Les chants de dizaines de voix mêlées montent jusqu'aux cieux et rendent grâce à celui qui a permis la victoire sur l'hérésie. Les travaux de démolition peuvent commencer afin d'effacer à tout jamais la marque de ces hommes voués à une damnation éternelle.

Depuis trois jours, frère Auguste n'a pas quitté le chevet du jeune Guibert de Boisse, mordu par un loup. Le moine se contente de quelques minutes de sommeil dans un fauteuil et se nourrit de bouillon maigre que lui apporte Marie. Depuis trois jours, le jeune homme se bat contre la mort. Après l'application des fers rouges sur ses plaies, il n'a pas retrouvé la conscience et délire. De ses blessures suppure un liquide épais à l'odeur putride. Auguste prend fréquemment le pouls du malade et regarde, d'un air résigné, dame Isabelle à genoux sous le crucifix.

La belle et fragile Marie s'agenouille à côté de sa mère et prie avec elle. La jeune fille ressent la douleur de son frère jumeau dans sa propre chair, et voudrait pouvoir la prendre toute. Thibault du Val vient tous les jours aux nouvelles et son visage se ferme quand il découvre le malade inconscient. Depuis l'accident, il se sent lié au blessé, comme garant de sa guérison. Renaud de Boisse a félicité le garçon en lui disant que, par son courage, il méritait la noblesse.

Le soir du troisième jour, la fièvre monte encore, Auguste perd tout espoir. Le pouls de plus en plus irrégulier s'emballe.

— Il faudrait un miracle ! dit-il à Renaud de Boisse.

Le curé de la paroisse, accompagné de ses clercs, vient apporter le dernier sacrement. Les gens ont l'habitude de ce cortège, prêtre en tête portant le ciboire suivi de quatre diacres qui agitent leurs sonnettes. Ils se mettent à genoux, posent leur couvre-chef au passage de Dieu, conscients qu'aujourd'hui il va chez le voisin et que, demain, il sera chez eux.

Jusque-là, Renaud de Boisse s'est opposé à ce qu'on administre l'extrême-onction à son fils : une âme ainsi purifiée s'envole droit au paradis ; rien, pas même un pardon à demander, ne la retient sur terre. Il voulait garder espoir en ne franchissant pas cette ultime porte, mais frère Auguste, qui a vu tant de blessés et de malades, sait que Guibert va mourir. Ses médicaments secrets, les prières spéciales que son maître lui a enseignées n'ont été d'aucun effet.

— Il est déjà dans le chemin qui conduit au ciel !

Dans la grande salle du château, la famille, les serviteurs les serfs prient en silence. Les flammes de la cheminée éclairent des visages sans expression, résignés. Beaucoup doutent de l'effet de la prière mais ne veulent pas contrarier Dame Isabelle, très pieuse. Sur les cinq enfants qu'elle a eus, trois seulement ont survécu et elle porte à Guibert un amour particulier. Elle jette de temps en temps un regard anxieux à frère Auguste, pose la main sur le front du jeune homme puis, sans un mot, retourne prier.

Une nouvelle nuit passe, longue, épaisse, pleine de ces menaces imprécises et lourdes que l'ombre dispense dans la vieille masure qui craque. La nuit, tout vacille et l'homme le plus courageux, le plus téméraire, frissonne à chacun de ces bruits venus de nulle part et qui rappellent à qui l'oublierait que les véritables maîtres sont ceux qu'on ne voit pas.

Déjà, les coqs chantent dans les basses-cours, une lueur claire apparaît sur l'horizon, le cheval hennit dans l'écurie, des serfs parlent dans la cour. Vaincu, Auguste s'est laissé gagner par l'assoupissement et sa tête a roulé sur le rebord du lit. Tout à coup, il se réveille en sursaut : une main frappe sa joue, des ongles se plantent dans sa peau. Il se dresse vivement. Guibert le regarde, les yeux ouverts. Auguste pose la main sur le front du jeune homme : la fièvre est tombée.

— Dame Isabelle ! crie-t-il d'une voix pointue.

— Eh bien, quoi ? demande la femme en entrant dans la chambre. Vous n'allez pas me dire qu'il est mort ?

— Non, il n'a plus de fièvre !

Un sourire illumine le visage d'Isabelle. Le jour monte et blanchit la fenêtre.

— Dieu soit loué !

— Ne criez pas victoire trop vite ! dit le chirurgien. La fièvre peut remonter, mais c'est un bon signe, le premier en quatre jours.

Le malade regarde autour de lui, comme s'il se réveillait d'un long sommeil. Il s'étonne de trouver le moine dans sa chambre.

— Je voudrais voir Thibault... Le vilain qui m'a sauvé la vie.

— Il est venu tous les jours prendre de tes nouvelles !

Dame Isabelle se met à genoux, récite une prière de remerciement. Les autres se sont rassemblés à la porte et sourient. Le visage de Renaud s'est allumé de toute la lumière du matin.

À midi, Auguste commence à croire au miracle : Guibert va guérir puisque la fièvre n'est pas remontée. Il insiste pour lui faire avaler un peu de bouillon à l'ail réputé pour ses vertus tonifiantes. Maintenant, le blessé n'a plus mal, mais il est très fatigué et demande qu'on le laisse dormir.

— Tout ça, c'est rien ! dit Auguste. Les forces reviendront !

En début d'après-midi, Thibault, qui a appris la bonne nouvelle, arrive, essoufflé d'avoir couru.

— Ah, te voilà ! dit Guibert en se forçant à sourire. Tu t'es comporté en homme. Tu as eu plus de courage que tous les autres.

Thibault baisse la tête, un peu confus, comme s'il avait honte de ce courage.

— Approche.

Auguste est sorti. Guibert en profite pour dire :

— Je te dois la vie. Ce que tu as fait est digne d'un garçon de noblesse. Je veux que nous soyons frères.

— Je ne suis qu'un vilain, un affranchi.

— Tu seras mon frère, je te dis, mon frère de sang. Tu as risqué ta vie pour moi, je risquerai la mienne pour toi.

Auguste entre de nouveau et demande à Thibault de se retirer pour ne pas fatiguer le blessé. Le soir, le curé de Boisse dit une messe dans la minuscule chapelle du château à laquelle assistent les serfs du domaine et les vilains des alentours.

Guibert se rétablit lentement. Au bout d'une semaine, il peut se lever et faire quelques pas en s'aidant d'une béquille. Thibault lui tient compagnie chaque fois que le travail lui en laisse le temps, même si Aîné ne voit pas d'un bon œil ces fréquentes visites au château : Thibault est devenu indispensable dans la ferme.

Le lilas fleuri embaume l'air. La campagne résonne des bruits des travailleurs aux champs. La terre est enfin assez sèche pour permettre les labours et les semis de printemps, l'orge, l'avoine, qui viendront compléter les blés d'hiver.

Au début du mois de mai, Guibert peut accompagner son père et les domestiques aux champs mais n'a pas encore la force de travailler. Il profite cependant de l'air doux et du soleil revenu. Souvent, il pousse sa promenade jusqu'à la ferme du Val.

Ce soir, il trouve Thibault qui rentre de labourer. Sa mule marche d'un pas rapide et happe au passage les tiges tendres d'une aubépine. Le jeune garçon arrête la bête au pied d'un noyer dont les feuilles se déplient délicatement.

— Quelque chose ne va pas ? Vous en faites une tête ! dit Thibault.

— Je te renouvelle ma demande. Veux-tu être mon frère ?

— Votre frère ? Mais c'est impossible. Vous êtes de noblesse, et, moi, un laboureur. Cela ne se peut.

— Cesse de me vouvoyer. Veux-tu être mon frère de sang ?

Thibault rougit. Cette proposition le flatte, mais il n'en est pas digne, même s'il se sent lié à Guibert. C'est vrai qu'il n'a pas peur des loups, qu'une force le pousse à foncer sur ses adversaires. Il quittera ces collines à la première occasion tant est fort l'appel de l'ailleurs, mais devenir le frère de sang d'un noble lui semble totalement impossible.

— Nous serons unis pour toute la vie, ce qui sera à l'un sera à l'autre.

Guibert parle avec une sorte d'exaltation inhabituelle. Il a de grands gestes des bras, des mouvements rapides des lèvres. Il prend sa dague qu'il porte toujours à la ceinture, appuie la pointe de la lame sur la peau de son poignet, le sang sort de l'entaille, roule sur la main. Un coucou s'est mis à chanter dans le bois.

— À toi.

Thibault, sans baisser les yeux, prend le couteau et s'entaille à son tour le poignet. Les deux garçons joignent les blessures, leurs sangs se mêlent. Les voilà unis par ce lien plus fort que tous les autres, celui du sang, que rien ne peut rompre jusqu'à la mort.

— Avec toi, mon frère, dit Guibert, je sais que rien n'est impossible.

Ils se serrent dans les bras l'un de l'autre.

— Et maintenant partons ! fait Guibert d'une voix emphatique.

— Partir ? Mais où ? Et puis tu es trop faible !

— Je suis un autre. Les morsures du loup ont fait de moi un homme nouveau. L'aventure nous appelle, mon frère !

— Mais nous n'avons pas d'argent ! Je n'ai qu'un vieux couteau !

— Qu'importe ! Dieu nourrit bien les oiseaux. Il pensera à nous !

— Et ma mule, qu'est-ce que j'en fais ? On l'emmène ?

— Non, nous n'allons pas voler une mule qui appartient à ton père. Laisse-la, elle connaît le chemin du retour.

— Eh bien, partons ! dit Thibault en tournant le dos à la ferme du Val.

Privé de sa cachette souterraine, Patte-Raide sait bien qu'en restant à Tulle il n'a aucune chance d'échapper aux milices de la sénéchaussée. La Jeanne sera dénoncée par ses voisins, reprise et brûlée pour sorcellerie. Quant à Lydia, Larry pourra la séquestrer dans la tour et la réserver à son seul plaisir. Il n'aura aucun reproche : Lydia, comme Patte-Raide, n'a personne pour la réclamer, pas de famille, pas d'attaches.

Le souterrain de la porte Mauvaise leur permet d'échapper aux patrouilles qui traquent la racaille dans les ruelles et les bas quartiers, mais la campagne peut être aussi dangereuse que la ville. Où aller ? La Jeanne marche difficilement et il faut l'aider. Lydia ne fait aucun reproche à Patte-Raide mais comprend que cette femme est un fardeau pour eux, et qu'il sera difficile de se préserver des voleurs, des paysans qui n'hésitent pas à lâcher leurs chiens sur les inconnus et surtout des bandes bien organisées et totalement insaisissables. Hier loup, Patte-Raide est devenu une proie facile.

Un homme monté sur une mule les rattrape. Patte-Raide reconnaît Jean Bolard, l'écrivain publique dont la boutique se trouve près de la cathédrale. L'homme repousse sa capuche, arrête son animal à côté de Patte-Raide et fait les premiers signes discrets de reconnaissance des templiers. Patte-Raide sursaute, reste un moment incrédule. L'homme lui sourit.

— Je suis heureux de t'avoir enfin trouvé. Je te suis depuis plusieurs jours.

Patte-Raide reste sur ses gardes. Il n'a pas oublié que la méfiance est la première réaction d'un frère du Temple quand il rencontre un inconnu connaissant les signes mineurs. « Rappelle-toi, disait maître Perrot, des faux frères peuvent t'abuser. Ne te dévoile jamais avant le deuxième et le troisième signe. » Bolard a compris. Patte-Raide tend la main et il la prend d'une manière tout à fait naturelle pour Jeanne et Lydia, mais la pression particulière du pouce n'a pas échappé à Patte-Raide.

— Nous t'avons cherché pendant des années ! dit Bolard.

La troisième indication était dans la voix. Patte-Raide sourit.

— Vous avez donc connu mon maître ?

— Tu nous as échappé à sa mort. Mais je t'ai quand même retrouvé ! Enguerrand de Niollet, le grand maître du Limousin, du Périgord et du Quercy t'attend à Malemort où il fait métier d'enlumineur de manuscrits.

Ils partent. Pour aller plus vite, Jeanne monte sur la mule de Bolard. Ce petit homme tout en rondeurs marche en levant les pieds comme s'il était constamment dans de la boue. Maintenant, il parle de maître Perrot, qui était son ami et que la mort a emporté trop tôt.

— Un homme de grand savoir !

Le chemin empierré, défoncé par la pluie et les roues ferrées des charrettes, serpente au bord de la rivière. Le ciel bas pèse sur les collines qui surplombent de chaque côté la vallée encaissée de la Corrèze. Ils dépassent des chaumières grises, traversent des hameaux où braillent des enfants en haillons. Des laboureurs s'activent dans les champs pentus et les petites vignes qui donnent, les bonnes années, un vin épais et râpeux dont ils se contentent. À Cornil, la vallée s'élargit. Le monastère, constitué d'une série de bâtiments entourés d'un mur d'enceinte, surplombe la rivière. La colline et la plaine au fond de la vallée appartiennent aux moines qui les ont défrichées et introduit de nouvelles méthodes de culture. Des serfs et des hommes libres travaillent sur ces terres et forment un bourg récent. Les plus vieux habitants se souviennent qu'il n'y avait ici que forêts, taillis et ronces. Il est question de construire une église, car les fidèles sont obligés de se rendre à la messe au village voisin, l'église du monastère étant réservée aux religieux. Très vite, Cornil est aussi devenu un lieu de passage et de commerce. De nombreuses auberges accueillent les pèlerins, les pénitents, toutes sortes de voyageurs qui viennent là passer la nuit. Une activité intense règne sur le marché et les moines du père André en profitent pour vendre les produits de leur ferme, différents médicaments destinés à soigner la gravelle, les maladies de peau, les douleurs de jambes, l'eau bénite qui protège les voyageurs, les croix, les reliques indispensables pour affronter les dangers des grands chemins.

Le bourg est mal fortifié, on peut y entrer et en sortir à volonté. Les voyageurs arrivent à pied, parfois montés sur un âne, rarement à cheval. Ils apportent les nouvelles des villes qu'ils ont traversées, des idées glanées ici et là. Ainsi, toutes sortes d'hérésies fleurissent dans cette cité nouvelle qui n'a pas eu le temps de s'inventer des traditions. Le père André le sait. L'évêque Lescure a fustigé ses prêtres et a menacé les moines d'envoyer la troupe pour nettoyer cette fourmilière satanique, mais il s'est bien gardé de la moindre action : le commerce enrichit les moines, qui versent une redevance au clergé régulier. En ces temps difficiles, combattre le diable reste évidemment la priorité, mais l'argent qui arrive dans les caisses de l'évêché n'en ressort-il pas pour le service de Dieu ?

À la tombée de la nuit, les voyageurs arrivent à Malemort, un petit bourg serré autour de son église. Les nombreux accidents lors de la construction de l'édifice ont valu ce nom qui fait peur. Beaucoup de marchands et de pèlerins préfèrent aller passer la nuit à Brive-la-Gaillarde, un autre bourg situé à quelques lieues au milieu d'une plaine circulaire aux terres riches que la Corrèze a inondées l'été dernier.

Ils arrivent enfin chez Enguerrand de Niollet. Lydia s'étonne de son grand corps déformé par la torture, de sa tête osseuse, massive, de sa peau très brune. Quelques cheveux blancs entourent son crâne luisant. Seuls ses gros sourcils sont restés noirs au-dessus de ses yeux bridés.

Enguerrand est surpris par la présence de Jeanne et de Lydia mais ne fait aucune remarque. Enfin, se tournant vers Patte-Raide, il dit :

— Tu ne peux pas savoir combien tu me fais plaisir d'être là. Mais qu'as-tu fait pendant ces années ?

Les longs cils de Patte-Raide battent rapidement et il sourit.

— J'ai saigné nos ennemis !

De temps en temps, Enguerrand regarde furtivement Lydia sous ses sourcils épais et il se dit : « Quelle beauté, mais quelle beauté ! Heureusement qu'elle a échappé au massacre ! Une telle fille peut être fort utile à l'Ordre ! » Puis, se tournant vers Jean, il demande :

— Quelles sont les nouvelles ?

— Bonnes et mauvaises, mon frère. La mauvaise d'abord, le jeune Thibault du Val pour lequel nous avions des projets est parti avec un certain Guibert de Boisse et reste introuvable.

— Bah, fait Enguerrand, c'est la jeunesse ! Ces damoiseaux reviendront bien vite !

— Enfin, poursuit Jean Bolard, Foulque de Masvallier a réuni une belle armée. Sa victoire ne fait pas l'ombre d'un doute !

— Tu m'en vois très satisfait, mon frère !

La pluie recommence à tomber au début du mois de juillet 1316. Les moissonneurs qui aiguisent leurs faucilles comprennent que les dérangements du temps ne sont pas finis, la malédiction pèse encore sur la terre !

Quand l'orage éclate, Aîné du Val ne se tracasse pas : les poules rentrent s'abriter, preuve que la pluie ne va pas durer. Et il a raison : après quelques coups de tonnerre, l'averse s'arrête. La terre fume ; une forte odeur d'humus monte du sol. Aîné regarde avec plaisir ses beaux légumes que cet arrosage va faire pousser. Mais, après ce premier orage, un second arrive, plus long celui-là, suivi d'une pluie fine et froide.

À la mi-juillet, Aîné ne se fait plus d'illusions : la catastrophe sera pire que l'année passée, même s'il a réussi à mettre à l'abri une partie de son orge d'hiver. Dans sa vallée étroite, la Corrèze draine une eau sale qui inonde les prairies et les champs. Sur les pentes des collines, le vent a couché les blés, les froments sont comme piétinés par une armée en campagne. Les épis moisissent ; les grains sont pleins d'une bouillie grise qui ne fera jamais de belle farine. Les moissonneurs guettent le moindre rayon de soleil, la plus petite éclaircie pour courir au champ, couper ce qu'ils peuvent et tenter de le faire sécher dans les granges où la paille s'échauffe et pourrit. Les foins, trop mouillés pour être rentrés dans les granges où ils mettraient le feu, sont rassemblés en meules puantes. Cet hiver encore, les vilains seront obligés de se débarrasser de leur vache pour laquelle ils ont dépensé toutes leurs économies...

Terrible été 1316 ! Le pire des étés pluvieux qui se succèdent depuis 1310. Tout en grisaille, en vent, en fraîcheur ! Que faire ? Prier ? Cela ne sert à rien. S'acharner à mettre à l'abri des récoltes mouillées ? L'évêque Roger Lescure se plaint d'une mauvaise rentrée des dîmes et se dit que si la pluie persiste il devra réduire son train de vie. Pendant ces longues journées tristes, il chasse avec Barbe-Noire, parcourt ses terres détrempées de Gimel en compagnie d'Hugues le Gros, son intendant, et prête une oreille distraite aux pleurnicheries de ses paysans qui se plaignent toujours.

À la fin juillet, il apprend la mort du roi Louis X survenue au début du mois de juin. « Un si jeune roi ! se dit-il. Et nous n'avons toujours pas de pape ! » Il pleut sans discontinuer durant tout le mois. À Tulle, la Corrèze déborde des murs qui jusque-là contenaient ses crues les plus fortes et l'eau stagne dans les bas quartiers, jusqu'à la cathédrale. La place du marché est un étang bourbeux où hommes, femmes et enfants pataugent. Les riches bourgeois se procurent des barques pour ne pas salir leurs beaux souliers. Le dimanche, les fidèles se rassemblent sur les chapelles des collines où ils peuvent entendre la messe les pieds au sec. Beaucoup dont les maisons sont inondées dorment à la belle étoile sur les hauteurs où l'eau ne peut pas les atteindre. Mais les Tullistes ne sont pas les plus à plaindre. Les voyageurs racontent que la Dordogne a tout emporté à plusieurs lieues de son lit, que l'Isle a ravagé Périgueux...

La première semaine d'août, l'évêque prêche en sa cathédrale.

— Dieu nous reproche de n'avoir fait les choses qu'à moitié ! s'écrie-t-il du haut de sa chaire. Les templiers ont survécu à l'Inquisition et nous menacent. Ils poursuivent leurs pratiques diaboliques ! Tant que nous ne les aurons pas tous éliminés, la pluie continuera de tomber !

Il ordonne la confession et la communion de tous. Les prières publiques, les processions quotidiennes rassemblent d'immenses foules aux yeux vides, perdus. Barbe-Noire, accompagné de sa nouvelle fiancée, participe à celles que conduit Lescure sur le puy Saint-Clair. La belle Aude de Lieucourt, une superbe fille de vingt ans, dont le sanglier est très fier, s'habille de somptueuses robes de soie d'Orient, de brocart des Flandres que son chevalier servant lui offre, se pare des colliers d'or qu'il a commandés aux meilleurs joailliers de Bordeaux.

Aîné et Blandine ne se font pas d'illusions. Même si le soleil revient, le mal est fait et les gens auront faim l'hiver prochain. Blandine pleure chaque jour l'absence de Thibault dont elle ne comprend pas la fugue si soudaine et prie pour que Dieu le lui rende. Voilà trois mois entiers que le jeune garçon est parti en compagnie de Guibert de Boisse et personne n'a la moindre nouvelle.

Comment auraient-ils pu dire où ils allaient, ne le sachant pas eux-mêmes ! Ils partaient, l'ailleurs les appelait ! Quand ils arrivèrent à Treignac, Guibert proposa de gagner Paris.

— C'est la ville du roi ! dit-il. Il n'y a que des palais !

Va pour Paris ! Complètement démunis, ils durent se débrouiller, faire des petits travaux pour un peu de mauvais pain d'orge ou d'avoine.

Ils apprirent la mort du roi de France dans une auberge de Châteauroux, mais, comme ils ne savaient rien de la famille royale, cela ne les tracassa pas.

— Le roi est mort, vive le roi ! dit Guibert, philosophe.

Ils eurent de la chance. Le voyage se passa sans incident. Une fois seulement, ils évitèrent de justesse d'être détroussés par des malfaiteurs à l'orée d'une forêt. Dans une auberge d'Orléans, ils manquèrent se faire égorger dans leur sommeil par un malandrin, mais Thibault veillait et mit le voleur en fuite.

Ils arrivèrent à Paris à la mi-août, étonnés par la cohue, la boue dans les rues inondées et l'odeur de pourriture du fleuve en crue. Les chariots s'entassaient aux portes, les gens criaient, s'injuriaient. Aux abords des marchés des filles follieuses vendaient leurs charmes à des portefaix. Parfois, un personnage important passait dans sa litière. Des serviteurs en livrée écartaient la foule et montraient le bâton à ceux qui rechignaient. Guibert connaissait quelques mots de français, mais Thibault ignorait tout de cette langue, pourtant, il l'apprenait avec une facilité étonnante.

Après avoir déambulé dans les rues, dépensé les quelques pièces qu'ils avaient gagnées chez un maraîcher à Étampes, ils allèrent frapper à la porte d'un monastère à Saint-Germain pour demander du travail. Ils furent aussitôt envoyés dans les vignes, car les bras manquaient.

Depuis, malgré leurs rêves chevaleresques, ils arrachent l'herbe qui pousse en abondance entre les rangs. Les nouvelles de la famille royale parviennent jusqu'à eux. Ils apprennent ainsi que la reine Clémence est grosse d'un enfant attendu en novembre. C'est le frère du roi défunt, Philippe de Poitiers, qui assure la régence. D'être près de ces grands hommes, de la cour où l'avenir du royaume se décide, les deux jeunes garçons se sentent grandis à leur tour.

Chaque fois qu'ils le peuvent, ils partent se promener dans Paris, admirent les façades orgueilleuses des hôtels particuliers, le palais du Louvre. Ils aiment marcher dans les rues pleines d'une populace bruyante et bigarrée, s'arrêtent dans des tavernes pour manger et écouter les voyageurs, regardent, ébahis, les impressionnants cortèges de chariots quand le régent ou de hauts personnages de la cour se rendent à Vincennes, accompagnés de centaines de serviteurs et de chevaliers en armes.

Le père René, qui dirige le monastère, est un homme de grand savoir qui parle plusieurs langues. C'est un grand spécialiste des abeilles et il ne laisse à personne le soin de s'occuper des ruches.

— Elles ont pu travailler un peu au printemps ! explique-t-il à Guibert. Nous avons eu une bonne récolte de premier miel, mais celle d'automne ne rapportera rien ! Depuis que dure cette pluie, nos ruches deviennent paresseuses.

Guibert raconte la terrible famine qui a ravagé le pays de Tulle l'hiver dernier.

— Et l'hiver prochain sera pire encore. Ici, les terres sont plus riches, vous vous en tirez mieux.

— Certes, dit René, mais la famine a été rude aussi dans Paris. Ce sera ainsi tant que nous n'aurons pas de pape. Et puis ce jeune régent, Philippe de Poitiers, a des manières inacceptables. Il a enfermé les cardinaux dans l'église des Jacobins à Lyon et fait murer les ouvertures afin que personne ne puisse s'échapper. Il ne les libérera que lorsqu'ils auront élu un pape. Les princes ne doivent pas agir ainsi avec les ministres de Dieu.

— Nous vivons un monde voué au mal ! constate Guibert.

Le travail des deux garçons n'est pas différent de ce qu'ils faisaient à Boisse ou à la ferme du Val. Le monastère possède un immense domaine géré par des régisseurs, tous des clercs, qui lui assurent de solides revenus. Chaque matin, une procession de chariots emporte à Paris légumes, œufs frais, volailles, fromages et miel. Les célestins fournissent les meilleures maisons et la cour. Le roi Philippe le Bel lui-même appréciait le vin de Saint-Germain.

Les deux garçons ne rechignent pas à se lever tôt pour aller livrer ces marchandises. Ils aiment l'ambiance des hôtels particuliers, les serviteurs en livrée, les dames superbement vêtues et les maîtres en robe de vair, entourés d'une foule de damoiseaux et de courtisans. Ici tout le monde est riche, le moindre manant ferait figure de grand seigneur à Tulle. Les étalages des marchands regorgent de bonnes choses. Des pains de toutes sortes s'entassent dans les boulangeries. Le blé arrive par charrettes entières protégées par des hommes d'armes. Le fleuve apporte le vin de Champagne et d'Auxerre, les étoffes de Flandres, les bois du Morvan...

— Ce qu'il faut à Tulle, dit Guibert, c'est refaire les chemins pour que les charrois puissent circuler, vider les forêts de la vermine qui s'y trouve, ainsi, le blé pourra venir d'ailleurs quand il manquera et plus personne n'aura faim. Car la pluie ne tombe pas également sur toutes les régions.

Dans les derniers jours d'août, ils apprennent qu'un pape a été élu à Lyon, qu'il s'appelle Jean XXII. Les gens dansent dans les rues ; la chrétienté a enfin un chef ! Mais pour combien de temps ?

— Il paraît, dit le père René, que le régent avait mis les cardinaux au pain et à l'eau. Ils sont donc tombés d'accord et ont élu un vieillard de septante ans ! On dit qu'il est mourant ! Enfin, les portes ont été ouvertes et nos cardinaux peuvent reprendre leur vie habituelle !

Du Limousin au Périgord, dans le Quercy, l'Aquitaine, le mois d'août se passe comme le mois de juillet, sous une pluie incessante. La Corrèze, la Vézère, la Dordogne inondent leurs vallées et se rejoignent pour former une immense étendue d'eau d'où ne dépassent que les toits des chaumières et les clochers. Les habitants se retirent sur les collines où ils construisent des abris de fortune. Il fait si froid que le raisin reste vert, les prunes ne mûrissent pas, les pommes sont noueuses, constellées de taches sombres, gâtées à l'intérieur par les vers. Des petits limaçons noirs qui dévorent tout envahissent les potagers qui ne sont pas sous trois pieds d'eau. Les jeunes enfants sont commis d'office pour les ramasser ; on les fait cuire pour les donner aux canards.

L'Inquisition allume quelques bûchers. Des célibataires sont arrêtés, passés à la question où ils avouent tout ce qu'on leur reproche et en particulier leur appartenance à l'ordre honni des Templiers. À Terrasson, l'archiprêtre fait arrêter toutes les personnes qui louchent, car, dit-il, « ils ont deux regards, l'un tourné vers Dieu et l'autre vers l'enfer ». Quelques sorcières sont écartelées devant la cathédrale de Tulle, d'autres enterrées vivantes à Souillac, mais cela ne change rien au temps, la pluie continue de tomber.

À Malemort, Enguerrand, Lydia et Patte-Raide se sont retirés au premier étage. Ils ont déménagé les meubles et les écritoires quand l'eau a commencé à monter. Ils se déplacent en barque, mais cette catastrophe plaît au maître templier :

142

— Tout ça, c'est bien ! dit-il. Dieu nous a encore entendus et nous approuve.

Puis, se tournant vers Patte-Raide, une lueur de haine dans les yeux, il ajoute :

— La famine sera grande encore l'hiver prochain !

De son côté, Barbe-Noire ne se préoccupe pas outre mesure de ce qu'il considère comme des détails de la vie des vilains. À Tulle, l'eau monte jusqu'à mi-porte des maisons proches de la rivière, emporte les moins solides, mais cela ne le tracasse pas. Son château est à l'abri sur les hauteurs de la Bachellerie, les revenus de la comté seront moins élevés, mais cela ne changera rien à son quotidien.

Le départ d'Éliabelle l'a bien arrangé, il a seulement regretté Iseult et ses manières alanguies. Il s'est très vite consolé de sa solitude en enlevant et en mettant dans son lit Aude de Lieucourt rencontrée dans un tournoi à Saint-Pol. Le père de la belle, un petit noble, voulait qu'elle épouse le sieur de Boutteloup, un vieux barbon grincheux et triste.

— Il a au moins soixante ans et sent si mauvais ! s'est exclamée l'ingénue en se pendant au bras de Barbe-Noire.

— Au château, personne ne viendra vous chercher, j'en fais le serment.

Roger Lescure de Gimel lui fait remarquer qu'il profite de l'infortune d'une jeune fille sans défense. L'évêque est de si mauvaise humeur qu'il a ainsi des propos amers. La crue de la Corrèze épargne pour l'instant l'évêché, mais l'eau a détruit plusieurs fermes et pourri les récoltes de ses terres basses de Vimbelle.

— Je ne l'ai forcée en rien ! s'insurge Barbe-Noire. Je crois même que c'est Dieu qui me l'a envoyée tant je brûle pour elle.

L'évêque n'insiste pas. Il a d'autres soucis en tête. Monseigneur Levasseur vient en effet de lui apprendre que, contre toute attente, Jacques Duèze, avec qui Lescure est en relation épistolaire depuis des années, a été élu pape à Lyon. *Il ne passera pas l'automne*, écrit Levasseur, qui l'a vu récemment. *Ce sera une élection pour rien. Jean XXII, à septante ans, est vraiment trop faible pour assurer une charge aussi lourde.* Le principal souci de Roger Lescure, c'est d'être fait cardinal avant que Dieu ne rappelle à Lui l'occupant du trône de saint Pierre.

— Ne faites pas cette tête ! dit Barbe-Noire en lui assenant une forte bourrade sur l'épaule et qui, d'instinct, comprend les préoccupations de son voisin. Vous l'aurez, votre chapeau, puisque tous les cardinaux ont renié Dieu un jour ou l'autre ! En attendant, allons banqueter, j'ai pris faim en courant le cerf, pas vous ?

— Certes ! Certes ! fait Lescure, agacé par l'insouciance de son compagnon.

Lescure ne peut s'empêcher de penser à ce que lui a dit Masson, son ancien astrologue : « Je ne vous vois pas en pourpre. Vénus et Jupiter s'y opposent. » Cette prédiction a tant déplu à l'évêque qu'il a renvoyé Masson en l'accusant d'escroquerie.

Aude de Lieucourt prend un air enjoué. Elle n'aime pas Lescure, et les moqueries de Barbe-Noire l'amusent beaucoup.

— Ne vous en faites pas ! continue l'incorrigible moqueur. Mon frère, Foulque, ne va pas tarder à attaquer le château. Si nous perdons, il se fera un plaisir de nous passer au fil de l'épée et vous le premier. Il ne vous a pas pardonné d'avoir fait griller quelques templiers de ses amis.

— Je n'ai fait qu'obéir aux ordres du pape !

— Bah, ce n'est pas très grave ! Un évêque s'en va toujours au paradis. Et un coup d'épée en pleine poitrine, ce n'est pas si terrible !

La population est excédée. Les processions, les prières collectives, les mortifications ne changent rien. Des nuages toujours renouvelés arrivent de l'ouest et déversent cette pluie fine et froide sur tout ce qui vit, qui a besoin de soleil et de chaleur. Il n'y aura pas de châtaignes cette année encore et si peu de glands qu'il ne faut pas espérer engraisser des porcs.

— Vous avez vu ? Les hirondelles...

L'homme qui parle ainsi tend la main vers le ciel. Et tout le monde constate avec effroi que les hirondelles sont parties, signe que l'année, amputée de son été, passe d'un coup à l'automne. Et ce rosier mort depuis deux ans, qui se trouve près de la croix du Monteil, le père Jicout voulait l'arracher et, quand il est arrivé, il a trouvé l'arbre fleuri de belles roses rouge sang. L'archiprêtre Leblond s'est déplacé avec sa troupe de clercs pour constater le miracle. En l'absence de l'évêque, il dit plusieurs Credo au pied de l'arbuste devant une foule à genoux et en prières sous la pluie.

Ces signes montrent à l'évidence que Dieu demande plus de sacrifices, plus de juste colère de la part des vrais croyants pour extirper l'hérésie, pour détruire à jamais ceux qui Lui font l'affront de ne pas croire en Jésus. Sur les places des villages, des villes, des prêcheurs venus d'on ne sait où accusent les Juifs.

— Les offrandes, les processions n'ont pas suffi à calmer le courroux de Dieu ! s'écrient-ils. Pourquoi, à votre avis ? Parce que vous tolérez chez vous des infidèles, ceux-là mêmes qui ont condamné le Christ ! Que font-ils maintenant, ils s'enrichissent sur votre misère, ils souhaitent que la pluie dure longtemps, le plus longtemps possible !

À Tulle, un énorme tumulte répond à ce discours. Désarmée face aux caprices du ciel, la foule a besoin de victimes. Cet hiver, beaucoup de ces pauvres bougres mourront comme des chiens efflanqués dans un coin de leur maison en proie à de terribles douleurs pour avoir mangé du pain fait de farine d'os et de plâtre.

Un grand diable aux bras démesurés, les cheveux roux filasse, s'écrie :

— Rue de la Juiverie !

C'est le mot d'ordre qui met en marche cette multitude aux visages pleins de haine, une armée d'hyènes. En tête, des femmes brandissent des bâtons. Des cris « Mort aux Juifs ! » fusent de ce magma bariolé.

Les communautés juives installées dans chaque ville sont habituées à toutes sortes d'humiliations publiques. Les rois, les grands seigneurs ont l'habitude de puiser dans leurs bourses chaque fois qu'il faut de l'argent pour lever une armée ou quand le trésor est vide. Mais ce qu'elles redoutent le plus, c'est la colère populaire, toujours sanglante. Isaac Colévy, le plus grand banquier de Tulle, sait tout cela et frémit quand il entend la clameur se rapprocher. Il monte aussi vite que ses vieilles jambes le lui permettent à l'étage, où se trouvent sa femme et ses trois enfants.

— Vite ! dit-il, à la cave !

Il ordonne à ses serviteurs de fermer les lourdes portes ferrées, difficiles à enfoncer à la hache. Il a pris soin de laisser quelques écus dans la caisse de son magasin pour faire diversion. Le reste de son argent, ses marchandises précieuses sont en sécurité. Il traverse une vaste pièce en voûte où se trouvent des saloirs qui baignent dans dix pouces d'eau, des sacs de farine au sec sur des étagères et qu'il a fait venir de son comptoir du Roussillon. Là aussi, c'est pour la diversion, l'essentiel est ailleurs. Isaac n'en est pas à son premier coup dur. « Ce n'est pas aux vieux chevaux qu'on apprend à galoper ! » dit-il en souriant tandis qu'une lueur passe dans ses yeux aux paupières trop grandes.

Il traverse rapidement la salle voûtée en pataugeant dans l'eau froide et sale tandis qu'un serviteur tient une torche. Toute la maisonnée se met à l'abri dans une autre pièce qu'elle rejoint par un souterrain dont l'entrée est camouflée derrière une cuve vide. Elle attend là, de l'eau jusqu'aux genoux, mais c'est un moindre mal.

La foule, grosse d'une centaine de personnes, arrive rue de la Juiverie, parallèle à la rivière, qui ne l'atteint pas. Une vieille qui n'a pas eu le temps de se mettre à l'abri est molestée à coups de pierres et de bâton. Des femmes furieuses s'acharnent sur ce pauvre corps déjà inanimé dans la boue. Mais ce n'est pas une proie suffisante, il leur faut débusquer un gibier plus digne. Des hommes poussent à coups d'épaule les portes d'une boutique et les planches cèdent peu à peu. Les femmes sont les premières à se précipiter à l'intérieur, à ouvrir les tiroirs, à chercher les étoffes, les lainages, les bijoux. Un groupe arrive dans une pièce où se terrent, entre un lit et un coffre, un homme, sa femme et sa fille. L'homme supplie qu'on leur laisse la vie sauve, qu'ils sont aussi pauvres qu'eux et n'ont rien à manger...

— Et tu penses qu'on va te croire ! hurle une édentée en s'approchant de lui, les yeux pleins de cette haine bestiale prête à s'abattre sur n'importe qui. Tu dis que tu es un homme ? Alors montre-nous tout ça !

Il ne bouge pas ; comprenant qu'il n'obtiendra rien de ces furies, il se place devant sa femme et sa fille, qui doit avoir une quinzaine d'années, et s'apprête à vendre chèrement sa vie. Terrorisée, l'adolescente tremble et se cache derrière sa mère.

— Mais c'est pas mal, un peu de jeunesse ! dit le géant roux en s'approchant.

Aussitôt, le père, d'un coup de poing d'une incroyable vivacité pour un petit homme surtout habitué à manier les chiffres, envoie le grand diable au sol. C'est le signal de la curée. Le Juif est vite maîtrisé. Une grosse femme excitée soulève sa robe, défait ses chausses et éclate d'un rire sordide en découvrant le sexe minuscule. Un bossu au visage déformé par l'envie de meurtre tend un couteau. L'homme se démène, mais il est tenu cloué au mur par quatre bougres. Il pousse un cri strident tandis qu'un jet de sang jaillit de son bas-ventre et éclabousse tout le monde. Les rires fusent. Ce sang qui tache les chemises les réconcilie avec leur misère.

— Il n'avait que ça, ton homme ? dit la grosse femme, qui tient d'une main le sexe coupé et de l'autre le couteau sanglant. Attends un peu, on va te montrer quelqu'un qui est bien monté. À toi, le Marrot.

Marrot s'approche de la jeune fille, que tiennent deux hommes, déchire sa robe. Il demande qu'on l'allonge sur le lit, qu'on lui écarte les jambes. Pendant ce temps, des furies défoncent le crâne du père à coups de sabot.

C'est à cet instant que la troupe du sénéchal Chatelard de L'Huisne décide d'intervenir. Ces trois victimes suffisent pour calmer la populace. Et, comme il est bien difficile de savoir qui les a tuées, personne ne sera inquiété : tuer un Juif n'est pas un crime très grave !

Dans la plupart des villes du royaume de France, des Juifs paient ainsi de leur vie l'excès de pluie et le manque de pain. Les prêcheurs activent la haine pendant tout le mois de septembre, puis disparaissent aussi soudainement qu'ils étaient apparus...

Le dernier jour du mois, l'évêque profite d'une éclaircie pour se faire porter au château de Masvallier. Il trouve Barbe-Noire à table, en surcot noir, à côté de sa belle Aude, en train de festoyer avec ses vassaux. Les prédictions d'un tireur de cartes de passage amusent beaucoup le maître des lieux. Il a établi le ciel astral de chaque convive, sauf d'Aude, qui s'y est opposée.

— Eh bien, ma mie, s'est écrié Barbe-Noire, voilà que ces bavardages vous troublent !

— Non point, mais je ne veux rien savoir du futur. Je préfère le découvrir.

— Ah çà, vous avez raison ! Et je vais donc vous imiter.

Puis, se tournant vers le tireur de cartes, il s'exclame :

— Amuse-nous avec l'avenir de mes vassaux et s'il y a quelques tromperies de femelles, n'en oublie rien !

L'homme sort une carte de son jeu et s'adresse à Barbe-Noire :

— Je ne vous dirai rien puisque vous ne le voulez pas, monseigneur, mais puis-je me permettre un conseil : gardez-vous des femmes !

— Me garder des femmes, maraud ? Je compte bien au contraire profiter autant que se peut du joli corps de ma mie !

On annonce l'évêque, qui entre dans cette pièce à l'image de Barbe-Noire. Les serviteurs se pressent autour d'une table où tous les convives n'ont pas trouvé place et les moins importants mangent debout, bousculés par les chiens qui attendent des os. Les jongleurs tentent de se ménager un peu d'espace pour accomplir leur numéro que personne ne regarde et, dans ce vacarme, le tireur de cartes essaie de se faire entendre.

— Tiens, l'évêque ! s'écrie Barbe-Noire de sa voix puissante qui domine le bruit. Il s'ennuie dans son évêché, au milieu de ses clercs qui ne savent que parler latin.

Son rire sonore domine le bruit. Aude sourit ; son beau visage attire tous les regards. Elle ne quitte pas des yeux Barbe-Noire, ce phénomène attachant, cette brute qu'elle pourrait aimer. Un pli se forme au coin de ses lèvres et, l'espace d'un éclair, ajoute à cette bouche que tous rêvent de picorer une dureté, une détermination sans faille, bien étranges pour une jeune femme d'apparence inoffensive.

— Qu'on fasse une place à notre ami comme j'espère qu'il m'en fera une au paradis. À moins que nous n'allions rôtir tous les deux en enfer. Au fait, la moisson dans votre domaine a-t-elle été aussi déplorable qu'ici ?

L'évêque soupire.

— La récolte sera maigre et de mauvaise qualité. Quand j'aurai pris ce qu'il faut pour mon propre service il ne restera pas grand-chose aux vilains et aux serfs. Mais qu'y faire, Dieu le veut comme ça.

— Dieu ! Diantre, mais vous n'avez que ce mot à la bouche ?

Barbe-Noire aime ainsi agacer l'évêque, qui réussit rarement à trouver la bonne parade.

— Dieu est partout, Il ordonne tout. Depuis le début du mois, il n'est pas passé une journée sans qu'on ait molesté des Juifs. Et aujourd'hui, vous l'avez constaté, le soleil brille !

— Pas pour longtemps si j'en crois les nuages sombres qui reviennent.

Barbe-Noire reste un moment immobile, son regard porcin posé sur l'évêque, son couteau soulevé avec, au bout, un morceau de volaille.

— Vous n'allez quand même pas me faire accroire que Dieu fait pleuvoir parce que nous avons des Juifs à Tulle ?

— Et peut-être bien que si.

Barbe-Noire sourit à Aude, prend sa petite main dans sa pogne, y porte ses lèvres grasses.

— Ma mie, dit-il, je ne comprendrai jamais rien aux hommes d'Église, ni à Dieu, d'ailleurs. Moi, il me semble qu'Il a créé aussi les Juifs à Son image et que la pluie n'a rien à voir là-dedans. Il s'agit plutôt de dérangements de temps, de vents qui apportent les nuages, au lieu de les laisser où ils sont. Voilà ce que je pense...

Les sujets sérieux n'intéressent Barbe-Noire que peu de temps, et son naturel reprend vite le dessus.

— Tenez, voici maître Tellot, le tireur de cartes le plus savant de la contrée. Il va vous dire avec certitude quand vous aurez le chapeau !

Un chien à qui l'on vient d'écraser une patte mord un serviteur qui renverse l'aiguière de vin. Dehors, le ciel s'est assombri et la pluie ne va pas tarder. Tellot gratte ses longs cheveux gris. Il a tiré trois cartes au hasard en regardant l'évêque et s'étonne : ce sont les mêmes que celles qu'il avait tirées tout à l'heure pour Barbe-Noire. Ses grands yeux veinés de rouge tournent dans leurs orbites.

— Eh bien, fait Barbe-Noire, voilà que tu viens de perdre la parole. Qu'as-tu vu ?

— Je ne peux, monseigneur, je ne peux !

— Parle ou je te fais fouetter.

L'homme sait qu'il ne faut pas toujours dire la vérité aux grands de ce monde, qu'ils s'en prennent volontiers au messager de la mauvaise nouvelle. Alors, il préfère mentir :

— Monseigneur sera cardinal, cela ne fait aucun doute.

— Vous voilà content ! dit Barbe-Noire.

Lescure sent une boule de bonheur grossir dans sa poitrine et chauffer agréablement son corps. Il sort une piécette et la tend à Tellot, qui la refuse.

— Je ne puis accepter, monseigneur.

— Et dis-moi, reprend Lescure, encouragé par cette révélation dont il ne remet pas en question la certitude, Notre Saint-Père le pape Jean XXII, que j'ai l'honneur de connaître, va-t-il trépasser bientôt ?

Tellot sort trois nouvelles cartes du jeu, les examine un instant, puis une quatrième, puis une cinquième. L'étonnement se marque sur son visage.

— Eh bien quoi ?

— Eh bien, je n'ose y croire ! Il restera vingt années sur le trône de saint Pierre.

— Vingt années ! s'écrie Lescure. Sais-tu qu'il est très vieux, qu'il a passé septante ?

— Je sais, monseigneur, je sais !

Cette longévité de l'ancien évêque de Cahors achève de combler Roger Lescure, qui voit s'ouvrir devant lui, toutes grandes, les portes des plus hautes fonctions. Le tireur de cartes préfère s'effacer devant les jongleurs. Ce qu'il a vu, aussi bien pour le maître des lieux que pour l'évêque, leurs morts identiques et déjà décidées, n'est pas prédiction à annoncer.

Foulque de Masvallier parcourt de son regard sombre les tentes bleues plantées dans la prairie au sommet de cette colline que fouette un vent frais. En face, l'église de Vitrac dépasse des hêtres aux feuillages rognés par une pourriture grise. En contrebas, un étang noie les prairies. Il est tombé tant d'eau qu'elle n'arrive plus à s'évacuer. Les chevaux parqués dans une prairie maigre mangent du bout des lèvres une herbe sale. Les os saillent sur le dos des animaux, mais l'avoine coûte cher et l'argent du Juif Lartmann a fondu comme neige. Les hommes devront compenser le manque de vigueur de leurs montures par une fougue accrue. Pour cela, Foulque leur fait confiance, tous sont des hommes de guerre pour qui la victoire signifie la mise à sac de Tulle. Ils ont été engagés avec la promesse de pouvoir se payer sur l'habitant. L'hommage au roi de France a été remis à plus tard. Contre l'avis de son vassal, Foulque a préféré reprendre au plus vite ce qu'il considère comme son bien.

Les participants à l'ost sont arrivés ; il ne manque que les deux cents mercenaires recrutés par Hugues de Sarran en Périgord, d'anciens soldats gascons sans affectation et vivant de rapine. Ces hommes sont âpres à la bataille, impitoyables, ils aiment le sang et ne manquent pas de courage...

Foulque est optimiste, même si la pluie le contrarie. Les hommes et les bêtes pataugent dans une boue collante qui gêne la mobilité des troupes. Pour se rendre à Tulle, ils doivent passer plusieurs vallées inondées. Il va pourtant gagner, anéantir Barbe-Noire, et retrouver sa comté !

Une pluie fine bouche l'horizon, dilue les collines. La progression jusqu'à Tulle devra se faire en évitant les zones marécageuses. Son plan est simple, contourner les rochers de Saint-Yrieix, gagner Eyrein et plonger sur Tulle en évitant Gimel. Ils partiront dès que les mercenaires gascons seront là.

Foulque retourne à sa tente, dont l'entrée est gardée par deux hommes en cotte de mailles et chapeau de fer. Plusieurs compartiments ont été aménagés : une véritable chambre à coucher, une salle à manger avec une grande table, des chaises, une autre pièce réservée à Iseult et à ses servantes.

En cinq mois, Iseult a beaucoup changé. Tout s'est passé le premier soir, à l'arrivée des deux fugitives au château de Sarran. Les yeux de Foulque croisèrent ceux de la jeune femme, s'y attachèrent, s'y noyèrent, comme dans l'eau la plus pure. Le soir, à table, il ne cessa de la regarder et de lui sourire. Après le souper, Éliabelle l'attendit en vain dans sa chambre voisine de la sienne. Au milieu de la nuit, n'y tenant plus, elle alla frapper à sa porte et trouva le lit vide. Alors, elle se laissa tomber sur la douce couverture en fourrure d'ours, le visage noyé des larmes si longtemps retenues. Éliabelle était rejetée de tout le monde : Barbe-Noire s'était débarrassé d'elle en favorisant son évasion et Foulque ne voulait plus d'un ventre stérile et infidèle. Il était donc avec Iseult. Ainsi, son amie la trahissait ; ce grand amour auquel Iseult rêvait, c'était Foulque, mais pourquoi lui ? Les hommes ne manquaient pas, pourquoi avoir pris le seul qu'Éliabelle souhaitait conserver ? Elle eut la tentation de courir jusqu'à la chambre de sa dame de compagnie, de faire un scandale dans ce grand château sombre peuplé de craquements de charpentes et de cris de chouettes. Mais elle ne fit que pleurer sur son lit.

De son côté, Iseult n'avait rien prémédité. Au premier regard de Foulque, un frisson parcourut son dos et elle comprit que sa quête touchait à son terme. Le voyage dans la solitude était fini : c'était pour lui qu'elle s'était gardée, c'était ce regard sombre et profond qu'elle attendait, cet homme mûr, élégant et racé. Elle pencha la tête en arrière, comme elle le faisait dans ses moments de rêve ; sa vie se jouait à cet instant et l'issue en était certaine. Le soir, quand Foulque vint la rejoindre, qu'il se glissa contre elle sans un mot, elle découvrit que ce corps ne lui était pas inconnu, qu'elle n'avait pas besoin d'en chercher les clefs du plaisir. Était-ce parce qu'Éliabelle lui en avait tant parlé ou simplement parce qu'elle en avait imaginé les moindres détails ? Il y a ainsi des rencontres qui n'en sont pas : deux inconnus se reconnaissent, et, dès le premier regard, les mots sont inutiles, ils savent tout l'un de l'autre !

Le lendemain, Foulque ne dit pas un mot à Éliabelle. Il était gai, souriant, pressé de donner son avis sur tout alors qu'auparavant il ne disait pas dix mots par jour. Il rayonnait, son bonheur était communicatif et tout le monde semblait heureux, sauf Éliabelle, qui cachait ses yeux rouges. Elle voulut parler à Iseult qui ne lui répondit pas. À quoi bon donner des explications ? Ces choses-là sont écrites, comme la marche de l'univers, des étoiles, des galaxies dont le désordre apparent répond à un agencement précis.

Elle alla se confier à Hugues de Sarran. Le grand et beau chevalier occupé à lever l'ost pour son ami et suzerain haussa les épaules, fataliste. Quelques instants plus tard, un garde muet vint la chercher et lui donna l'ordre de le suivre. Sans un mot d'explication, il l'enferma dans une pièce nue. Elle eut beau protester, tambouriner à la porte, personne ne vint. Le soir, le garde lui apporta son repas et ne répondit pas à ses questions pressantes. Il ne lui restait que ses pleurs pour se prouver qu'elle existait encore. Le lendemain, Foulque vint lui rendre visite. Ses joues étaient moins blêmes que d'habitude et ses yeux sombres gardaient cette lumière minuscule d'une joie qui n'échappe pas à ceux que le malheur frappe. Éliabelle avait imaginé cette rencontre mais ne trouva pas les mots pour parler. Elle se comporta en femme bernée et se mit à pleurer, la tête basse, assise sur le rebord de son lit.

— Ma mie, commença Foulque d'une voix grave, mais où elle sentit une légère hésitation, vous avez fui le sanglier pour venir me rejoindre. Je vous en rends grâce, ainsi, vous allez rejoindre dès demain le couvent des Bénédictines. J'ai tout arrangé avec mère Marie.

Éliabelle blêmit. Ses mains se levèrent jusqu'à la hauteur de son visage, puis s'immobilisèrent. Elle ouvrit la bouche comme pour mieux respirer.

— Mais, dit-elle, je n'ai pas envie d'aller m'enfermer dans un couvent !

— Il n'y a pas d'autre solution.

Il lui signifiait qu'elle n'avait plus de place nulle part, ni auprès de lui ni auprès de quiconque. Seul Dieu pouvait accueillir cette pauvre femme qui gênait tout le monde.

— Mais je suis votre épouse devant Dieu !

Elle venait de dire ce qu'il ne fallait pas et s'en rendait compte. Aussi bredouilla-t-elle, entre deux sanglots :

— J'ai beaucoup souffert pendant ces huit années.

C'était encore plus maladroit. Foulque estima qu'il n'avait pas à se justifier.

— Vous vous tiendrez prête demain matin à prime. J'ai chargé plusieurs de mes hommes de vous escorter.

Cela voulait dire qu'il tournait le dos à son passé. Définitivement. Il en effaçait toute trace, jusqu'à sa femme. En parlant, son regard s'allumait un peu plus, dirigé vers cet avenir lumineux qu'il n'avait pas espéré.

Le lendemain matin, un char à bancs aux rideaux baissés vint prendre dame Éliabelle, qui n'emportait avec elle aucun sac, aucun effet personnel. C'était un voyage sans retour, même si elle imaginait une revanche. D'une fenêtre de sa chambre légèrement en retrait, Iseult ne perdait pas un instant de la scène. Elle vit son amie s'approcher de la voiture et, avant d'entrer, se tourner vers la fenêtre. Aperçut-elle sa dame de compagnie ? Son visage se durcit, ses lèvres se serrèrent ; l'éclair blanc qui passa dans son regard était bien celui du défi, de quelqu'un qui faisait semblant de ne pas renoncer pour ne pas reconnaître sa défaite...

Iseult, assise sur un tabouret, grignote en grimaçant des mûres qu'un valet est allé cueillir.

— Elles sont d'une aigreur à retourner l'estomac ! dit-elle de cette voix lente, posée, qui fait traîner les syllabes.

— Les Gascons sont annoncés, demain, nous levons le camp et allons prendre le château de Tulle, dit Foulque. Cela ne saurait être long ! Le jour de la revanche approche.

— Foulque, mon gentil Foulque, ne va pas attraper un mauvais coup. Que deviendrais-je sans toi ?

— N'aie crainte, ma mie. Le sanglier va avoir tellement peur qu'il va s'enfuir au fond des bois... Mais je le poursuivrai, je le rattraperai, le pourceau. Il paiera les huit années de captivité qu'il m'a fait endurer. Je ne le tuerai pas, ce serait trop simple, trop doux, je le mettrai dans un cachot humide, un cul-de-basse-fosse où il finira sa vie parmi la vermine, les crapauds et les salamandres, rongé par les pires maladies.

En parlant ainsi, il ferme légèrement les yeux, comme pour mieux ressentir sa haine, s'en délecter.

— Tu me parles tant de lui que parfois...

Iseult est presque jalouse de ce rejet semblable à un amour à l'envers. Ces frères si différents, l'un froid et silencieux, l'autre bruyant et volubile, auraient sûrement pu, en d'autres temps et en d'autres circonstances, se compléter et s'aimer.

Le lendemain matin, au jour, les hommes démontent les tentes, chargent les vivres restants dans des chariots, harnachent les chevaux. Les nobles de la parenté de Sarran, aidés d'une meute de valets, endossent leurs armures. Beaucoup ont hérité de celle de leur père, déjà passablement rouillée, et les forgerons les ajustent avec d'énormes pinces. Caparaçonnés là-dedans, les fiers chevaliers sont si lourds qu'ils peuvent à peine bouger. Plusieurs hommes les hissent à cheval où, une fois bien calés dans les éperons, pratiquement aveugles tant la fente du heaume est minuscule, ils peuvent jouer de la lance, de la masse d'arme ou de l'épée.

À la mi-journée, l'armée enfin prête se met en branle. Hommes de pied, chevaliers, serviteurs qui s'occupent des chariots forment une longue file sur les chemins défoncés par la pluie. Dans les hameaux, les portes se ferment, les vilains et les serfs courent se mettre à l'abri derrière les murs de la maison forte la plus proche, car, avec la guerre, juste ou criminelle, les vaincus sont toujours les mêmes.

Foulque a prévu de parcourir les quarante lieues en deux jours. Averti par ses chevaucheurs, Barbe-Noire fait hâter les préparatifs. Il a décidé de prendre le contre-pied de son frère et de le provoquer en rase campagne, sur le plateau d'Eyrein.

— C'est une erreur ! répètent ses capitaines. Nous serons vaincus parce que nous ne savons pas faire la guerre en ligne.

— L'ennemi ne sait pas mieux la faire que nous ! réplique Barbe-Noire. Personne ici n'a servi dans les armées d'un roi ou d'un grand seigneur. La bataille en ligne est d'une simplicité totale : il faut de la vaillance pour enfoncer l'adversaire et lui faire mordre la poussière. Il n'y a point de ruse là-dedans !

C'est ainsi qu'un matin gris et humide Barbe-Noire, comprimé dans son armure, monté sur un solide cheval de trait qui a bien du mal à porter ses deux cents livres, part à la tête de ses chevaliers guerroyer contre son frère. Les gens se sont massés au bord de la route pour voir défiler l'armée. Les bourgeois souhaitent la victoire de Barbe-Noire, qui administre bien la comté, pend les voleurs et fait régner l'ordre. Ils n'ont pas oublié la dureté de Foulque et la rapacité des templiers qui récoltaient les impôts.

La rencontre a lieu entre le village de Roussot et celui de Biégin, à une demi-lieue d'Eyrein, une zone caillouteuse, peu accidentée, dégagée et en légère pente. L'armée de Foulque, avertie par ses éclaireurs, a préféré attendre l'ennemi dans ce lieu qui lui semble propice à une victoire rapide. Les tentes ont été plantées dans plusieurs prairies où l'herbe bien drue suffit à nourrir les chevaux, cette herbe que les vilains ne faucheront pas pour leur bétail. La peur se répand dans les chaumières. Les femmes et les petits enfants s'enfuient. Les hommes cachent tout ce qui peut l'être avant de partir dans la forêt où, avec un peu de chance, ils échapperont aux reîtres.

Ni Foulque ni Barbe-Noire ne se soucient de la population locale. Ils s'épient, cherchent la faille dans laquelle ils pourraient s'engouffrer. Le véritable engagement a lieu le lendemain au lever du jour. Foulque, qui redoutait quelque mauvais tour du sanglier, a dormi dans son armure, aussi, ce matin, il a mal par tout le corps, mais c'est mieux que d'être poignardé dans son sommeil. Il ne pleut pas, mais le sol reste mou et la boue gêne la mobilité des hommes de pied.

Les deux armées se mettent en ordre de bataille, chevaux et hommes piétinent ce qui reste de blé, les sarrasins encore en herbe, arrachent les haies, incendient les maisons qui les gênent. Enfin, les cornes donnent l'ordre de la charge et les chevaliers, la lance en avant, poussent leurs montures. Barbe-Noire sait qu'il n'est pas à son avantage, mais il se bat bien, et ses hommes, encouragés par ce formidable boute-en-train, prennent très vite l'avantage. Le choc des armures et des boucliers, les cris furieux des hommes, tout ce vacarme s'entend à plusieurs lieues à la ronde. Les chevaux hennissent. La terre vole sous leurs sabots. Les coutiliers, sabre à la main, se glissent sous les animaux pour leur ouvrir l'abdomen, d'autres leur coupent les tendons d'Achille. Des bêtes roulent au sol, emportant leurs cavaliers prisonniers des épaisses carapaces de fer. La rage de tuer habite ces guerriers qui taillent, frappent sans discernement autour d'eux. Des cris de douleur percent ce bruit de fer choqué. Des blessés tombent sous les sabots ferrés qui les piétinent dans cette boue de sang, de paille mouillée et de terre molle. À ce jeu, Barbe-Noire est le plus fort. Il sait par ses paroles d'encouragement, ses boutades juguler les forces et la volonté de vaincre de ses hommes. Cela suffit pour faire la différence. Les mercenaires gascons n'ont pas réussi l'exploit qu'on attendait d'eux. Très vite, l'issue de la bataille ne fait aucun doute. À la mi-journée, Foulque doit constater qu'il est vaincu ; ses cavaliers en déroute fuient dans la campagne pour échapper aux massacreurs de Barbe-Noire. Lui-même ne doit sa liberté qu'à son cheval léger et rapide. Dans les blés piétinés, des dizaines de cadavres gisent sur une terre rouge. Des blessés gémissent, poussent des cris de douleur. L'un d'eux, les viscères répandus dans la boue, se traîne en implorant Dieu de le sauver.

Pour Barbe-Noire, la victoire est totale. Il pousse un rugissement de satisfaction, frappe sur l'épaule de son cher Berthot.

— Nous avons bien taillé, bien saigné ! dit-il. Le renard puant n'est pas près de revenir.

Pendant ce temps, ses reîtres, un peu déçus par une victoire aussi rapide, partent par groupes dans la campagne. C'est l'heure de la récompense pour ces soldats mal payés, qui mettent à sac les deux hameaux. Les habitants sont partis, à part une vieille femme qui n'a plus toute sa tête et que les voleurs épargnent. Ils découvrent une chèvre encore attachée à sa longe, la tuent, la dépouillent et allument un feu pour la faire cuire. Ils regrettent surtout de ne pas trouver de femmes à violer. Pendant que la chèvre cuit, quelques-uns partent battre les taillis. La violence de la bataille appelle la violence du sexe, l'acte reproducteur accompagne celui de la victoire, c'est l'empreinte indélébile des vainqueurs. Pour s'amuser, ils brûlent quelques granges avec les maigres récoltes qu'elles abritent. Un groupe de coutiliers débusque enfin trois femmes cachées au fond d'un roncier. Un paysan courageux veut s'interposer, il est aussitôt abattu d'un coup de couteau en pleine poitrine.

Foulque et ses hommes se sont enfuis à bride abattue vers le camp retranché resté près d'Égletons où se trouvent Iseult et d'autres femmes, maîtresses et ribaudes qui accompagnent les seigneurs à la guerre. Hugues de Sarran chevauche près de lui. Le géant n'a pas compris que ses hommes aient fléchi aussi rapidement et ne décolère pas.

— Ils ne se sont pas battus !

Ils arrivent au camp arrière et donnent l'ordre de tout démonter. Ce soir, on rentre au château. Iseult regarde son héros crotté, le visage blême, cerné de profondes rides de fatigue. Seul son regard conserve son intensité sombre.

— Le diable est avec lui ! dit-il en baissant la tête, tandis que deux forgerons tentent avec précaution de l'extraire de son armure.

Iseult se blottit contre lui. Sa cotte sent la sueur et la boue. Sur sa joue, une griffure a fait jaillir une goutte de sang qui a séché, un petit fruit rougeâtre et dur, une groseille. Elle le décolle du bout de l'ongle.

— Je veux ma comté, par tous les moyens. Je vais trouver d'autres hommes, des vrais guerriers, ceux-là, et je recommencerai ! dit-il, plus déterminé que jamais.

— Ne t'en fais pas ! dit Iseult. Il y a d'autres moyens que la guerre ! Ne perds pas espoir.

Quand il apprend la victoire de Barbe-Noire, Enguerrand se rend aussitôt à Tulle chez Jean Bolard. Sa déception est si grande qu'elle marque son visage disgracieux. Des cernes soulignent ses petits yeux, il serre les lèvres, ses rides sont plus profondes que d'habitude. Il n'est pourtant pas désespéré.

— Cela ne fait que retarder la victoire ! dit-il, mais les écus engloutis dans ce mauvais coup auraient été utiles ailleurs.

— Que veux-tu faire, mon frère ? demande Bolard. Constituer une nouvelle armée ?

— Sûrement pas. Là où les armes régulières ne réussissent pas, d'autres, plus sournoises, font merveille, surtout avec Barbe-Noire. J'avais tout prévu, mon frère, mais, tout de même, ce Barbe-Noire est plus rusé qu'il ne paraît.

Roger Lescure de Gimel remercie le ciel de la victoire de Barbe-Noire. Bien décidé à profiter de l'élection de Jacques Duèze sur le trône de saint Pierre, il a décidé de s'amender des quelques petits travers qui pourraient déplaire à Dieu et retarder son accession à la pourpre. Aussi observe-t-il le vœu de chasteté totale qu'il a fait à la Saint-Jean, même si cela lui coûte. Il continue de s'entourer de belles servantes, ce qui est une manière de célébrer le Créateur dans la perfection de Son œuvre mais ne pose plus la main sur aucune. Certes, le diable lui souffle des pensées interdites, mais il résiste.

Un coursier de Lyon lui apprend, ce 28 septembre, que Jean XXII a été sacré et qu'il a décidé de rentrer aussitôt en Avignon pour se mettre au travail.

— Comment a-t-il supporté le sacre ? demande-t-il au chevaucheur.

— Très bien. Depuis son élection, Dieu a bien compris l'importance de la tâche qui attend le Saint-Père et lui a redonné des forces. Il va tellement bien qu'il épuise ses secrétaires à la tâche.

— Voilà une bonne nouvelle.

— Ce n'est pas un homme de fêtes et de banquets. Il préfère travailler au calme et ne dort pas plus de deux heures par nuit.

— Une grande âme que Dieu éclaire de Sa lumière, et puis...

Lescure ne finit pas sa phrase. Il se gratte le menton et demande enfin :

— La récolte de blé a-t-elle été bonne, chez toi ?

— Non, trop de pluie. Le blé a pourri. La faim sera grande l'hiver prochain.

Une idée germe dans l'esprit du prélat. Il continue de se gratter le bout du menton. Son regard parcourt les bas quartiers de la ville. Il n'a pas plu depuis quelques jours et la décrue s'est amorcée, laissant plus de dix pouces de boue où pataugent les habitants qui tentent de récupérer ce qui reste de leurs biens.

— Je te remercie ! Va aux cuisines demander qu'on te donne à manger et à boire.

Quand l'homme a tourné les talons, Lescure regarde le crucifix pendu au-dessus de son bureau. C'est sur cette table de chêne qu'il écrit chaque jour de nombreuses lettres car il entretient une correspondance suivie avec d'autres évêques, des théologiens, des alchimistes... Il s'agenouille un instant et, la tête dans les mains, reste ainsi un long moment recueilli, puis il se dresse :

— Vattrin ! crie-t-il.

Un clerc entre. C'est un homme toujours essoufflé, la tête plate, comme usée sur le sommet par les tonsures répétées, les épaules basses, ses mains démesurées au bout de bras trop longs semblent toucher par terre.

— Vous m'avez appelé, monseigneur ?

— Oui, nous partons pour Avignon. Fais préparer des charrettes vides. Nous achèterons du blé. Il faut une escorte renforcée par des hommes d'armes. Une cinquantaine suffira, je pense. Si c'est trop faible, on recrutera en chemin.

— En Avignon ?

— Oui, j'ai l'honneur de connaître le nouveau pape.

Vattrin fait demi-tour, sa soutane vole autour de lui et découvre des mollets épais. Le voilà courant dans les couloirs et ameutant toute la maison de l'évêque avec une vivacité que sa taille épaisse ne laisse pas soupçonner. Déjà, dans les écuries, la valetaille remplit des sacs d'avoine pour les chevaux, charge du foin sur les chariots. L'intendant Lerocher passe sa main droite dans ses cheveux filasse : il est certain d'oublier quelque chose, mais quoi ? Il consulte la liste posée devant lui. L'escorte de cinquante hommes d'armes lui semble un peu faible, il va la doubler. Les chariots des secrétaires sont prêts avec leurs écritoires ; les trois coursiers disposeront de huit chevaux prêts à partir pour n'importe quelle destination, les gens de maison, cuisiniers, sauciers, chambrières, maîtres boutiliers, vraiment, il ne manque rien, et Lerocher a toujours le sentiment d'oublier quelque chose !

Aux cuisines, des apprentis chargent dans des caisses des quantités de marmites, de poêlons, de vaisselle. On emporte des volailles vivantes, des porcs, des moutons, car Lescure est de goût délicat et n'accepte que la cuisine de maître Martin, qui le sert depuis dix-sept ans. Tout le monde est content de partir au soleil, puisqu'il fait toujours beau dans la cité des papes.

Les préparatifs durent une semaine entière. Un matin, à l'aube, les petites gens, déjà à leur labeur, voient sortir de l'enceinte de l'évêché un impressionnant cortège de chariots tirés par des chevaux et des mules que des voituriers invectivent à grands cris. Les gardiens ouvrent la porte Blanche. Pour ne pas perdre de temps en réparations, Lerocher a fait vérifier toutes les roues et espère parcourir vingt lieues par jour.

— Nous perdrons beaucoup de temps à passer les rivières. Les ponts ont souffert, mais l'eau baisse ! dit l'évêque.

Deux semaines plus tard, le convoi arrive en vue d'Avignon. La lumière d'un ciel pur éclate sur une campagne qui glisse lentement vers l'automne. Les Limousins qui ont vécu un été de grisaille se sentent revigorés par ce soleil qui brûle leurs épaules.

Aux portes de la ville, les chariots forment de longues files d'attente, des voituriers s'emportent, en viennent aux mains. Dans la cité des papes règne une intense activité. Évêques, cardinaux, grands dignitaires du royaume, ambassadeurs accompagnés d'impressionnantes suites s'entassent dans des rues trop étroites. La centaine d'auberges ne peut accueillir tout le monde. Le moindre réduit se loue une fortune. Les bordels fleurissent, bordels de luxe pour les hauts personnages, tripots pour la valetaille désargentée. Les bijoutiers juifs gagnent des fortunes en vendant des parures pour les maîtresses des prélats ; les banquiers lombards ont ouvert de nombreux comptoirs et prêtent des sommes considérables aux nobles de haut lignage dont la nécessité de paraître est essentielle dans cette société frivole. Il importe de se donner de l'importance, car, sans elle, les lourdes portes du pouvoir restent fermées.

Lescure n'en est pas à son premier voyage en Avignon. Il a rendu visite au pape précédent quand il briguait l'archevêché de Bordeaux et garde un mauvais souvenir de cette rencontre : Clément V l'avait éconduit comme il l'aurait fait d'un quelconque manant.

Des émissaires partis en avant du cortège tulliste ont retenu une auberge entière. Pendant que l'évêque va tenter de rencontrer le pape, ses intendants s'occuperont de remplir les chariots de blé. En Provence, la pluie a épargné les récoltes, et le grain, sans être abondant, se trouve à un prix raisonnable.

Aussitôt installé, Lescure fait porter une lettre au pape indiquant qu'il s'est imposé ce déplacement pour avoir l'honneur de se prosterner devant Sa Sainteté. Il précise que Tulle se trouve à vingt lieues de Sarlat et rappelle leur longue amitié épistolaire.

Jean XXII n'est pas de ces hommes que la fonction transforme, que le pouvoir rend distants et inaccessibles. Ce vieillard frêle au regard ardent n'a pas besoin d'apparat pour imposer sa volonté. On le croyait mourant à son élection à Lyon, un mois plus tard, il est plus vif que jamais, alerte, capable de dicter cinq lettres à la fois, de répondre à plusieurs visiteurs sur des sujets différents sans jamais se tromper. Il exténue ses secrétaires, à qui il impose de longues veilles, ses serviteurs qui doivent être disponibles aussi bien le jour que la nuit. Le tumulte, le luxe, la fête continuelle de la ville ne pénètrent pas dans le grand palais. Ceux qui croyaient avoir élu un faible se sont bien trompés. Ce petit homme malingre a posé sa main de fer sur la chrétienté et n'a pas l'intention d'en desserrer l'étreinte avant d'avoir réformé l'Église tout entière.

Ce travailleur acharné, qui ne se repose pratiquement jamais, reste d'une disponibilité étonnante. Là où d'autres perdraient des heures à prendre conseil, à peser le pour et le contre, lui décide sans la moindre hésitation. Ses nombreux chevaucheurs emportent ses lettres dans toutes les cours d'Europe. Ainsi, le pape répond à Lescure qu'il le recevra volontiers. L'évêque voit dans cette promptitude un bon signe évident : il va très vite s'habiller de rouge, dernière marche avant la fonction suprême. Pourquoi n'y croirait-il pas, lui qui est de vieille noblesse, apparenté aux plus grands du royaume ?

La rencontre se fait dans la petite salle de travail que le Saint-Père a choisie dans cet immense palais parce qu'elle est à sa dimension. Lescure est d'abord introduit dans une pièce aux dorures chatoyantes. Il admire les boiseries, les magnifiques tentures en tissu d'Artois, quand la sensation d'une présence le fait se retourner. C'est le pape lui-même, qui aime ainsi surprendre ses visiteurs. Il est si léger qu'il se déplace sans bruit, en chat. Lescure se prosterne en s'étonnant de le trouver si peu changé depuis leur première rencontre au concile de Vienne en 1311. Les rides qui barrent le front du vieillard sont à peine un peu plus marquées. Son regard n'a rien perdu de cette lumière particulière, qui semble changer constamment d'éclat comme les reflets d'un miroir à plusieurs faces.

— Vous me voyez surpris et heureux de vous retrouver ici ! dit le pape en faisant signe à Lescure de se lever.

Le pape l'invite à entrer dans sa salle de travail, dont il ferme la porte. La table est envahie de parchemins, de livres. Sa première préoccupation en arrivant au palais a été de dresser un inventaire de la bibliothèque.

— Nous avons beau être les représentants de Dieu sur Terre, nous ne sommes pas parfaits, loin s'en faut ! dit-il en tournant son museau de fouine vers son visiteur. Nous devons, nous aussi, nous battre contre nos tendances, nos envies, aussi bien que les hommes du commun.

Lescure se sent toujours vulnérable près de cet homme qui semble tout voir, tout comprendre, même les pensées les plus secrètes de ses interlocuteurs. Sa fonction ajoute à son personnage une autorité souveraine.

L'évêque est maintenant moins sûr de lui, ses propos lui semblent fades et peu persuasifs. Pourtant, il poursuit dans ce qu'il avait décidé.

— Mon père, je voulais vous demander l'immense honneur de m'entendre en confession.

Jean XXII sait bien que Lescure n'a pas fait tout ce chemin pour se confesser, mais il joue avec son visiteur, comme un chat relâche la souris avant de la cueillir au seuil de son trou.

— Accordé.

— Dieu nous a fait ce que nous sommes, mais nous laisse la liberté de lutter contre les tendances de notre nature. À chacun d'entre nous, Il inflige un certain nombre d'épreuves... À côté de cela, j'ai toujours suivi les ordres de l'Église...

— Au fait, mon fils, au fait.

— Lorsque Clément V décida l'arrestation des hérétiques templiers, j'appliquai à la lettre ses volontés dans mon diocèse.

— Résultat de cette grossière erreur du roi et du pape, répond Jean XXII, le Temple plus fort que jamais, qui agit sournoisement, dans l'ombre, avec la haine de ceux qui les ont tourmentés... La plupart des débordements actuels sont leur fait !

Lescure sursaute.

— Une grossière erreur ?

— Il fallait abattre le Temple, mais la méthode fut mauvaise. Tout comme il faut continuer de le combattre.

— Sa Sainteté me pardonnera, mais ils sont invisibles, insaisissables !

— Les combattre, c'est interdire les attroupements, pendre les prêcheurs, ce sera, l'hiver venu, envoyer des hommes d'armes pour protéger les convois de vivres...

Lescure a le sentiment d'être un petit garçon que tance son maître parce qu'il n'a pas fait son travail. Il préfère changer de sujet.

— J'ai aussi commis quelques... quelques erreurs. Je veux parler de la chair...

— Beaucoup de nos frères sont ainsi tourmentés ! constate le pape de sa voix aiguë. Vous lui cédâtes ?

— Hélas oui. Voilà quelques mois que j'observe une abstinence totale.

— Bien. Vous savez que Dieu n'a jamais imposé le célibat aux hommes d'Église, c'est une décision qui est survenue bien tard et je comprends, Dieu comprend, que l'on se laisse tenter. Je proposerai bientôt un système, une codification des peines qui permettront d'obtenir une absolution immédiate. Poursuivez, mon ami.

Le terme « mon ami » n'a pas échappé à Lescure, qui trouve là un encouragement de taille.

— Ce désir de chair a conduit à l'engrossement d'une de mes serves d'une beauté irrésistible. Un enfant est né, il a seize ans, maintenant.

— Et qu'est-il devenu ?

— J'ai affranchi la serve. Je l'ai mariée à un solide et honnête vilain. Je leur ai donné la ferme du Val qu'ils ont en tenure totale.

— Bien, bien, dit de nouveau le pape. Cet enfant, c'est Dieu qui vous l'a envoyé.

Lescure sursaute.

— C'est le fils de Blandine, une pauvresse dont on se demande où elle était allée chercher toute cette beauté, toute cette grâce, cette élégance qui m'ont conquis. On aurait dit une femme de noblesse. Mais voyons, c'est un gueux, ce Thibault.

— Un gueux qui a votre sang, monseigneur. Vous gens de noblesse, vous vous considérez d'une autre race que l'humanité ordinaire qui travaille... Or Dieu ne fait pas de différence entre Ses enfants.

Jean XXII rappelle ainsi, d'une manière un peu brutale, qu'il est le fils d'un bourgeois de Cahors et pourtant le chef de la chrétienté. Lescure se dit qu'il a commis une bévue.

— Il est vrai, poursuit le pape, que Dieu choisit souvent Ses représentants dans la noblesse, mais pas toujours. Cet enfant, vous devez le faire éduquer, le garder avec vous. Dieu a sûrement des projets pour lui !

En parlant ainsi, Jean XXII a conscience d'établir une sorte de justice, une solidarité nécessaire entre les plus démunis et les plus favorisés. Ses origines humbles le rapprochent de ce garçon né d'une serve. Il sait aussi que rien n'arrive par hasard. L'agencement du monde est réglé dans le moindre détail par Dieu et l'arrivée de cet enfant a un sens. Et si son existence est ainsi rapportée au maître de la chrétienté qui traite les affaires les plus importantes du monde, c'est un signe qui ne doit pas laisser indifférent.

— Oui, Dieu a sûrement un dessein pour ce garçon. Quant à vous, mon fils, sachez que je ne vous oublie pas. Vous avez mon absolution pour les fautes passées et pour les fautes futures dans la mesure où vous allez vous occuper de celui qui est votre fils...

Il se lève de son siège avec une vivacité toujours étonnante, court à la table, agite une des quatre sonnettes posées sur des parchemins. Chacune a un son différent et appelle un secrétaire, un serviteur ou un visiteur qui attend depuis deux heures dans l'antichambre. D'une voix rapide, il demande qu'on reconduise monseigneur l'évêque puis, se tournant vers les copistes, ajoute :

— Veuillez faire dresser la liste de tous les péchés par ordre de gravité et par chapitres relevant chacun d'un commandement...

Lescure, en marchant dans les rues encombrées, protégé par sa garde, se demande ce que le pape a bien voulu lui signifier. Il ne l'oubliera pas, certes, mais pour quelle fonction ? L'évêque s'attendait à des retrouvailles plus amicales, à une conversation à bâtons rompus sur des questions qui les avait tant intéressés tous les deux : le devenir des âmes après la mort en attente du jugement dernier, l'existence de l'enfer, le pouvoir des reliques... Mais point de théologie, simplement une injonction que Lescure comprend de moins en moins. Il a fait tout ce chemin pour s'entendre dire que Dieu a des projets pour son bâtard ; cela revient-il à dire qu'il n'en a pas pour lui ? Il aurait voulu orienter la conversation autrement, mais Jean XXII ne lui en a pas laissé le loisir. Avec sa douceur de voix, sa politesse, le pape l'a finalement mal reçu et éconduit. Une seule compensation, cependant, l'absolution de ses fautes passées et à venir. La porte des plaisirs terrestres s'ouvre de nouveau, mais celle du pouvoir reste toujours bien verrouillée.

Guibert de Boisse et Thibault du Val prennent la vie comme elle vient et profitent des multiples attraits de Paris. Ils finissent par obtenir du père René de les recommander dans une maison noble pour apprendre le métier des armes. René intervient auprès du puissant chevalier de Bouqueville qui possède un des plus beaux élevages de chevaux de Normandie et fournit le régent.

Bouqueville accepte Guibert parmi ses pages et propose à Thibault, qui n'est pas noble, une place de garçon d'écurie. La différence de traitement révolte le jeune homme, qui se sent de plus en plus à l'étroit dans son rôle de serviteur. Son orgueil saigne, se révolte ; lui qui n'a pas peur des loups ni des brigands se sent de la race de ceux qui commandent.

Les terres des Bouqueville se trouvent dans la région de Lisieux. La famille habite cependant une grande partie de l'année dans son hôtel particulier, à deux rues du Louvre, et le sieur de Bouqueville peut, grâce à la fortune amassée par ses ancêtres dans le commerce des chevaux, prétendre à la vie de cour. C'est un homme de forte taille, à la tête large et sanguine, doté d'un appétit légendaire. Très distant, il ignore la valetaille, ne s'adresse qu'à ses majordomes et à ses intendants. Il parle avec fermeté, ne supporte aucune contestation. Son maître d'écurie, Jean Vaille, a le verbe haut et commande avec une brutalité qui déplaît vite à Thibault. Chaque matin, à l'aube, Vaille crie après les domestiques, surtout les plus jeunes, et les frappe volontiers. Dès le premier jour, Thibault devient son souffre-douleur. Les airs de seigneur du jeune garçon ne lui plaisent pas.

— D'où viens-tu pour avoir tant d'effronterie ?

— Je viens de la ferme du Val, en Bas-Limousin ! dit le jeune garçon.

— D'où que tu viennes, ici, c'est moi qui commande et on ne me regarde pas comme ça.

Thibault passe ses journées à nettoyer les écuries, à porter de la paille, des sacs d'avoine, des tas de travaux pénibles, tandis que Guibert, devenu page, suit le maître dans ses déplacements. Un soir d'octobre, tandis que Thibault brosse une jument, celle-ci a un mouvement brusque de la croupe. Vaille, qui l'observait, s'emporte.

— Elle a bien compris que tu fais ça n'importe comment et sans goût. Les chevaux reconnaissent qui les aime.

Thibault écoute les reproches sans baisser les yeux. C'est ainsi, depuis toujours ; à la ferme du Val, il ne baissait pas les yeux devant les grandes personnes, pourquoi le ferait-il ici ?

— Je t'ai déjà dit de ne pas me regarder comme ça !

Lentement, Thibault tourne la tête et recommence à brosser le cheval, qui s'impatiente, trépigne. Vaille se plante devant le garçon.

— Tu sais que j'en ai maté de plus durs que toi ? Tu ne crois pas que ton effronterie a assez duré ?

— Quelle effronterie ?

Une gifle claque. Thibault ne bronche pas et continue de regarder Vaille, qui s'emporte et veut lui donner une deuxième gifle, mais, de son bras droit, le jeune homme dévie le coup. Cette fois, l'adulte bat en retraite.

— Tu ne perds rien pour attendre. Toi, je te jure que je vais te dresser. Les gars de ta trempe, c'est comme les chevaux qui ont trop de sang, on les a avec le temps.

Thibault regrette d'être parti du monastère, où il était bien traité. Il a suivi Guibert qui en a tous les avantages.

— Je vais m'en aller ! dit-il à son ami qui est venu lui rendre une brève visite. Les coups de pied au cul et les taloches me blessent trop. Je n'ai pas la noblesse, mais j'en ai l'amour-propre. C'est plus fort que moi !

— La saison n'est plus bonne pour tenter l'aventure ! dit Guibert. Attends le retour des beaux jours, nous partirons ensemble !

— Non, je veux m'engager dans quelque armée !

— Patiente, je vais parler à M. de Bouqueville. Sous son aspect bougon et distant, ce n'est pas un mauvais homme. Je lui dirai que tu es mon frère de sang et que le courage ne te manque pas.

Pour l'instant, Guibert ne veut pas quitter la maison de Bouqueville. Il en donne les raisons à son ami.

— Elle s'appelle Dyane de Neuvialle. C'est une fille qui sert Mme de Bouqueville. Elle a dix-sept ans. Son visage est parfait, ses cheveux ont une couleur d'or et ses yeux, ses grands yeux sont comme un ciel d'été. Quand elle les pose sur moi, je sens des frissons partout...

— Si j'ai bien compris, tu es amoureux...

— À la folie.

Il sourit, le regard dans le vague, et ce bonheur assombrit Thibault, comme s'il lui prenait quelque chose.

— Raison de plus pour que je parte seul !

— Ici, tu manges... N'oublie pas que le blé va manquer cet hiver et le pain coûtera cher. Je t'en conjure, attends le retour du printemps.

Même les conseils de Guibert agacent la susceptibilité de Thibault, car ils semblent venir de haut, du noble au vilain, du maître à son valet.

— Je sais ce que j'ai à faire ! dit Thibault.

Leur amitié n'a-t-elle été qu'une passade ? Ce lien du sang, impossible à briser, peut-il être plus fort que leurs différences ? Thibault tourne les talons. On appelle Guibert, qui doit rejoindre les autres pages. Les deux garçons se séparent ainsi, le cœur gros, car ils ont le sentiment de trahir un serment et qu'ils ne se reverront pas de sitôt.

Deux jours plus tard, au retour d'un voyage à Saint-Cloud avec son maître, Guibert ne trouve pas Thibault aux écuries. Il questionne les autres valets, qui ne savent rien. Il le fait chercher dans la ville, mais sans résultat. Il n'insiste pas : son amour pour Dyane de Neuvialle l'accapare tout entier. Il a commencé par un sourire de la jeune fille alors qu'elle se promenait dans le parc avec d'autres personnes. Cela suffit pour pousser l'imagination du jeune homme aux plus sublimes espérances. Quelques jours plus tard, il revit

Dyane et osa lui sourire à son tour. Elle s'était approchée de lui, mais l'émotion, la timidité l'empêchèrent de parler. Il rougit, se trahissant mieux qu'avec des mots.

Quand toute la maison accompagne la cour à Vincennes au mois d'octobre, les deux jeunes gens se retrouvent au cours d'une promenade. Dyane parle de sa famille en Normandie, Guibert se dit le fils du noble Renaud de Boisse. Le lendemain, la jeune fille avoue sa pauvreté, terrible handicap dans cette cour où seul le paraître a de l'importance.

— Le fief de Neuvialle est petit, mais je dois ma position à la protection de Mme de Bouqueville.

Guibert pense que sa beauté est sûrement la plus précieuse des richesses, mais il parle de lui.

— Je suis plus pauvre encore. J'ai vécu comme les vilains et les serfs du domaine de Boisse.

Plus que tout autre discours, ces difficiles aveux les rapprochent au-delà des conventions. En marchant, leurs épaules s'effleurent, le dos de leurs mains se touche ; ces contacts involontaires trouvent en eux une résonance profonde qui les éblouit.

Au retour du séjour de Vincennes, une épidémie emporte plusieurs personnes de la cour et de la maison de Bouqueville. La première victime est un écuyer, Raoul de Lastrut, un solide garçon d'une vingtaine d'années. Il commence par se plaindre de douleurs vives au bas du dos. Deux jours plus tard, il est au lit, en proie à de terribles convulsions ; la mort le cueille dans la nuit. Les médecins, alertés, parlent d'un empoisonnement des urines, un mal nouveau pour lequel ils ne proposent aucun traitement. Trois autres personnes sont atteintes dans la maison de Bouqueville ; à la cour, deux filles proches de la reine Clémence meurent aussi. On commence à parler de l'air malsain de Paris, d'un mauvais sort jeté aux eaux de la capitale. Le mal atteint le peuple, et les cortèges d'enterrements qu'on n'avait pas vus depuis l'hiver dernier se succèdent dans les rues. Les plus pauvres sont ensevelis par groupes, dans des fosses creusées au fond des cimetières et que l'on recouvre de terre quand elles sont pleines, tous les huit, dix jours. Une odeur pestilentielle s'en dégage qui incommode les quartiers voisins, tous occupés par des petites gens ; les riches demeures ne se trouvent jamais dans des endroits aussi insalubres.

Guibert et Dyane se rencontrent dans un pavillon au fond du jardin. L'épidémie tient au-dessus d'eux son couperet et ils vivent chaque journée comme si c'était la dernière.

— Soyons heureux ! dit Guibert en la serrant contre lui, conscient comme il ne l'a jamais été du sens éphémère de ce terme.

Pas une seule fois, dans ces moments, ils ne pensent à Dieu, à Ses interdits. Le désir du corps surpasse la survie de l'âme et le sens de l'anéantissement confère à l'instant une force d'éternité.

L'épidémie s'arrête à la mi-novembre. Guibert pense à Thibault, disparu depuis deux mois. A-t-il survécu ? Cette question reste plantée en lui comme une aiguille rougie.

Les médecins ont observé une maladie nouvelle, une de plus qui sera sans lendemain. Les religieux y voient la main de Dieu qui donne un avertissement de plus et les fosses des morts se recouvrent d'oubli. On continue pourtant à mourir, mais chacun à sa manière, d'un mal de ventre, d'un mauvais coup, brutalement ou après des mois de souffrances, des morts ordinaires auxquelles on ne croit pas jusqu'au dernier moment.

Thibault est parti un matin de septembre. Il s'est enfui en courant, s'est lancé au hasard des rues encombrées de Paris, dans cette foule laborieuse où se côtoient les porteurs d'eau, les aiguiseurs de couteaux, les marchands de légumes ou d'œufs, les mendiants vrais ou faux qui, après avoir dormi dans une encoignure de porte, fouillent les détritus pour trouver un trognon de pomme... Le jeune homme ne s'arrête que lorsqu'il est sûr de ne pas avoir été suivi. Que va-t-il devenir dans cette grande ville qu'il connaît mal ? Qu'importe, il accepte tout, sauf d'être constamment écrasé. Il voudrait s'engager dans une armée, mais le sang des chevaliers de Gimel coule dans ses veines et il refuse la condition d'homme de pied ou de simple valet de camp.

Une chape de brume couvre le ciel. Une chaleur lourde pèse sur les épaules. Avec le temps, Thibault s'est habitué à cette puissante odeur de purin, de pourriture qui règne dans les rues de Paris. Il marche dans plusieurs pouces d'une boue de crottin, du contenu des seaux de nuit, d'épluchures, de restes de repas. Des monticules d'immondices que des pauvres disputent aux porcs et aux chiens gênent la progression des chariots. De la Seine voisine, gonflée par les pluies de l'été, arrivent des relents d'une vase putride. C'est le dépotoir de tout ce qui gêne, cadavres d'animaux, parfois d'hommes, c'est là qu'aboutissent toutes les rigoles amenant les eaux pourries du ventre de Paris. Sur les berges, entre les barques des pêcheurs et les filets qui sèchent, des armées de rats patrouillent entre les joncs.

Thibault arrive à Notre-Dame. Sur le parvis, seule place pavée, le spectacle est continuel et les badauds se pressent autour des cracheurs de feu, des diseuses de bonne aventure et surtout des jongleurs qui, entre deux tours, jouent des farces ou des mystères. Le visage caché derrière des masques de bois ou de chiffons peints, ils incarnent des héros emportés par un diable monstrueux et sauvés par un ange ou un saint aux portes de l'enfer. L'éternelle histoire du vieux mari grincheux et avare, trompé par sa belle et jeune épouse, fait toujours recette... Les auteurs ne se tracassent pas pour trouver de nouveaux sujets ; les mêmes intrigues reviennent toujours, émaillées de bastonnades et de remarques grivoises.

Thibault échappe à une bohémienne qui veut lui lire les lignes de la main et s'arrête parmi les badauds qui regardent une de ces farces et rient à chaque distraction d'un vieux bourgeois amoureux d'une fringante demoiselle. Le jeune homme se pique au jeu et rit à son tour. À la fin du spectacle, la fille passe dans la foule et agite une coupe dans laquelle tinte de la menue monnaie. La quête terminée, les gens se dispersent. Un garçon d'une quinzaine d'années vient démonter le décor formé de panneaux de bois peint qui représentent l'intérieur d'une maison cossue. Thibault s'approche.

— Je peux vous aider ?

Le jeune homme a le visage piqué de taches de rousseur.

— Vous parlez aux excommuniés, vous ?

Thibault s'étonne. Pourquoi ne leur parlerait-il pas ?

— Nous sommes des gens de foire, des amuseurs, des jongleurs !

— Qu'est-ce que ça peut faire ?

Le garçon hausse les épaules, il ne s'est pas posé la question.

— C'est comme ça.

— J'ai vu le spectacle, tout à l'heure, j'ai envie de jouer avec vous.

— Impossible. Il faut être né dans une roulotte. Il faut avoir grandi dans la rue. Je vous dis, nous ne sommes pas des gens comme les autres.

Le garçon observe attentivement Thibault. Il lui trouve un beau visage carré, plein de volonté, ses cheveux blonds frisés retiennent une poussière de lumière.

— Venez, je vais vous présenter la Furie.

Il lui explique qu'ils sont huit personnes, trois hommes et cinq femmes, dont la Furie, qui dirige la troupe d'une main de fer. Il l'emmène dans une sorte de cabane en planches au pied d'un arc-boutant de la cathédrale. Une forte odeur d'urine et de sueur sèche règne dans ce réduit encombré d'une table, de tabourets et d'une paillasse où sont chiffonnés des draps douteux. La Furie est assise et pose sur l'étranger un regard plein de soupçons. C'est une grosse femme aux chairs molles ; ses joues pendent comme des sacs vides de chaque côté de son visage et de sa bouche aux lèvres humides. Ses cheveux tombent sur ses tempes, hors de son chaperon de tissu sale.

— Mais qu'est-ce que tu nous amènes là, Jeannot ? demande-t-elle d'une voix aigre.

— Il veut rester avec nous !

— Quoi ?

Puis, dévisageant Thibault, qui regrette un peu son coup de tête car il comprend qu'il a quitté l'autorité de Vaille pour se placer aussitôt sous celle de cette femme et qu'il ne gagnera pas au change :

— Montre-toi. Tu es beau garçon, mais dis-moi, on ne devient pas un amuseur comme ça. Ou on est du métier par le sang ou on a quelque chose à se reprocher. Tu comprends ce que je veux dire ?

— Je n'ai rien à me reprocher ! dit Thibault sans baisser les yeux.

— Mais dis donc, constate la Furie, tu n'es pas d'ici. Ton accent n'est pas des bords de Seine ; tu viens d'où ?

— Du Bas-Limousin.

— Et pourquoi tu fuis ?

— Je ne fuis pas. J'ai quitté mon patron qui me bottait les fesses, je n'aime pas ça.

— Alors tu n'es pas fait pour nous. Ici tu te feras botter les fesses aussi souvent qu'il le faudra, sans compter les coups de bâton sur scène. Le public doit être content.

— Je préfère les coups de bâton sur scène que les coups de pied au cul dans une écurie.

Elle sourit, découvrant ses dents noires et clairsemées. Elle prend une cruche de grès posée à côté de la paillasse et boit une rasade de vin.

— Tu me plais, alors tu peux rester. Je ne sais pas ce que tu vaux, mais on aura vite l'occasion de le voir.

Un homme entre, bossu. Ses rares cheveux ressemblent à de l'herbe sèche.

— C'est qui, celui-là ? demande l'homme.

— Un nouveau. Il va rester avec nous, dit la Furie. Ça changera un peu de montrer une belle tête.

Puis, se tournant vers Thibault, elle ajoute :

— C'est Dent de Fer. Lui et moi on était ensemble autrefois. Maintenant, ça n'a pas beaucoup de sens, vu notre âge. T'en fais pas, il est pas méchant.

La pluie cesse enfin de tomber dans les premiers jours de novembre 1316, après quatre mois d'averses, de vent et de grisaille quasi ininterrompus. Les dégâts sont immenses : tous les bas quartiers de Tulle sont détruits. Ce qui reste des maisons envasées est bon à raser. À Brive, la moitié de la population se trouve sans abri à l'approche de l'hiver. Il faut réparer à la hâte les moulins, même s'il n'y a pas beaucoup de blé à moudre. Les sarrasins ont pourri sur pied, il n'y a pas de châtaignes, pas de fruits, rien. Le foin aurait été abondant, mais il a mal séché et moisit. Des prêcheurs parcourent de nouveau villes et campagnes en proclamant une fois de plus qu'il n'y aura plus jamais d'été ; le soleil est mort pour toujours. De tels propos sèment le désespoir dans une population affaiblie qui n'a plus envie de se battre. Le régent, conseillé par le pape, publie dans toutes les provinces du royaume un arrêt interdisant les prêches en dehors des églises ; les sénéchaussées et prévôtés arrêtent ces clercs en robe blanche, les passent à la question, mais n'apprennent rien qu'ils ne savent déjà : les templiers commandent le temps avec des formules magiques. Il est impossible de savoir où se cachent ces mystérieux moines ni d'obtenir la moindre indication sur leurs pratiques et leurs chefs.

— Ce sont gens très habiles ! constate le régent, Philippe de Poitiers, qui, comme le pape, n'a pas réussi à infiltrer l'organisation.

— Que n'arrête-t-on ceux que l'on soupçonne d'en être ? s'exclame Charles de Valois en faisant de grands gestes. Quelques bûchers et nous n'en parlerons plus !

— Facile à dire, mon oncle, répond le régent. Ils sont partout et nulle part, aussi insaisissables que des anguilles. Le pape lui-même s'avoue totalement impuissant et vous savez comme moi que c'est un fin politique !

L'imposante silhouette de Charles de Valois se dresse en face du régent, grand et maigre.

— Comment croyez-vous que fit mon frère, le roi Philippe ?

— La chose est bien différente ! dit le régent. Et je me demande si ce que fit mon père, à l'encontre des templiers, ne fut pas la plus grosse erreur de son règne dont nous n'avons pas fini de pâtir !

À la ferme du Val, sur la colline ronde qui domine le confluent de la Corrèze et de la Vimbelle, Blandine se voûte sous le poids des seaux et des fagots qu'elle doit porter chaque jour. Ses os pointent sous sa robe trop fine pour les premiers froids. Elle a mal aux dents, une rage qui dure depuis le mois d'août et la harcèle. Toute sa mâchoire brûle d'une douleur lancinante qui lui arrache des larmes d'exaspération. Elle ne peut avaler que des bouillies.

L'absence de Thibault lui pèse. Pas un jour ne passe sans qu'elle pense à lui, s'inquiète. Où est-il ? Un mauvais coup est si vite attrapé dans les grands chemins ! Blandine espérait vaguement que son père s'inquiéterait de lui, mais le bel évêque considère qu'il a payé en donnant cette terre à ses serfs affranchis. Thibault restera un vilain toute sa vie. Le sang noble qui coule dans ses veines est corrompu par celui du ventre qui l'a porté. Parfois, elle doute et se dit que rien ne s'est passé en ce mois de juin 1299, alors qu'elle servait l'évêque, lavait son linge et qu'il lui demandait de rester parce qu'il la trouvait belle, avec sa poitrine haute, son beau visage ovale et sa peau plus fine que celle d'une princesse. Non, il ne s'est rien passé quand Lescure lui a pris la main et lui a demandé de s'asseoir près de lui. Rien.

Maintenant elle est laide, comme une femme de trente-cinq ans ; sa poitrine est molle, son visage creusé de rides et ses cheveux blancs ont perdu leur éclat. Elle ne dort plus. Sa gencive a enflé, la grosseur déborde sous le menton, gagne la gorge et la gêne pour respirer. Elle se traîne pourtant pour préparer les bouillies, cuire le pain, et donner à manger à Jeannot, Béatrice et Juliette. Dans son coin sombre, le vieux Jean ne cesse de geindre ; quand il ne réclame pas à manger, il demande qu'elle l'aide à se lever. Chaque effort que fait Blandine allume une douleur qui irradie toute sa tête. Elle doit pourtant poursuivre son travail d'écureuil, sauver ce qui peut l'être, glaner les fruits sauvages, les glands, gauler les noix des trois noyers avant que les corbeaux ne les emportent et surtout ne pas prêter attention aux paroles de ces hommes en robe blanche.

Peu de laboureurs ont l'acharnement de Blandine et d'Aîné. Ils refusent de travailler cette maudite terre et restent des journées entières, hagards, les bras ballants. Pourquoi peiner et se priver puisque la fin du monde arrivera avant Noël ? Autant manger tout de suite le rare blé récolté plutôt que de le jeter en pâture à cette terre, à ces corbeaux qui tournent au-dessus des champs. Autant s'en repaître avant de mourir. Les curés se dressent contre ce défaitisme, fustigent les faux prophètes qui les poussent vers le mal : mépriser la terre, refuser les soins qu'elle exige sont de graves péchés qui ferment à jamais les portes du ciel. Il faut au contraire semer avec plus d'attention que pendant les bonnes années. Dieu saura récompenser ceux qui ont choisi de persévérer.

Les miséreux écoutent mais ne changent pas d'attitude. Ils n'ont même plus la force de se révolter, alors ils se terrent dans leurs cabanes humides et mangent avec dégoût le seigle noir de pourriture.

Et le diable s'en mêle. Au milieu du mois de novembre, à Naves, les premiers possédés se mettent à parcourir la campagne. Hommes, femmes et enfants, jusque-là bons chrétiens et honnêtes laboureurs, tournent alors autour d'eux un regard de dément et tiennent des propos incohérents. Ils abandonnent la charrue ou les oies qu'ils gardaient sous le hêtre et ils marchent ainsi, sans but. Habités par les forces infernales, ils ne répondent plus à leurs noms de baptême et poussent des cris de bête. Comme le feu de l'enfer les brûle, ils se déshabillent sans la moindre retenue et dansent, puis gesticulent, exécutant de curieuses pantomimes.

La peur est grande et ceux qui sont épargnés se réunissent dans les églises pour prier, mais cela ne change rien :

les « ardents », comme on les appelle, sont de plus en plus nombreux. Des familles entières abandonnent ainsi leurs fermes pour se livrer aux pires folies et pas seulement à Naves, mais dans tout le Limousin et au-delà. Les désenvoûteurs ne peuvent rien contre cette épidémie diabolique qui ne touche que la populace des campagnes, serfs, vilains et quelques petits nobles. L'archiprêtre Leblond vitupère en chaire, mais ses anathèmes n'empêchent pas le mal de se répandre. Il ne sait que faire en l'absence de l'évêque et va demander conseil à Barbe-Noire.

— Pendez-en quelques-uns et vous verrez que les autres retrouveront la raison.

C'est ainsi que le sénéchal de Tulle, Chatelard de L'Huisne, fait pendre une vingtaine de ces malheureux aux branches basses d'un tilleul, devant l'église de Naves, mais cela ne change rien aux débordements scandaleux de la population. Un clerc inspiré de Corrèze dit que la pendaison est fort mauvaise chose puisque le diable peut s'en aller par les airs et contaminer d'autres personnes. Il faut au contraire étouffer les possédés dans des couvertures, ce qu'on fait, mais les chemins ne se vident pas pour autant de ces pauvres hères incapables de dire où ils habitent. Ils ricanent, de ce rire que seul le Mauvais sait donner aux hommes, un peu moqueur et stupide, ou se roulent par terre, nus, hommes et femmes mêlés. L'étouffement n'ayant produit aucun effet, ils sont enterrés vivants dans des fosses en retrait des cimetières.

Le Malin poursuit ainsi ses méfaits pendant six semaines, puis s'arrête quelques jours avant Noël. Les clercs saluent leur victoire et chantent la gloire de Dieu, tandis que les pauvres, guéris de l'ergot du seigle parce que leurs réserves de grain sont épuisées, commencent à mourir de faim et de froid.

La Jeanne Lorrain habite une petite maison qu'Enguerrand lui a dénichée sur la route de Brive. Malgré ses difficultés pour marcher, elle peut laver le linge à l'hostellerie de maître Leroy, sur la route de Brive. C'est un établissement chic réservé aux voyageurs aisés. Les clients couchent à deux par lit, dont les draps sont changés tous les quinze jours. Maître Leroy règne sur une foule de lingères et de cuisiniers. C'est la meilleure table des environs, et, chaque matin, les chariots attendent à la porte pour livrer les volailles, les poissons, les porcs vivants qui seront servis dans le restaurant. Maître Leroy utilise surtout les légumes qui viennent du domaine de l'archiprêtre de Brive. Aussi le bon prélat ignore-t-il tout du commerce de jeunes vierges achetées une bouchée de pain dans la campagne et revendues très cher aux nobles seigneurs qui honorent l'établissement de leur visite.

La Jeanne travaille avec Rosabelle, qui se dit veuve d'un coutilier enrôlé dans l'ost du roi Louis X et tué dans les Flandres d'une ruade de cheval. La grosse femme a son idée sur les débordements des ardents.

— Ils croient qu'en montrant leur cul à Dieu le diable va leur donner du pain ? Qu'est-ce que t'en penses, toi qui connais le diable ?

Rosabelle frotte le linge avec des gestes puissants et amples. La tâche semble facile pour ses gros bras musclés, tandis que Jeanne soulève avec peine les grands draps mouillés.

— Je n'en pense rien !

Rosabelle pose ses poings rougis par l'eau froide sur ses hanches. Son visage carré a la rougeur des gens qui vivent dehors. Ses petits yeux expriment un ressentiment.

— Tu veux pas parler ? Ça ne fait rien ! Moi, j'ai compris depuis longtemps que tu portes le feu de l'enfer et que tu risques pas de te trouver avec ces malheureux qui gesticulent !

Rosabelle a un rire sarcastique.

— Tu es marquée, tu portes la mort et tu ne seras tranquille qu'une fois cette mort donnée !

— Comment tu vois ça ?

— Le pli profond entre les sourcils. C'est la marque de la mort.

Depuis que Pronelle Blanchard est morte à sa place, Jeanne sait que Dieu n'aura pas son âme. Pendant la messe qu'elle se force à écouter, des maux de tête la font souffrir à crier. Elle ne peut avaler l'hostie qu'en faisant en cachette un signe de croix à l'envers.

— Si tu veux retrouver la paix, insiste Rosabelle, il faut que tu fasses ce que tu portes. La mort est en toi.

Le soir, Jeanne va trouver Patte-Raide dans l'atelier d'Enguerrand de Niollet. Le jeune homme a repris ses études de philosophie et de théologie. Il s'initie à l'art de l'enluminure, de la calligraphie, et le maître templier s'émerveille de la précision des longs doigts de l'adolescent.

— Il faut que tu sois prêt quand sonnera l'heure de la grande résolution ! Le royaume de France ne survivra pas à ses malheurs. Nous le reconstruirons !

Lydia aide la servante d'Enguerrand à préparer les repas et apprend le luth car Enguerrand, qui connaît la musique, trouve tellement de grâce à la jeune fille qu'il ne se lasse pas de l'écouter.

— Joue et chante, lui dit-il. Quand j'entends ta voix, quand tes doigts pincent les cordes, je vois une image du ciel et j'entends la musique divine qui accueille les âmes des bons serviteurs.

Enguerrand se contente de cette admiration, de ce plaisir des yeux et des oreilles. Il n'a jamais le moindre geste osé envers Lydia. C'est un homme au grand savoir qui laisse planer autour de lui un mystère épais. Son corps osseux et déformé n'a pas les désirs d'un corps ordinaire. Quand il prie, ses yeux s'allument d'une lumière venue d'ailleurs, apaisante, rassurante. Parfois, tandis qu'ils travaillent tous les deux, Enguerrand lève sa tête d'ours vers Patte-Raide et dit :

— Dieu a de grands desseins pour toi. Il t'a sauvé quand, en plein hiver, tu étais abandonné sur le parvis de la cathédrale. Ce n'est pas pour rien !

La Jeanne est restée près de la porte, avec cette timidité, ce manque d'assurance des humbles. Enguerrand l'invite à avancer jusqu'au feu.

— Je ne veux plus aller travailler à l'hostellerie Leroy.

Patte-Raide tourne vers sa nourrice un visage interrogateur.

— Mais pourquoi ? demande Enguerrand. Tu es maltraitée ?

— Non, le linge est trop lourd et je souffre à rester à genoux toute la journée.

Enguerrand gratte ses cheveux blancs et observe Jeanne. Il sait que le destin de chacun est écrit et se lit par des signes du visage ou de la main. Il a pu constater, comme l'affirmait maître Perrot, que Patte-Raide porte la marque des chefs, ce point comme une fossette au milieu du menton, et c'est pour cela qu'à travers le travail de copiste il lui enseigne toutes choses qu'un futur templier doit connaître. Jeanne l'intrigue, la ride droite qui traverse son front pour descendre jusqu'à la naissance du nez entre les sourcils indique sa force dans des agissements obscurs.

— Tu as encore beaucoup de chemin à faire, Jeanne. Tu étais là avec des mamelles pleines d'un lait inutile quand on t'a apporté ce bébé au genou écrasé. Tu seras encore là pour accomplir une grande tâche, fais-moi confiance. Je te promets une autre place dans peu de temps. Ça te dirait de travailler au château de Tulle ?

Jeanne baisse la tête. Elle se souvient avec une grande précision de cet après-midi d'hiver où elle a réussi à approcher Barbe-Noire pour lui demander la grâce de Lorrain.

— J'irai où vous me demanderez d'aller.

Enguerrand vient d'avoir une idée. Il a besoin de quelqu'un de sûr, d'une fidélité totale, et Jeanne peut être cette personne.

— Va, Jeanne, demain j'arrangerai ça !

Avant de subir la question, Jeanne était une femme simple ; depuis, sa véritable nature domine ses peurs. Enguerrand sait bien que le hasard n'existe pas, le moindre détail de la vie est inscrit depuis longtemps dans le livre du destin et relie chaque homme à la Création tout entière. Ainsi, après le procès des templiers, Enguerrand n'a dû la vie sauve qu'à un incident banal dont il remercie le ciel chaque jour. Le chariot dans lequel les bourreaux avaient entassé les condamnés se renversa et les prisonniers roulèrent dans un fossé sans eau, assez profond. Enguerrand, que le poids avait projeté plus loin que les autres, se trouvait derrière un monticule de cailloux et, assommé, gisait sous une touffe d'aubépine où personne ne vint le chercher. Dieu montrait par là qu'Il était du côté de ceux qu'on allait brûler.

— Faut dire, ajoute Enguerrand à Patte-Raide, que nos gardiens et nos tourmenteurs avaient si peur des représailles et des maléfices qu'on leur promettait qu'ils en oubliaient de faire leur travail avec conscience...

Il rit, ce qui enlaidit son visage à la peau tailladée. Chaque fois qu'un rayon de joie passe dans son âme sombre, Enguerrand pense à sa Touraine natale. Comme il aurait aimé finir sa vie dans la douceur des bords de Loire ! Le fier chevalier, si habile aux armes qu'était Enguerrand, devenu ce copiste estropié, d'apparence inoffensive, trouve dans son désir brûlant de vengeance la force de supporter son exil.

Barbe-Noire se dresse sur le coude et regarde Aude qui dort à côté de lui. La lumière de la lampe à huile au-dessus du lit éclaire faiblement son visage parfait, ses joues à la courbe douce, son front un peu bombé, ses paupières légères comme des plumes avec de beaux cils noirs. Dans son sommeil, sa bouche fait une moue de petite fille capricieuse. Aucune femme ne l'égale en beauté, Barbe-Noire en est certain ! Il est si heureux qu'il éprouve le besoin de s'inventer un petit tracas, une interrogation, et fronce ses sourcils : à qui rêve-t-elle ? À ce troubadour qui chante sa grâce de château en château ? Il découvre la jalousie ! Lui qui, jusque-là, était paillard au point de prêter volontiers ses femmes à ses compagnons, ne supporte pas qu'un regard d'homme s'arrête sur sa belle.

— Monseigneur, vous êtes bellement pris ! lui faisait remarquer Berthot, l'autre jour.

Barbe-Noire a souri, puis, comme un enfant qui vient de découvrir un jouet nouveau, s'est exclamé :

— C'est femelle de prince et je me dis que mes grosses mains sont bien lourdes pour caresser un si fragile objet !

Elle se tourne, soupire. Barbe-Noire s'aperçoit que le bois manque dans la cheminée, mais la belle n'aura pas froid sous l'épaisse fourrure d'ours, ce n'est pas la peine de la réveiller en appelant une chambrière.

À cette première heure de l'aube, le sanglier savoure les délices de la vie. Tout va pour le mieux : il a battu son frère et sait que de belles années s'ouvrent devant lui. Ruiné, endetté,

Foulque n'est pas près de lever une nouvelle armée. Jusque-là, Barbe-Noire aura eu le temps d'aller rendre hommage au roi d'Angleterre. Certes, la famine ronge le pays, mais il a du blé ; ses greniers sont pleins, ses panetiers et ses pâtissiers peuvent mettre la pâte à lever pour les fêtes et les banquets ! Le gibier sera sûrement rare dans ses forêts, il occupera son temps à chasser les loups et les voleurs.

Aude ouvre les yeux, une petite lumière jaune court sur son iris. Elle sourit. Sa peau a le soyeux du satin. Ses abondants cheveux noirs se répandent sur l'oreiller. Ses épaules nues dépassent de la couverture.

— J'ai fait un rêve ! dit-elle.

Il sourit. Ses dents sont restées blanches, privilège des Masvallier. Parfaitement rangées, elles apparaissent comme deux rangées de perles au milieu de cette barbe luxuriante.

— Un rêve ?

Elle a un léger sourire dont Barbe-Noire ne sait s'il est toute douceur ou mutin.

— Oui, j'avais un enfant de toi, un garçon, et c'était le premier d'une longue lignée de comtes de Masvallier. Quand m'épouses-tu pour que nous sortions du péché ?

— Pour le péché, ne te tracasse pas, l'évêque nous donnera l'absolution. Il a suffisamment péché lui-même !

— Peut-être, mais Dieu pourrait se lasser et ce n'est pas le moment de Le fâcher. Tu sais ce qui se chante dans toutes les tavernes ?

— Laisse dire, ce sont racontars sans importance.

— On dit, insiste Aude, que les templiers ont juré ta mort !

— Les templiers ! On ne parle que d'eux parce qu'ils font peur et que les gens aiment ça ! Une poignée d'illuminés inoffensifs qui ne m'effraient pas du tout !

Il fanfaronne, Barbe-Noire, mais il sait, pour en avoir fait l'amère expérience l'hiver dernier, que ces « illuminés » ne manquent pas de ruse. Les reîtres qui attaquent les convois ont toujours réussi à passer à travers les mailles de ses filets.

Une bûche s'écroule dans la cheminée en libérant une nuée d'étincelles.

— On dit aussi qu'ils veulent vider le royaume de France de toutes ses âmes.

— Je les attends de pied ferme !

Il rit de ce rire puissant et communicatif.

— Laissons ces sornettes, ma mie. Nous avons une chasse aujourd'hui et, si vous me le demandez, je me sens la force d'affronter un ours les mains nues !

— Je ne vous le demanderai point !

Il pose un baiser sur le front de la jeune femme. Dehors, la gelée blanche scintille dans le jour qui se lève.

— J'ai faim ! dit Aude en se dressant sur les coudes.

Barbe-Noire agite une clochette, deux servantes arrivent pour ranimer le feu. Adèle est une habituée du service. C'est une femme d'une trentaine d'années assez jolie, d'ailleurs, que Barbe-Noire apprécie pour la douceur de ses mains quand elle l'aide à son bain et qu'il lutine de temps en temps car elle est très docile. L'autre est un peu plus âgée. C'est une nouvelle puisque Barbe-Noire ne se souvient pas de l'avoir vue. Elle boite et marche en se dandinant sur sa jambe droite.

— D'où viens-tu, toi ? demande Barbe-Noire.

— M. Berthot m'a prise pour le service de Madame, monseigneur.

— J'ai oublié de t'en parler, fait Aude. C'est moi qui l'ai engagée. J'avais demandé à Berthot de me trouver une femme de plus pour le service de mon linge et de ma chambre, sur celles qu'il m'a présentées, j'ai choisi celle-là.

— Dans ce cas, c'est parfait.

Un malaise curieux court en lui, ce frisson étrange que l'on éprouve quand on croise son destin sans le savoir.

— Comment tu t'appelles ?

— Jeanne, la Jeanne du savetier.

— Tu es de Tulle ?

— Non, monseigneur, je viens de Malemort.

— Mais qu'as-tu à boiter ? On dirait que tu as subi la question.

— Non point, monseigneur. J'ai été chargée par une vache en furie quand j'étais enfant et ma jambe cassée s'est remise de travers.

— Il me semble pourtant que je t'ai déjà vue...

— Peut-être, monseigneur, mais je ne saurais dire où.

— Qu'importe ! Puisque Madame t'a engagée, tout est bien ! Qu'on m'apporte ma chaise. J'ai de désagréables dérangements de ventre en ce moment.

Adèle approche le siège percé, sur lequel Barbe-Noire s'installe devant les trois femmes en soulevant sa robe de nuit sans la moindre retenue.

— Faites presser les cuisines, j'ai une faim à dévorer un curé et sa soutane !

Il rit de nouveau, content de sa boutade, mais l'étrange malaise qu'il ne saurait définir persiste. Berthot arrive. Le petit homme aux jambes en arc de cercle, au crâne lisse, au regard de serpent, s'incline devant son maître.

— Ah, te voilà, toi ! Pendard ! Où as-tu passé la nuit ? Dans quelque bordel ?

On sent dans la voix de Barbe-Noire comme une envie pour lui-même de cette nuit de débauche qu'il impute à Berthot.

— Non, monseigneur, je suis resté bien sagement dans la chambre voisine pour votre garde !

— Allons, maraud, tu vas bientôt me dire que tu as passé la nuit en prières ! Je ne te crois pas !

Ces deux hommes se connaissent au point de ne pas avoir besoin de se parler pour se comprendre. Cette complicité de tant d'années les a tirés l'un et l'autre de plusieurs mauvais pas.

— As-tu des nouvelles du rat ? Est-il rentré dans son trou pour ne plus jamais en sortir ?

— Votre frère, Foulque, est au château de Sarran.

— Si je t'entends répéter que ce gueux, ce serpent, ce renard puant est mon frère, je te fais empaler au milieu d'une fourmilière ! tonne Barbe-Noire.

Ils rient tous les deux.

— Il n'a pas renoncé, monseigneur, reprend Berthot. Je le sais. Mais la saison n'est plus bonne pour la guerre. Il va attendre le printemps. De ce côté, on est tranquilles. Par contre...

— Par contre quoi ? Si ce blaireau reste terré, tout va bien. Allons, parle !

— La populace a faim, monseigneur. On a ramassé les premiers morts dans les rues...

— Que veux-tu que j'y fasse ?

Berthot glisse un regard vers la jeune femme, comme pour implorer son appui.

— Un bateau du sénéchal qui remontait des tonneaux de harengs, des morues séchées et du vin a été attaqué en aval de Beaulieu. Toutes les marchandises ont été jetées à l'eau.

— Voilà que ça recommence !

Barbe-Noire fait une grimace. Il n'aime pas être ainsi tenu en échec et nargué par des adversaires qui se volatilisent au moment d'engager la bataille.

— Je crois qu'il faudrait faire quelque chose ! poursuit Berthot. Tout ce mauvais blé que l'on donne aux chevaux... On pourrait le moudre avec des glands et distribuer de la farine.

— Et mes chevaux, qu'est-ce qu'ils vont manger ?

— Ils ont du foin et de l'avoine, monseigneur. Mais, si les gens n'ont pas la force de travailler, c'est votre comté qui va s'appauvrir. Et il faudra bien labourer la terre au printemps prochain.

— Fais comme tu l'entends. Mais gare à toi si mes chevaux ne peuvent plus me porter !

La nuit tombe sur le château de Sarran, une nuit de novembre, épaisse, brumeuse. Les loups hurlent sur les Monédières. Le voyageur égaré dans ce néant sent l'angoisse l'étreindre et n'a plus envie de marcher. Il se recroqueville, se serre dans un fossé, près d'un tronc d'arbre et ne bouge plus en priant pour repousser les esprits maléfiques. La nuit a mangé la forteresse, son donjon, ses chemins de ronde ; les grandes pièces froides ont disparu dans l'ombre épaisse. Seule la salle du bas est éclairée par un grand feu de cheminée et des chandelles disposées dans des bougeoirs, mais cette lumière imparfaite est constamment chassée, écrasée près des flammes. Foulque de Masvallier, Hugues de Sarran et quelques hommes assis sur des bancs tendent leurs mains et leurs pieds au feu qui, seul, vit. Foulque est sombre, les flammes posent une étincelle sur ses yeux de corbeau. Son visage maigre, ses lèvres serrées imposent de la retenue aux autres. Le voilà sans illusions, au plus profond du désespoir des vaincus, de nouveau en prison puisqu'il n'est en sécurité nulle part hors de cette enceinte. Le voilà ruiné, dépendant de son vassal. Sa journée s'est passée comme les précédentes, à tuer le temps à la chasse, à forcer le sanglier et le cerf, avec en lui cet échec qui le brûle, du plomb fondu. À chaque instant ses pensées reviennent sur cette fuite lamentable et un fiel coule en lui, le bloque sur une seule obsession : tuer Barbe-Noire. Son frère en vie est une offense de chaque instant.

Les troubadours, les jongleurs, les amuseurs qui passent au château en cette période de longues soirées ne le dérident pas. Seule Iseult tente de lui redonner espoir.

— Mon beau chevalier, il ne faut pas désespérer. L'hiver n'est pas bon pour la guerre, tu la reprendras au printemps. L'hiver est seulement bon pour l'amour, viens donc avec moi.

Alors Foulque enfouit son visage dans les cheveux roux et concentre son attention sur un détail pour ne plus penser à ce qui le hante. Il constate ainsi qu'Iseult n'est pas totalement rousse, mais d'une blondeur rougeoyante, que chaque mèche de ses cheveux ne brûle pas avec la même intensité.

Ce soir, la belle Iseult, comme les autres, respecte le silence de cet homme qui a tout perdu et dont le dénuement force le respect. Les chiens de Hugues, de gros barbets au poil sombre, se brûlent au feu et tirent la langue. Les domestiques vont et viennent, préparent la table, une chandelle à la main. De grands pans de nuit apportent leur poids de menaces au murmure des flammes. Un valet s'approche et s'adresse à Hugues de Sarran.

— Monseigneur, un homme vient d'arriver et mande à vous parler.

— Un homme à cette heure ? Tu veux dire le diable. Que me veut-il ?

— Vous parler. C'est un drôle d'homme, bossu, dont je n'ai pas vu le visage sous la capuche. Il est seul.

— Seul ? Voilà une étrange manière de voyager par ces temps d'hiver. Fais-le entrer.

Le voyageur qui sort de la nuit du couloir paraît, en effet, bien étrange. Il marche difficilement sur ses jambes tordues en s'aidant d'une canne. Son corps massif est cassé, bossu sous son épais manteau qui touche terre. Il repousse sa capuche et Foulque voit sa grosse tête anguleuse à la peau sombre, ses petits yeux sous d'épais sourcils noirs.

— Que nous vaut cette étrange visite ? demande Hugues. Ce n'est pas une heure pour courir les chemins, sauf si l'on a commerce avec le diable.

— N'ayez crainte, messeigneurs, je n'ai commerce avec aucune force mauvaise. Je suis seulement imprudent et la nuit m'a surpris. Je suis bien aise de vous voir ici, près de ce bon feu.

— Que voulez-vous ? Vous êtes marchand ?

— Point ! Je suis un pauvre clerc qui demande asile pour la nuit ! Je vous vois bien désespéré ! Je prierai pour vous, pour que réussisse enfin votre vœu le plus cher. Il se peut que Dieu m'écoute.

Foulque se dresse, droit, en face de cet homme sûrement plus grand que lui, plus large d'épaules, mais tellement bossu et cassé qu'il mesure un bon pied de moins. Ses insinuations montrent qu'il n'est pas là par hasard.

— Que voulez-vous dire ?

— Souvenez-vous, monseigneur, lorsque vous fûtes chassé de votre château par votre frère, le jour de l'arrestation des templiers.

— Si je m'en souviens... Mais pourquoi évoquer si mauvaise époque ?

— Permettez-moi de m'asseoir, mes jambes ne me tiennent plus très bien : la question des tourmenteurs, monseigneur ! Je suis venu vous assurer que, dans les moments difficiles, l'Ordre n'oublie jamais ses amis...

On apporte un siège, Enguerrand de Niollet peut enfin s'asseoir entre les deux chiens qui, dérangés, grognent.

— Tout comme il n'oublie pas ses ennemis.

— De quoi parles-tu ? fait Sarran en abandonnant le vouvoiement. De cette rumeur qui court dans le pays...

— D'aucune rumeur, monseigneur ! Je ne puis trop en dire, mais je voulais vous assurer d'un soutien... Comment dirai-je ? Un soutien efficace. Tenez-vous prêt !

Foulque a un léger sourire, ses petits yeux se plissent. Hugues se lève et regarde les serviteurs apporter les aiguières de vin.

— Puissiez-vous dire vrai ! Et permettez-moi de vous retenir à cette table.

— Dieu ne dévoile pas ses intentions à l'avance, continue Enguerrand. Nous sommes tous mortels, et ceux qui ont combattu les membres de l'Ordre comme les autres. Ils le sont même un peu plus !

Dans cette pénombre, personne n'a vu le regard qu'Iseult et le visiteur ont échangés. Elle souffle à l'oreille de Foulque :

— Surtout occupons-nous bien de lui, c'est la Providence !

Hugues veut en savoir plus.

— Ainsi, les templiers que l'on accuse de tous les maux de ce temps pourraient nous aider ?

Enguerrand de Niollet tâte à travers les épais vêtements sa croix rouge sur sa poitrine.

— Leurs banques ont été pillées, leurs terres volées, leurs châteaux détruits, on serait amer à moins ! Mais ceux qui les ont soutenus peuvent compter sur eux.

La mère de Hugues de Sarran est une énorme femme vêtue entièrement de noir depuis la mort de son mari l'été dernier. Elle a un solide appétit et boit autant de vin que les hommes sans une parole de trop. Elle se tourne vers Enguerrand et demande :

— Il est donc vrai que les templiers ont des secrets qui leur permettent de commander aux nuages, au soleil et à la pluie ? Est-ce vrai que leur malédiction va entraîner la ruine du royaume ?

— On dit beaucoup de choses, madame, des justes et des fausses. Ce que je sais avec certitude, c'est que cette pluie va occasionner la mort de beaucoup de pauvres et que les malheurs ne sont pas finis !

Le lendemain, après avoir dormi dans un bon lit qu'on avait bassiné pour lui sur l'ordre d'Iseult, Enguerrand de Niollet repart chez lui en répétant à Foulque ses paroles d'encouragement.

— Surtout ne désespérez pas et tenez-vous prêt à revenir en votre château de Tulle. Si quelque chose arrivait à votre frère, il faudrait agir vite, sous peine de ne jamais réussir. Un cavalier viendra vous avertir, alors vous devrez partir immédiatement. Quelques hommes suffiront pour vous faire ouvrir les portes et vous installer dans la place.

Il faut l'aider à remonter à cheval. Une fois sur la selle, il se cale. Il est tellement bossu qu'on redoute de le voir tomber.

— Souvenez-vous : agir très vite. Et surtout tenez-vous prêt !

Ce « tenez-vous prêt » reste longtemps dans les oreilles de Foulque, il sonne comme un carillon de victoire. Le voici certain qu'un événement imprévu va changer sa vie.

À Paris, l'hiver a commencé plus tôt que les autres années. Quelques jours après la Toussaint, le gel durcit la boue des rues, pare les berges de la Seine de buissons givrés. La reine Clémence met au monde un garçon qu'elle appelle Jean, contre toute tradition de la famille royale, et que l'on surnomme aussitôt « le Posthume ». Le comte de Poitiers, qui exerce la régence, voit ainsi s'envoler l'espoir d'être roi. Pas pour longtemps : le froid, une constitution fragile emportent l'enfant royal au début du mois de décembre. La succession de Philippe le Bel est ouverte ; Louis X a bien eu une fille de son premier mariage, Jeanne, mais on considère que la France « est trop noble pour être confiée à fileuse de quenouille ». Le régent prend tout le monde de vitesse et réussit fort habilement à s'emparer du trône. Il décide que le sacre aura lieu le plus tôt possible, dès les premiers jours de janvier : une fois oint des saintes huiles, personne ne pourra plus lui contester la couronne.

Sur la route de Reims, le convoi s'étire sur plusieurs lieues en ce premier janvier 1317. La famille royale, la cour, les ecclésiastiques de haut rang et tous les proches de Philippe de Poitiers sont à l'avant. Suivent leurs chars couverts, des chariots remplis de coffres, de fourrage, le tout gardé par des hommes à cheval et en armes. Le vacarme est intense : les voituriers encouragent les chevaux ; les capitaines et les intendants hurlent leurs ordres. Les vilains accourent des hameaux voisins, s'agenouillent sur le bord du fossé et poussent des « vive le roi ! » repris par le cortège. Pauvres hères, ils regardent, émerveillés, ces princes, ces belles dames aux robes somptueuses dont le prix d'une seule suffirait à les nourrir toute leur vie. Pour une fois, ces chevaliers riches et beaux ne sont plus dans les contes, mais bien en chair et dans leur monde, sur cette route, devant leurs chaumières.

Les grandes maisons de Paris, précédées de valets en livrée, occupent dans le cortège la place qui leur revient à la cour. À l'arrière suivent dans des chariots découverts une multitude de marchands, d'amuseurs publics, des maquerelles avec leurs filles folieuses. Pendant ces jours de réjouissances, l'argent va couler à flots, beaucoup de nobles préféreront se ruiner plutôt que de ne pas tenir leur rang. Guibert de Boisse, dans la livrée du sieur de Bouqueville, marche à l'avant avec les gens de cour. Il monte un cheval pommelé qui piaffe parce que le cortège va trop lentement. Le froid est vif. Quelques flocons de neige tourbillonnent dans la brume. Des corbeaux croassent au-dessus des champs labourés, mais on ne les voit pas.

Guibert est triste. Chaque pas que fait ce cheval fougueux l'éloigne de Dyane qui, après avoir appris la mort de sa mère, a dû rejoindre son père en Normandie et ne pourra assister au sacre avec les dames de Mme de Bouqueville. Les deux jeunes gens se sont quittés en larmes, se jurant une éternelle fidélité. Au retour de Reims, Guibert ira l'enlever à son père. Avec cette inconscience et l'imagination de la jeunesse, il se voit déjà pénétrant dans le château de Neuvialle en se faisant passer pour un marchand de reliques et repartant avec la belle ! Il imagine les mille dangers auxquels ils échapperont dans leur voyage jusqu'à Boisse. Ces rêves sont si forts dans l'esprit du jeune homme qu'il en oublie la grisaille de la route de Champagne, les champs nus qui se noient dans la brume, il n'entend plus les cris des palefreniers et les « vive le roi ! » de la foule.

Chaque soir, le roi et les hauts personnages du royaume sont hébergés chez des nobles locaux que des coursiers préviennent quelques jours à l'avance. Beaucoup sont obligés d'emprunter pour recevoir comme il se doit la famille de France et ses proches. La ville voisine est aussitôt envahie d'une foule que les auberges ne peuvent loger. On réquisitionne des maisons nobles ou bourgeoises pour les puissants seigneurs, beaucoup de petites gens doivent dormir dans les écuries quand ils en trouvent ou dans leurs chariots où ils se gèlent. Les ribaudes et les amuseurs publics profitent de ces haltes pour se livrer à leur commerce ; des magiciens, des souffleurs de feu, des montreurs d'ours s'installent sur les places et font leurs numéros. La Furie et les siens sont là, bien sûr. Depuis son plus jeune âge, elle ne manque pas un sacre, occasion de quitter Paris pendant quelques jours et de trouver un public plus réceptif que les badauds de Notre-Dame. Elle se souvient du sacre de Philippe le Bel.

— C'était en février 1285 ! J'avais dix ans, je me souviens de tout, surtout du froid ! J'ai vu le roi, comme je vous vois ! Comme il était beau ! J'ai bien cru que ce sacre serait le premier et le dernier de ma vie tant ce règne a été long. Et puis c'est le troisième ! Au train où meurent nos souverains, j'en verrai un quatrième avant de partir au pays des marguerites !

Thibault a vite appris à jouer les farces et à raconter des histoires.

— J'ai vu que tu avais ça dans la peau dès le premier jour ! dit la Furie. C'est pour ça que je t'ai gardé, et aussi pour tes beaux yeux !

Oui, il aime jouer, se glisser dans la peau d'un autre, devenir ce personnage hors du temps qui revit plusieurs fois les mêmes événements auxquels il s'amuse à apporter des modifications. Il aime qu'on le regarde avec envie, qu'on l'applaudisse. Il joue de la flûte, danse, fait le pitre avec tant de naturel ! Cette partie de sa personne a pris le dessus sur l'autre, l'austère, qui rêve encore d'armes et de guerre.

Il a su très vite se faire accepter dans cette communauté de huit personnes. La Furie ne cesse de rouspéter du fond de sa roulotte, mais elle n'est pas méchante. Son visage large et blême incite plus à la rigolade qu'au respect, pourtant, c'est elle qui commande, et personne ne conteste ses décisions. Elle a imposé Thibault parce qu'il apportait quelque chose de nouveau. Mieux que personne, la vieille femme sait déceler les signes d'un public qui s'essouffle et veut de la nouveauté. Ainsi, tant qu'elle sera là, tant qu'elle criera après son mari, Dent de Fer, tous savent qu'ils auront de quoi acheter à manger et qu'ils dormiront au sec. Dent de Fer ramasse plus de semonces que les autres, mais, comme eux, il se ferait étriper pour sa femme. Son nom vient du tour qu'il fait souvent : une dentition particulièrement solide lui permet de soulever des chaises, de tordre des barres de fer. De tels exploits sont particulièrement appréciés par une population dont le mal de dents est un fléau permanent. Son frère, Poilu, est tout aussi malingre mais l'épaisse toison de poils noirs qui recouvrent son corps le fait ressembler à un singe. Il ne se rase pas et se présente comme un homme sauvage venu des monts du Caucase. Cette particularité lui vaut les faveurs de dames curieuses, car on dit que les hommes velus sont de bons amants. Il s'enferme lui-même dans une cage où les gens viennent le voir de près. Il pousse quelques rugissements qui apeurent les visiteurs, mais se laisse caresser le poitrail. Léon, le jeune garçon aux taches de rousseur, est vite devenu l'ami de Thibault. La Furie l'a acheté à de pauvres vilains qui avaient sept autres enfants à nourrir. Elle a deux filles, superbes brunes d'un peu plus de vingt ans, Agnès et Langue de Chat. Frivole et Jeannette sont les servantes, mais elles participent aux différents numéros. Jeannette est blonde, avec de grands yeux noisette. Elle a peut-être dix-sept ans, mais personne ne connaît son âge. Poilu l'a volée dans une ferme où le maître la maltraitait. Depuis, elle mène cette vie en marge qui lui convient.

La place manque dans la roulotte, surchargée de décors et d'accessoires. Les deux mules, pour qui l'avoine est rare, ont souvent bien du mal à tirer ce lourd char aux roues pleines, cerclées de fer, et il faut parfois descendre pousser. La nuit, tout le monde dort ensemble dans un ordre immuable : la Furie entre Dent de Fer et Poilu, Agnès dans le coin de la porte avec Langue de Chat et Léon, Thibault entre Frivole et Jeannette. Que de douces voluptés, de caresses discrètes les deux jeunes filles n'ont-elles pas apprises au garçon naïf qu'il était jusque-là !

— Nous sommes excommuniées ! dit Jeannette en riant, alors autant en profiter !

Elle ne s'en prive pas et comprend vite que le garçon a une préférence pour elle. Leurs peaux s'accordent, se frottent avec délices, et personne, dans cette curieuse communauté, ne trouve le moindre reproche à leur faire.

Les farces sont mises au point par la Furie, mais les textes n'en sont pas rigoureux. On règle surtout les effets comiques, après, chacun se débrouille, ce qui provoque souvent des situations hilarantes. Et c'est essentiel pour la survie de la troupe : si le public est content, il donne une piécette, s'il n'aime pas, il part en tournant le dos à la quêteuse.

À Reims, c'est la cohue. Les Reimois sont habitués à cette arrivée massive et se méfient plus que jamais des nombreux voleurs à la tire qui accompagnent tout cortège royal. Dans les rues étroites se presse une multitude désœuvrée où les tire-bourse sont nombreux. Bourgeois et populace se mêlent, s'écrasent mutuellement les pieds, se bousculent quand passe la voiture d'un personnage important, précédée de laquais ou de cavaliers pour ouvrir le chemin. Des marchands juifs ou flamands étalent leurs reliques et bijoux, leurs laines anglaises, leurs draps d'Artois, toutes sortes d'objets, de denrées rares, de médicaments miraculeux. Le sacre est aussi l'occasion d'une gigantesque foire d'où l'on vient de loin. Le roi et sa suite logent au palais épiscopal, les autres doivent, une fois de plus, se débrouiller. Les prix des auberges flambent, mais cela n'a pas d'importance, l'ambiance est à la fête qui va durer plusieurs jours, on ne compte pas !

Les Reimois préparent le festin. Les bouchers tuent en série des bœufs, des veaux, des porcs. Des femmes s'activent à plumer des montagnes de volailles. Des chariots remplis de tonneaux arrivent de la campagne voisine aux vignes généreuses. Les boulangers cuisent fournées sur fournées et l'air sent le pain frais. Des milliers de pauvres dépenaillés, maigres et branlants regardent avec de grands yeux envieux cette débauche de victuailles. Eux qui n'ont pas mangé à leur faim une seule fois depuis des mois lorgnent ces charrettes pleines de miches chaudes qui craquent, ces montagnes de boudins, ces boyaux que des femmes nettoient dans des bassines d'eau chaude et qu'elles remplissent de belle chair à saucisse rose, ces pâtés de viande prêts à être dorés au four. Un peu de salive coule au coin de leurs lèvres. Les plus faibles demandent en geignant qu'on leur donne les restes, ce qui est impropre et qui va d'ordinaire aux chiens, les plus forts se brouillent définitivement avec Dieu.

Le jour du sacre, le 9 janvier, tout est prêt. Il fait froid. Le gel durcit la boue dans les rues qu'une armée de valets n'arrive pas à maintenir propres. Les seaux de déchets pleuvent des fenêtres malgré l'interdiction faite par la prévôté de vider les immondices et seaux de nuit devant sa porte pendant le séjour du roi. Dans la ville surpeuplée, les bourgeois ne dorment plus depuis plusieurs jours. Les nuits sont agitées de bandes paillardes avinées. Des bagarres éclatent souvent et, au petit matin, les gens de la voirie ramassent discrètement les cadavres qui jonchent certaines rues basses.

Guibert de Boisse peut approcher le roi, qui se rend à la cathédrale entouré des dignitaires de France. Philippe de Poitiers est grand, très mince ; il a la tête haute et fronce les sourcils comme les myopes.

La cérémonie du sacre n'en finit pas. La foule gelée attend devant la cathédrale d'où viennent les chants. Enfin, les cloches se mettent à sonner à toute volée, Philippe est roi, oint des saintes huiles et le maître incontesté de la France. Jusqu'au dernier moment, des bruits ont circulé que le sacre ne pouvait avoir lieu, que les pairs de France n'étaient pas présents...

Les acclamations fusent de partout quand Philippe V sort de la cathédrale, tout écrasé d'or et de pierreries, de la couronne de huit livres, du sceptre de justice, et de la robe d'apparat de cinquante livres. Enfin, pense-t-on, la France a un roi, la chrétienté un pape, ceux qui ont décidé l'anéantissement du royaume seront obligés de se tenir tranquilles ! Ce qu'ils ne savent pas, ces badauds qui applaudissent, c'est que durant le court règne de Philippe V le Long la terre va boire des flots de sang, les bûchers vont brûler beaucoup d'innocents, et la faim, cette maudite faim, torturera encore l'estomac du plus grand nombre.

Un manant en haillons a réussi à tromper la vigilance des gardes et s'approche du roi en criant :

— Sire ! Sire ! Ils veulent vous tuer, vous aussi !

Des hommes se précipitent et le prennent par les bras pour l'emporter. Philippe V leur fait un signe.

— Mais qui veut me tuer ?

— Eux ! Pour un crime que vous n'avez pas commis ! Gardez-vous, Sire ! Gardez-vous de boire de l'eau !

— Et comment as-tu appris cela ?

— Les templiers, Sire ! Toujours eux !

On l'emporte. La liesse va durer plusieurs jours. À la fin des réjouissances, le retour sur Paris se fait par groupes qui s'étalent. Ce n'est plus le long cortège de l'aller, mais la débandade, chacun va à sa vitesse. Les bourses sont vides, et, malgré le froid et la neige, beaucoup dorment à côté de leurs mules. Dans les auberges, les joyeuses tablées font place à des clients qui se contentent d'une assiettée de soupe chaude et d'un pichet de vin ordinaire.

Guibert quitte Reims avec la cour. Un froid vif fouette les joues. La neige est tombée ; le regard se perd dans une blancheur qui cache tout. Le roi est pressé de se mettre aux affaires et demande qu'on force l'allure. Le cortège dépasse ainsi des groupes qui doivent ranger leurs chariots dans le fossé. Des cavaliers armés ont pour mission d'ouvrir le passage et n'hésitent pas à se servir du bâton et du fouet pour se faire obéir. C'est en dépassant un groupe de saltimbanques aux mules récalcitrantes que l'attention de Guibert est attirée par une voix qui parle le français avec un accent qu'il connaît bien. Guibert s'approche de Thibault et lui tape sur l'épaule. La surprise du jeune homme est si grande qu'il reste un moment incrédule puis se précipite dans les bras de son ami.

— Toi, ici ? dit enfin Guibert. Et dans une troupe de jongleurs ! Pour une surprise...

— Ma nouvelle famille. Nous sommes venus au sacre, les spectateurs n'ont pas manqué, les affaires ont été bonnes.

— Au fond, cela ne me surprend qu'à moitié de te trouver là. Tu as toujours eu le talent de mimer et de faire rire.

La caravane royale est passée, et Guibert doit retourner prendre sa place dans le cortège.

— On se reverra à Paris ! Où puis-je te trouver ?

— Sur le parvis de Notre-Dame. Tu demandes la Furie, tout le monde la connaît !

Guibert est emporté par le flot des cavaliers.

La cour brûle les étapes et parcourt plus de trente lieues par jour. Philippe V sait que la tâche sera rude mais ne rechigne pas. Au contraire, ce jeune roi, dont le calme en toute circonstance en impose à tous, veut faire le bonheur de son peuple. Et, tandis que sa voiture cahote dans les nombreuses ornières, il réfléchit aux réformes à entreprendre et ne voit pas ses sujets agenouillés dans la neige, grelottants et rongés par la vermine. Sont-ce des hommes, ces créatures en guenilles au visage creusé, aux yeux si profonds dans leurs orbites qu'on croirait voir la mort ? Ces miséreux qui se battent pour une couenne tombée d'un chariot sont-ils de la même espèce que ces barons emplumés, aux joues pleines, à l'œil vif, et fièrement montés sur leurs puissants chevaux ?

Guibert rend visite à Thibault à la fin janvier. Il fait très froid. Sur la Seine flottent de gros blocs de glace qui arrêtent les bateaux. Quelques pêcheurs courageux se hasardent dans le courant, mais les barques sont parfois broyées et leurs occupants engloutis par les flots gelés. Dans les rues, la neige forme une poudre grise et sale.

Guibert trouve Thibault sur le parvis de Notre-Dame. Pour les jongleurs, les temps sont durs, aussi, mais ils s'en tirent mieux que les autres : le rêve, la bonne humeur, l'oubli du quotidien qu'ils distribuent sont tout aussi nécessaires que le pain. Guibert insiste pour que Thibault revienne à l'hôtel Bouqueville.

— Non, répond Thibault. Ici, je suis bien. Ils m'ont accepté comme un des leurs et la nuit je dors contre le corps chaud de Jeannette. Mais je m'ennuie. Je veux faire le métier des armes. Au printemps, nous irons au pays. Nous y serons pour la moisson.

Il aime dans cet hiver froid, cette grisaille, ce ciel qui pèse de ses gros nuages, dans ce dénuement des arbres, évoquer le blé mûr, les moissons sous un soleil de plomb, et cette paille dorée qui chante sous la lame de la faucille.

— Nous irons chercher Dyane et nous rentrerons tous les trois. À moins que tu ne veuilles emmener Jeannette ?

Thibault a un sourire teinté de tristesse. Non, il n'emmènera pas Jeannette, d'ailleurs, elle ne voudrait pas le suivre. Elle ne peut vivre qu'à Paris, sur le parvis de Notre-Dame. Et puis Thibault ne veut pas en faire sa compagne. Il rêve de posséder toutes les femmes...

L'hiver est rude. Les collines autour de Tulle sont couvertes d'une dure couche de neige. La campagne se tait, déserte. Les loups courent dans les collines, rôdent près des fermes. Aîné du Val n'en peut plus. Le vieux est enfin mort, il l'a trouvé un matin, raide près du feu éteint. Blandine est toujours malade. Un abcès s'est percé au bas de sa joue et un pus noir et nauséabond coule de cette plaie sale qu'elle couvre d'un chiffon humide. Elle est très faible et trouve juste assez de force pour allumer le feu et faire cuire les bouillies et les rares légumes qui restent.

On n'enterre plus les morts, la terre est trop dure et les fossoyeurs n'ont plus assez de force pour manier les pioches. Le sénéchal a fait creuser un trou au fond du cimetière, comme en temps d'épidémie, et chacun apporte ses cadavres aussitôt gelés. Le trou est plein depuis longtemps, mais personne ne pense à le recouvrir de terre et à en creuser un autre. Vivre demande un effort dont beaucoup sont incapables. Ils préfèrent se laisser mourir de froid plutôt que d'endurer les souffrances de la faim.

Quand l'évêque revient d'Avignon, les cloches de toutes les paroisses se mettent à sonner ; les Tullistes se pressent dans la bise au bord de la route et à la porte du Midi. Lescure rapporte la bénédiction du pape, qui redonne un peu de cœur au ventre. À cette occasion, il fait distribuer de la soupe et des vivres, et la file d'attente se forme devant les lourdes portes de l'évêché...

Temps de misère que les prêtres s'efforcent de faire accepter à ceux qui le subissent. Ils évoquent le printemps prochain, le retour des beaux jours puisqu'un pape a été élu. Ils pardonnent par avance les péchés de ceux qui vont mourir et auront le merveilleux bonheur d'approcher Dieu avant les autres...

Pour fêter son retour, l'évêque Lescure dit une messe publique en sa cathédrale. Une foule muette s'y presse, grelottante, tandis que les prélats chantent à pleins poumons. À la fin de l'office, les larges portes ouvertes sur un jour gris vomissent une multitude de misérables qui ont à peine la force de marcher. Lescure les bénit et s'en va dans son presbytère où l'attend un bon repas. Barbe-Noire et la belle Aude de Lieucourt sont ses convives. L'évêque leur rapporte d'Avignon une excellente nouvelle : le nouveau pape, dans sa grande sagesse, a décidé de vendre des indulgences. Ainsi tout péché est-il permis aux riches puisque Dieu vend son pardon. Jean XXII a établi une stricte hiérarchie des fautes et compte bien sur cette nouvelle mesure pour remplir les coffres de l'Église qu'il a trouvés vides. Les humbles continueront d'aller en enfer, mais personne n'y peut rien : si Dieu les a faits pauvres, c'est qu'Il avait ses raisons !

La belle Aude porte une superbe robe de brocart très légère. Un arbre entier brûle dans la cheminée de l'évêché ; la bise peut souffler, il fait bon dans cette grande pièce aux boiseries précieuses tendues d'étoffes aux couleurs chatoyantes qui égaient le regard et, sur cette longue table couverte d'une nappe blanche aux armes des seigneurs de Gimel, la bonne chère ne manque pas, chapons gras aux truffes, veau à la sauce aigre, anguilles au vin et toutes sortes de pâtés de brème, de carpe et de truite. On boira du vin du Rhône en écoutant des musiciens jouer du luth, de l'épinette et de la vielle.

Barbe-Noire a retrouvé sa gouaille et ne manque pas de taquiner Lescure, qui raconte son voyage et sa réception chez le pape en y ajoutant quelques détails pour se mettre en valeur.

— Savez-vous qu'il m'a appelé « mon cher ami » ?

Son regard ne peut se détacher du visage d'Aude qu'il trouve vraiment très beau. Pourtant quelque chose le chagrine.

— Madame, permettez-moi une question...

— Je vous en prie, monseigneur ! dit la femme avec son plus beau sourire.

— Vous n'eûtes pas un membre de votre famille dans l'ordre du Temple... ?

Elle s'attendait à tout, sauf à cela. Son sourire s'éteint, ses lèvres se plissent. Enfin, elle lève ses grands yeux sur l'évêque.

— Il fut même haut dignitaire, répond-elle. C'était le frère de mon père. Une tradition de famille veut, depuis la fondation de l'Ordre, que le deuxième fils devienne frère chevalier... Dieu soit loué, la mauvaise branche a été coupée.

— Et brûlée ! s'exclame Barbe-Noire. Et il nous reste des fagots pour ceux qui voudraient encore nous faire accroire qu'ils en sont !

— Vous avez toujours le mot pour rire, mon ami ! dit Aude en se tournant vers son amant, qui engloutit un morceau de sanglier, sa barbe dégoulinant de sauce qu'il essuie avec la nappe.

À Boisse, depuis le début de l'hiver, Renaud, qui redoute les loups, a demandé à ses paysans de venir passer la nuit au château. Le maigre bétail est enfermé dans la cour, les vilains, serrés les uns contre les autres, supportent mieux le froid qu'isolés chez eux. Seuls quelques vieillards qui ne peuvent marcher restent près de leurs tisons éteints. Si les loups les mangent, personne ne les regrettera et leurs souffrances en seront abrégées.

Aîné du Val a fait de même. Ses voisins viennent chez lui chaque soir puisque sa maison est entourée d'un mur dont il a réparé les brèches. La cour n'est pas bien grande, mais elle suffit pour les bêtes des vilains, tous très pauvres. Blandine grelotte près de son feu. La plaie ouverte à la mâchoire continue de suinter. La douleur de dents a gagné sa tête entière, son cou et l'épaule gauche. Son regard ardent brûle d'une fièvre permanente.

Quand il voit arriver une dizaine d'hommes portant la cotte de mailles et le chapeau de fer aux armes de l'évêque, Aîné se dit qu'ils cherchent les loups ou quelque manant soupçonné de vol ou de meurtre. Ils mettent pied à terre, et l'un d'eux, haut et fort, s'approche. Aîné est bien trop habitué aux mauvaises nouvelles pour ne pas redouter cette visite. L'homme salue et dit :

— Nous sommes venus chercher ton jeune fils, Thibault.

— Thibault n'est pas mon fils, dit Aîné sans se démonter. Il est le fils de Blandine, ma femme. Et que lui voulez-vous ?

L'autre souffle dans ses mains. La campagne est figée, les collines se taisent sous la neige gelée. Les chevaux soufflent un nuage blanc.

— C'est égal, j'ai ordre de le ramener à l'évêché sous bonne escorte.

Deux enfants sortent de la maison, blêmes. La capuche de leur pèlerine laisse voir une figure minuscule aux lèvres pâles, des yeux immenses qui ont appris la résignation. S'appuyant sur un bâton, la tête enveloppée dans un tissu grossier, Blandine sort à son tour et s'approche d'Aîné. Que reste-t-il de sa beauté passée ? Cette mèche blonde qui s'échappe du tissu et tombe sur ce visage déformé ?

— Thibault est parti au printemps dernier, probablement avec le fils du seigneur de Boisse, et nous ne savons pas où ils sont ! dit Aîné.

L'homme réfléchit un instant, se gratte les cheveux sous son chapeau de fer. Cette éventualité n'était pas prévue.

— Bon, dès qu'il est de retour, vous nous prévenez.

Il revient à son cheval et décroche un sac qu'il tend à Aîné.

— Ordre de l'évêque, de la farine et un jambon.

Aîné se met à genoux devant le soldat. Les larmes roulent sur ses joues creuses. Blandine n'arrive pas à parler tant l'émotion l'étreint. Lescure n'a donc pas oublié, il veut reprendre ce fils et lui donner l'éducation due à son rang ! C'est un peu elle qui accède à son tour à la noblesse. Sa douleur est tout à coup plus facile à porter, et elle murmure :

— Vous le remercierez pour nous.

Les cavaliers s'éloignent. Aîné et sa femme regardent ce sac posé devant eux et n'osent toujours pas bouger. Il y a là de quoi faire du pain, de quoi manger pendant huit jours, de quoi retrouver un sommeil paisible et découvrir tout à coup que l'hiver est une belle saison.

La bourgade de Malemort se dessine dans la brume de ces journées minuscules de janvier. Le silence, le renoncement pèsent sur cette campagne morte. La cité s'est endormie dans la dureté du gel. Quelques maisons fument, d'autres semblent inhabitées. Les rues sont désertes. De rares silhouettes enveloppées dans d'épaisses capes traversent cet univers minéral. Les tavernes sont vides, les auberges vendent leurs chambres au rabais ; les ribaudes désœuvrées s'occupent en cousant des robes pour le printemps.

Un homme seul monté sur une mule se présente à la porte Dorée. Le sergent de faction remarque sa haute stature maigre, ses cheveux très blancs qui s'échappent du capuchon et surtout son regard ardent dans un visage décharné et volontaire. Le sergent, qui s'ennuie à monter la garde, seul, dans le froid, veut engager la conversation.

— Vous venez de loin, étranger ?

L'arrivant a un mouvement des bras. Ses mains noueuses aux doigts très mobiles battent comme des ailes d'oiseau.

— De très loin, en effet.

— Les voyageurs se font rares ! Vous n'êtes que le quatrième à entrer depuis ce matin.

— Le quatrième, vous dites ? La nuit n'est pas encore tombée, vous aurez d'autres visites !

— Vous m'en voyez heureux ! fait le sergent. Seul dans ce froid depuis ce matin... Un peu de conversation ne fait pas de mal !

Le voyageur pique sa mule et entre dans la ville silencieuse. Il ne cherche pas son chemin, à croire qu'il connaît Malemort puisqu'il va directement à la rue Bassière. Il cogne à la porte d'Enguerrand de Niollet. Lydia vient ouvrir. Il regarde un long moment la jeune fille, surpris. Sa grande taille l'oblige à courber la tête pour entrer. Enguerrand se prosterne.

— Grand maître, soyez le bienvenu dans ma modeste demeure.

L'arrivant retire sa cape en loup, qu'il tend à Lydia.

— Quelle beauté ! dit-il. Vous êtes allé la chercher chez les anges !

— C'est un peu cela, maître. Mais vous connaissez la règle de l'Ordre ! Je vous présente, enfin, Godefroy, dit Patte-Raide, l'élève de maître Perrot que nous avons cherché si longtemps. Je souhaite l'adopter, il s'appellera, si vous en êtes d'accord, Godefroy de Niollet.

Patte-Raide se prosterne devant le grand maître selon le rite templier.

— C'est bien ! dit Léon de Tolède, qui ne peut détacher les yeux de Lydia. Nos frères sont-ils arrivés ?

— Quelques-uns, maître. Ils seront tous là ce soir.

La nuit tombe sur Malemort, épaisse, une nuit de grand hiver. Dans une pièce où toutes les portes sont fermées à double tour, les maîtres templiers, en robe blanche, portant la croix rouge sur la poitrine, venus de chaque province de France, sont rassemblés autour de Léon de Tolède. Patte-Raide, malgré son excellente connaissance du latin et des « pratiques simples », n'a pas été autorisé à assister à la réunion des chefs.

La séance commence par une prière silencieuse. Malgré lui, Léon de Tolède ne peut s'empêcher de penser à Lydia. Quelle beauté, quelle perfection de la nature ! Après le dîner, elle a joué du luth et chanté. Le maître a eu l'impression d'entendre la musique des anges ! Pourtant, un templier se doit d'observer une abstinence totale, Patte-Raide devra donc un jour se séparer de cette fille, mais en aura-t-il la force ?

Après la prière, Léon de Tolède se tourne vers l'assistance et commence :

— Mes frères, la pluie a fait beaucoup de dégâts cet été, preuve que Dieu est de notre côté. Comment cela se passe en ton froid Morvan, frère Louis ?

— Cela se passe comme convenu ! dit l'homme. Les convois de vivres n'arrivent jamais à destination et la famine est grande.

— Très bien ! dit Léon de Tolède avec un sourire. Et toi, Enguerrand ?

— Godefroy Patte-Raide que tu as vu, mon maître, est digne de la confiance que frère Perrot avait mise en lui. Il commande les reîtres avec un sens de la stratégie étonnant. Les hommes du sénéchal de Brive l'ont repéré, avec sa jambe et ses grands cils noirs de fille, mais il est insaisissable... Il nous sera très utile quand sonnera l'heure du grand dessein !

— C'est parfait ! Où en es-tu avec nos ennemis ?

Enguerrand secoue sa grosse tête.

— Ils seront chez le diable dans peu de temps après avoir enduré la malemort !

Léon de Tolède questionne ainsi ses frères templiers les uns après les autres. Une chandelle éclaire son visage toujours impassible.

— Tous les grands seigneurs qui ont participé à l'arrestation de nos frères seront morts avant une année, voilà du bon travail. Au printemps, nous allons vider le royaume de France de sa jeunesse ! conclut Léon de Tolède.

Ses yeux reflètent la lumière vivante en éclairs froids. La fixité de ce regard dérange, apeure, se plante comme la lame froide d'un regard de dément.

Le mois de février est le plus froid de ce long hiver 1317. Les jours grandissent, mais le vent d'est reste gelé. Les troncs des noyers dont la sève commence à monter éclatent avec un bruit sec, un énorme claquement de fouet. De la blessure ouverte du bois coule une eau vivante qui gèle en traînées blanches. Rien ne sort de la terre dure, pas le moindre pissenlit, pas la moindre doucette. Des enfants faméliques vont glaner du bois gelé pour tenter de se réchauffer les mains, de boire un peu d'eau tiède. Le ciel blanc pèse sur les maisons comme le toit d'une prison. La poussière gelée fouette les visages épuisés. Les cloches de la cathédrale de Tulle rappellent à chacun ses devoirs religieux, mais on ne se presse pas à l'église. Les regards vides ne se posent sur rien, les mains ne se tendent pas ; les plus démunis se recroquevillent sur eux-mêmes et ne bougent pas : depuis longtemps, ce qui leur reste de vie pèse trop lourd pour leurs épaules décharnées.

Autant de détresse devient pour certains l'occasion de s'enrichir en peu de temps. Le sénéchal a fait pendre trois marchands qui vendaient de la farine faite de poudre d'os mêlée à du plâtre. Depuis, Barbe-Noire fait surveiller ses moulins. Et, comme il n'y a rien à moudre, les meules, qu'à défaut d'eau, puisque les biefs sont gelés, on fait tourner avec un âne, ont été arrêtées.

Des rumeurs terribles circulent. La chair humaine serait un peu plus fade que la chair de porc, mais conviendrait aux estomacs privés de nourriture depuis longtemps. Près de la porte Mauvaise, on raconte qu'un bûcheron et sa femme ont mangé leurs trois enfants ; à quelques pas de la tour Fervalle, un étranger a été décapité et transformé en morceaux de viande que les voisins ont mangés crus pour ne pas attirer l'attention par une odeur de cuisson.

L'ordre ne se maintient qu'en punissant beaucoup. Les jugements sont brefs et expéditifs. Le gibet de la porte Mauvaise fonctionne sans cesse, mais le sénéchal fait surveiller l'endroit pour qu'on ne vienne pas dépendre les cadavres, dont beaucoup n'ont que peu de chair sur les os. Au début des grands froids, les hommes d'armes capturaient les corbeaux, seules bêtes à proliférer en temps de famine, et les revendaient fort cher, mais ces oiseaux ont la ruse du diable et ont vite appris à déjouer leurs pièges.

Comme l'hiver dernier, les attroupements se forment devant les portes des hôtels particuliers, des maisons riches, des deux couvents, de l'abbaye, de l'évêché, partout où l'on sait qu'il reste encore quelque chose à manger. Des troupeaux de miséreux qui ont entouré leurs pieds de vieux chiffons pour les protéger du gel attendent ainsi, toute la journée, silencieux. Vient une marmite de déchets qu'on leur jette comme à des porcs, et ils s'entretuent pour un peu de moelle, pour un morceau de tissu imbibé de graisse, un bout de chandelle qu'ils mangent sans enlever la mèche noire, pour la tripaille d'un brochet ou d'un canard, des épluchures de raves, une feuille de chou qui fera une soupe divine.

Dans les campagnes, des bandes de soldats sans emploi pillent, incendient et tuent. Les autorités se sont rassemblées pour leur faire une guerre sans merci, mais c'est peine perdue, les sergents de Barbe-Noire arrivent toujours trop tard.

Les chariots de morue salée ou de harengs, parfois de farine, qui se hasardent encore sur les chemins sont dévalisés. Patte-Raide a retrouvé ses habitudes de l'hiver dernier quand il hantait les souterrains de Tulle. Le petit animal carnassier, à la tête d'une quinzaine d'hommes, est partout à la fois et jamais où on l'attend. Leur détermination est sans faille. Ils tuent les charretiers, emportent les vivres pour les détruire. Enguerrand lui dit avec fierté :

— Tu es vraiment fait pour commander !

Lydia ne partage pas l'enthousiasme du maître. Quand Patte-Raide revient de ces expéditions, elle le regarde de ses grands yeux rouges qui ont pleuré.

— Tu sens la mort ! lui dit-elle un soir en éclatant en sanglots.

— Ma Lydia ! fait-il en la serrant contre lui, mais c'est tout ce qu'il trouve à dire.

Comment expliquer à la jeune fille que cette guerre est juste, même si elle touche des innocents ?

— T'arrêteras-tu un jour de haïr et de faire le mal pour trouver au fond de toi l'amour et le bien ?

Douce et naïve Lydia qui croit l'amour possible en des temps si difficiles, quand il faut se battre chaque jour pour survivre, tuer pour ne pas être tué !

Au château de Masvallier, Barbe-Noire revient de la chasse. Aude l'accompagne souvent dans ces chevauchées éreintantes. C'est une excellente cavalière et les jeux du sang plaisent à cette louve raffinée et perverse. Elle ne le dit pas, mais ses yeux montrent son plaisir quand Berthot, plus imaginatif que Barbe-Noire, invente quelques nouveaux tourments avant d'envoyer un malheureux chez le diable. Son ambiguïté flotte sur son sourire toujours énigmatique, se lit dans son regard à la fois tendre et cruel, ses propos presque toujours à double sens. La Jeanne, désormais à son service, fait chauffer l'eau de son bain parfumée à la menthe et blanchie de lait de génisse pour éviter une peau trop sèche. C'est aussi Jeanne qui hache menu la viande crue, aromatisée d'épices, que la jeune femme mange chaque matin.

Aude éprouve surtout une forte jouissance à savoir qu'elle tient dans ses mains la vie de son puissant seigneur, malgré la garde rapprochée qui ne le quitte pas. Elle fait durer son plaisir en retardant chaque jour l'heure du destin. Se donner ainsi à celui qu'elle va tuer, plaisanter avec lui, l'entendre rire et faire des projets l'excitent au point que Jeanne redoute qu'elle ne commette quelque imprudence.

— Il est temps, madame.

La servante boitille jusqu'au bac qu'elle remplit d'eau fumante.

— La chose est jugée, ajoute-t-elle.

— Alors, nous commençons ce soir ! dit enfin Aude.

Elle a eu l'occasion de se faire la main sur des victimes moindres et constate que le danger décuple le plaisir. Elle attend le soir avec une impatience mêlée de crainte. Barbe-Noire rentre d'inspecter une parcelle de bois à couper.

— Le plus difficile, cette année, explique-t-il, sera de trouver des journaliers pour ce genre de travaux. Beaucoup sont morts pendant l'hiver ou sont trop faibles pour manier la hache et l'herminette.

Il a beaucoup chevauché et sent la poussière des chemins, le cuir de cheval. Ses cheveux tombent sur ses oreilles en boucles noires. Il pose sa large cape et s'approche du feu qui flambe. La Jeanne lui prépare une bassine d'eau chaude dans laquelle il trempe ses pieds froids. Aude s'est assise en face de lui. Entre eux le feu crépite sur un tronc de chêne. La Jeanne tourne vers Aude un regard qui veut dire : « C'est fait, maintenant, taisez-vous ! »

— C'est bien grande misère qui touche le pauvre monde ! dit-il.

Aude ne répond pas. Un long frisson parcourt son dos quand Barbe-Noire approche ses mains de l'eau tiède. Elle ouvre la bouche comme pour l'avertir, mais retient son souffle ; elle voudrait crier, l'empêcher et en même temps se délecte de voir ces doigts se plier et s'ouvrir dans le liquide empoisonné.

— Je redoutais que ce ne fût trop chaud ! fait-elle. Jeanne a toujours tendance à préparer mon bain trop chaud !

— C'est juste comme il faut ! dit-il en enfonçant de nouveau les mains dans le liquide fumant.

Le poison indécelable restera sur sa peau et il va manger dans quelques instants, avec ses doigts, bien sûr. On recommencera demain pour plus de sécurité, mais une seule fois suffit.

Au moment de passer à table, Aude tend la main vers Barbe-Noire, comme pour le retenir. Son regard se trouble.

— Mon ami, dit-elle d'une voix peu assurée qui a perdu ses accents langoureux. Je me demande si...

— Que voulez-vous, ma mie, ce pâté de poisson n'est-il pas joliment présenté ?

— Que si ! Mais je me demande si c'est bonne idée de le servir avant la vénerie.

— Tout cela n'est que jeu de l'esprit. Quand on a faim, tous les plats vont bien ensemble.

Cette nuit, au lit, la jeune femme se montre d'une ardeur qui ravit Barbe-Noire.

Huit jours plus tard, au retour d'une chasse, apparaît le premier signe qu'attendaient Aude et Jeanne, une pâleur de visage inhabituelle chez Barbe-Noire. Il se plaint d'une raideur de la nuque, d'une vague douleur aux reins probablement due à l'effort. Aude le rassure en lui disant que tout ira mieux demain, après une bonne nuit de sommeil.

— Et certaines mignardises dont j'ai le secret ! ajoute-t-elle avec un rire coquin.

Il s'approche du feu et réclame à Jeanne d'apporter l'eau pour son bain de pieds. La servante obéit ; elle n'ajoute plus de poudre secrète et plonge les mains dans le liquide pour en éprouver la tiédeur. Ce soir, Barbe-Noire mange peu, lui qui, d'ordinaire, engloutit. Il dit avoir pris froid et demande du vin chaud avec du miel, puis rejoint sa chambre où brûle un grand feu.

— Je grelotte ! dit-il aux serviteurs, apportez donc du bois, pendards, faites plus de feu que ça !

— Mais, mon ami, nous brûlons ! observe Aude.

Elle pense avec délice au brasier qui brûle les sorciers et les empoisonneurs, à l'odeur âcre de la chair qui grille et tombe en cendres épaisses et grasses... Elle s'imagine sur le bûcher, la fumée qui l'enveloppe, la fait tousser, la flamme qui court sur sa peau avec ses aiguilles, puis les premières morsures du feu, la douleur, si forte qu'il n'est plus possible de respirer... La mort est alors délivrance, apaisement, but suprême de tout ce qui vit, la mort qui hante son esprit.

Le lendemain, Barbe-Noire ne peut se lever. Des braises rongent ses entrailles, oppressent ses poumons et son cœur. Aude ne perd pas une seule contraction de son visage, pas un geste, pas une grimace de douleur.

— Mon ami, as-tu mal ici ? dis-moi, c'est comment, ce mal de ventre, une douleur de partout, régulière, ou bien des lancées brutales et placées au foie ?

— Le feu me ronge !

Elle court chercher du vin chaud et du miel.

— Bois, le miel adoucit les frottements de peaux malades.

Il boit. Cette force de la nature qui jusque-là ignorait la maladie n'a pas plus de volonté qu'un tout petit enfant. Il geint, murmure qu'il a peur de mourir, demande son confesseur. Berthot envoie un chevaucheur chercher Gisbeau, le célèbre médecin natif de Tulle.

— Peut-être est-il en son palais à Bordeaux ! dit le chevaucheur.

— Eh bien, qu'on aille le chercher à Bordeaux ! s'écrie Berthot, et fais diligence ou je te fais pendre !

Un groupe de cavaliers quitte aussitôt le château. La chance veut que Gisbeau soit dans sa maison de Tulle, où il se retire souvent pour méditer et expérimenter de nouveaux médicaments dans le plus grand secret.

Il arrive en soirée au château, comme à son habitude, entouré de ses disciples qui se bousculent pour être près de lui et ne pas perdre une seule de ses paroles. C'est un gros homme, trop bien nourri, vêtu d'une épaisse robe en peau d'hermine qui donne un volume considérable à sa silhouette. Il porte une toque en loup dont la queue pend sur son dos. Accueilli par Berthot et Aude, l'homme marche de ce pas assuré, conquérant, qui doit effaroucher la maladie elle-même. On le conduit à la chambre de Barbe-Noire, qui n'a pas pu se lever de la journée, se fait apporter l'urine et les selles, hume le tout, l'observe longuement à la lumière d'une chandelle.

— Mal d'entrailles ! dit-il d'une voix docte.

Les disciples se regardent, admiratifs, le maître a trouvé une fois de plus la cause de la maladie.

— Je vois, je vois ! ajoute-t-il. Le comte est gourmand de fruits secs, des noix, par exemple !

C'est une affirmation. La science de cet homme est telle qu'un simple examen d'urine et de selles lui permet de tout savoir. Pourtant, Berthot répond :

— Pas particulièrement. Il préfère vénerie et viandes faisandées.

Gisbeau regarde Berthot puis Aude d'un air incrédule, soupçonneux. Que veut-on lui faire accroire ?

— En tout cas, il en mangea récemment !

Allongé sur son lit, Barbe-Noire, couvert d'une peau d'ours, la tête posée sur un gros oreiller, répond à la place des autres.

— C'est vrai, j'ai mangé des noix, l'autre jour, au retour de cette maudite coupe de bois.

Le médecin affiche un air de triomphe, jette un regard sur ses disciples. Enfin, il pousse la couverture et palpe l'abdomen de Barbe-Noire.

— Les plaques rouges, dit-il, indiquent la cause du mal. Ici la forme du foie, engorgé, là l'estomac, rempli d'aliments coagulés, là la rate...

Il se concentre un instant, ferme les yeux en une grimace qui transforme sa large figure en masque de carnaval, puis, rayonnant, déclare :

— Nous allons vous soigner et vous guérirez sûrement ! Viergoty, vous allez prendre dans notre sac de la pivoine, puis le quart d'aurone, un peu moins de quintefeuille. Vous pilerez cela dans un mortier et le mélangerez à du vin. Vous verserez le vin et les herbes dans une marmite, où vous tremperez trois fois une barre de fer rougie. Puis vous ajouterez du galanga et un peu de poivre.

Il se tourne vers le malade.

— Vous en boirez pendant cinq jours, à jeun. Au cinquième matin, vous serez guéri.

Il a parlé, tel un oracle, et sort de la pièce, énorme, majestueux, la tête haute. Il demande à ses serviteurs d'approcher sa litière. La visite n'a pas duré plus d'un quart d'heure et, déjà, Barbe-Noire se sent mieux. Il a suffi que cet homme de prestige entre dans sa chambre, le regarde pour que la maladie recule. Il sourit à Aude.

— Franchement, sa visite m'a fait grand bien. Je me sens nettement mieux et je vais me lever pour le souper.

Il se lève, en effet, réussit à descendre l'escalier et s'installe devant un feu nourri. Il dîne, sans appétit, mais se force à manger pour se convaincre qu'il est guéri. Aude ne le quitte pas des yeux.

— Vous voyez, mon ami, il faut parfois peu de chose, mais gardez-vous du froid...

— Bah, une bonne nuit et demain je serai à cheval !

Il demande qu'on bassine son lit et se retire dans sa chambre, où Aude l'accompagne. Elle guette de nouveaux signes du mal qui tardent jusqu'au matin.

À prime, tandis que les garçons d'écurie commencent à s'agiter dans la cour du château, que les chiens aboient au bruit des armes qu'on déplace, les rongements d'entrailles reprennent Barbe-Noire. Une sueur glacée coule sur son front, son corps est secoué de tremblements. Aude note la progression du mal avec la froideur de sa perversion.

Le docteur Gisbeau est reparti pour Bordeaux entouré d'une solide escorte. Berthot le fait rattraper par des coursiers. Gisbeau sourit devant autant d'ignorance : son remède ne fait effet qu'après cinq jours. Il prescrit cependant des perles pilées dans de l'esprit-de-vin, mais le miracle ne s'accomplit pas. Trois jours durant, Barbe-Noire passe de l'espoir euphorique à l'abattement le plus profond. Il va mourir et le sait. Lui qui a tant tué et torturé comprend à cet instant que la souffrance n'est rien à côté de l'échéance ultime. Il serre la main d'Aude, s'y accroche avec force. Malgré l'odeur putride du malade, la jeune femme ne perd pas une de ses grimaces, pas un de ses cris, elle assiste au spectacle de ce qui la touche au plus haut point, celui de la mort, qui la terrorise et la fascine.

Quand Barbe-Noire reçoit l'extrême-onction, tout son corps se raidit, se casse en deux dans un dernier effort. Il se dresse sur les coudes et, livide, pose ses pieds nus sur la peau de mouton, se met debout. Son corps puissant ne garde que sa charpente, la chair s'en est dissoute en quelques jours, et à travers la chemise blanche les saillies des os remplacent les anciennes rondeurs.

— Qu'on prépare mon cheval ! hurle-t-il.

— Mais voyons, fait Aude, tu ne vas pas...

— J'ai dit : qu'on prépare mon cheval et qu'on m'apporte mes habits.

Au moment du dernier combat, le lutteur qu'est Barbe-Noire fait face. Aube assiste à ce corps à corps avec le néant, une larme roule sur sa joue, un regret voile ses yeux. Barbe-Noire fait un pas vers la cheminée, mais ses jambes cèdent et il tombe sur le dallage. Berthot et deux serviteurs se précipitent pour le relever. Il les repousse du bras.

— Qu'on me laisse tranquille ! Allez me chercher du vin, cela me donnera des forces. Voilà huit jours que vous me tenez à la diète !

Il se remet sur ses jambes et prend la cruche de vin qu'une servante vient d'apporter en courant, l'approche de ses lèvres.

— Mes habits ! hurle-t-il.

Il boit une gorgée, la deuxième ne passe pas, il crache.

— Et qu'est-ce que vous avez à me regarder comme ça ? Tout le monde dehors !

Aude s'approche de lui.

— Mon ami...

— J'ai dit : tout le monde dehors !

Ils obéissent tandis que Barbe-Noire ordonne qu'on ferme la porte. Au bruit d'une cruche cassée, Aude et Berthot entrent dans la chambre. Barbe-Noire est de nouveau tombé et, cette fois, ne peut se relever ; Berthot et deux valets l'apportent sur son lit. Un filet de bave teinté de vin coule sur sa joue droite.

Barbe-Noire lutte toute la nuit. Au matin, une rémission du mal fait croire une nouvelle fois à sa guérison, mais cela ne dure pas. À tierce, il ne peut plus parler et respire difficilement. Aude comprend que l'instant ultime est proche, elle le veut pour elle seule, le savourer avec répulsion, assister au dernier frémissement de ce visage dont elle est assez proche pour y voir le reflet de sa propre agonie. Une fois seule, elle passe sa main sur le front mouillé du mourant.

— Mon ami...

Il ouvre les yeux.

— Vous avez été empoisonné ! lui souffle-t-elle en abandonnant le tutoiement comme pour marquer qu'ils ne sont plus du même monde. Oui, dans l'eau de votre bain de pieds. Rappelez-vous, les templiers, mon oncle, Louis de Lieucourt, brûlé et innocent de ce dont vous l'accusiez ! Rappelez-vous ces frères chevaliers que vous avez traqués, mis à la question et auxquels vous avez fait arracher la langue !

Il ouvre la bouche pour parler, mais aucun son ne sort à part un râle venu du fond de la gorge, un bruit de poitrine ; ses yeux expriment alors une haine profonde et c'est sur ce sentiment qu'il quitte le monde.

— Les templiers sont aussi des hommes de guerre, poursuit Aude. Pour eux, une seule victoire compte, celle de la dernière bataille !

Un rire nerveux, ou plutôt quelque chose qui lui ressemble, secoue la poitrine de la jeune femme.

— Au suivant ! dit-elle, tandis que Berthot entre.

Deuxième partie

LE TEMPS DES PASTOUREAUX

Avec ce sens des extrêmes qui se retrouve souvent dans la nature, le printemps 1317 est doux, mais les hommes ont trop souffert du grand hiver pour en profiter. Ils n'entendent plus les alouettes chanter au-dessus des champs de blé avant de se laisser tomber en feuille morte. Ils vont, sans but, cherchant leur maigre pitance dans les fossés, salades sauvages, racines, asperges, orties dont ils font du potage. Les enfants dénichent les oiseaux, capturent les grenouilles dans les marais, les escargots, mais la famine des hommes a décimé bêtes et plantes. Et, le ventre vide, les journaliers n'ont pas beaucoup de forces pour accomplir les tâches difficiles du printemps, défoncer la terre tassée des vignes, labourer, semer les avoines, conduire les porcs et les moutons dans la lande...

Au début du mois de mai, de nouveaux prêcheurs arrivent dans les hameaux, les villes, et, bravant l'interdit, s'arrêtent dans chaque rue, à chaque croisement de chemin. Vêtus de la même robe blanche que ceux de l'hiver dernier, ils tiennent devant eux une croix faite de deux morceaux de bois pelés. Toutes les oreilles se tendent pour écouter leurs propos si différents des prêches d'église qui réclament toujours plus de soumission et de sacrifice. Ils s'adressent aux jeunes garçons et filles, affaiblis par la faim et qui doivent pourtant travailler. Dieu, dans Son immense bonté, a reporté la fin du monde, mais le Christ pleure : son tombeau est toujours aux infidèles, il est temps de le délivrer, de reconstruire le royaume d'Orient. Là-bas, la pluie ne vient que pour faire lever les semis. Là-bas, la terre est si fertile qu'elle donne du blé à ne savoir qu'en faire. Là-bas, ils s'établiront en des villes nouvelles, sous un été qui ne finit pas !

— Que connaissez-vous de la vie, à part la faim et la douleur ? clament ces prêcheurs. Vous trouverez en Terre sainte ce que vous n'avez jamais vu ici, de l'or, des parfums, des étoffes fines. Vous vivrez en des palais magnifiques sous un ciel toujours bleu !

Ces mots rencontrent aussitôt un immense écho dans les jeunes esprits. Les prêtres promettent le paradis après la mort, après des années de privations, tandis qu'eux, ces prêcheurs blancs, le donnent tout de suite, dans cette vie. Il suffit de poser l'outil et de les suivre...

— Les infidèles ne vous résisteront pas. Ils s'enfuiront comme des lapins en vous voyant arriver. Plus vous serez nombreux, plus aisée sera la victoire. Et pour reconstruire le royaume promis il ne faut pas que des guerriers, mais des moissonneurs, des forgerons, des menuisiers, des cordonniers. Il ne faut pas que des garçons, mais aussi des filles qui deviendront là-bas des épouses heureuses, des mères comblées !

Alors, les apprentis abandonnent le cuir à tanner, le fer à marteler, le bois à scier, les laboureurs posent la charrue au milieu du sillon, les bergères s'éloignent de leurs troupeaux, les servantes n'entendent plus les ordres des maîtres. Du fond de l'Aquitaine, du Quercy, de l'Auvergne, du Limousin et du Périgord, garçons et filles des campagnes et des villes, gardiens de porcs ou glaneuses de bois mort, peaussiers ou passementiers quittent leur vie de misère et partent vers la Terre promise, tous unis par une même foi. Les prêcheurs blancs marchent à leur tête en chantant des cantiques que reprennent en chœur ces jeunes voix. Ainsi, les uns près des autres, unis dans le même but, hier étrangers, aujourd'hui frères, rien ne peut leur arriver et rien ne peut les arrêter !

À mesure qu'ils avancent, les groupes se rejoignent, forment un immense cortège de garçons et de filles qui chantent à tue-tête. Les prêtres, les maîtres, les mères tentent de s'opposer au départ de cette fille qu'on disait timide et perdue à une lieue de sa maison, de ce garçon qui rapportait quelques écus à sa famille, de ce jeune clerc à qui l'on vient d'appliquer la première tonsure, mais rien n'y fait. Partir, rejoindre les autres dans les chemins et les grandes routes du royaume, vivre enfin sa jeunesse et espérer des lendemains ensoleillés, rien ni personne ne peut s'opposer à cette vague qui déferle sur le royaume de France. Et la rumeur est là pour porter la bonne nouvelle dans les métairies les plus reculées, les borderies où l'on ne voit jamais aucun étranger : la Terre sainte a besoin de jeunes hommes et de jeunes filles pour reconstruire ce royaume où la faim et la maladie n'existent pas puisqu'il est sous la protection directe de Jésus !

Quand il entend le prêcheur, Patte-Raide frémit. Ses longs cils battent à plusieurs reprises. Enguerrand sourit.

— Mon fils, c'est l'heure de la grande œuvre dont je t'ai tant parlé ! Cette conquête sera la tienne !

Puis, rangeant ses manuscrits dans un coffre, les objets auxquels il tient comme quelqu'un qui s'apprête à partir, il demande à Lydia :

— Tu es toujours décidée à partir avec lui ?

La jeune fille a un sourire tendre et regarde Patte-Raide.

— Où pourrais-je aller ?

— Vous allez faire de grandes choses ! dit Enguerrand. Désormais Dieu guidera vos pas. Le voyage sera long, mais au bout se trouve la Terre promise !

Patte-Raide et Lydia rejoignent un groupe parti de Brive et qui ne cesse de grossir. Des quatre coins du royaume, des Flandres, de Calais, de Rouen, de Reims convergent ces longs cortèges qui chantent la gloire de Dieu. Toute la jeunesse de France s'est embrasée, rien ne pourra désormais l'arrêter. Et elle crie : « Au roi ! » Pour la plupart de ces miséreux, cela ne veut rien dire, ils ne savent pas qui est le roi, ni même s'il est jeune ou vieux... Lydia a pris la main de Patte-Raide et chante avec les autres.

Le soir, la horde s'arrête aux portes fermées d'Uzerche. Les hommes de ronde crient à cette foule bigarrée de déguerpir. Castillau, un prêcheur blanc à forte stature, qui s'est naturellement imposé comme le meneur, brandit sa croix et menace :

— Vous oseriez refuser le refuge pour la nuit à ces Pastoureaux partis reconquérir le tombeau de Jésus que leurs pères ont abandonné aux infidèles ?

Des discussions s'engagent. On va chercher le sénéchal, l'archiprêtre, des clercs, et les portes s'ouvrent. Les Pastoureaux sont admis à passer la nuit sur la place devant l'église qui domine la Vézère. L'archiprêtre et ses abbés disent la messe en plein air, puisque l'église est trop petite pour les contenir tous. Une grande ferveur monte vers les étoiles. À la fin de l'office, l'échevin fait distribuer quelques vivres en s'excusant de ne pouvoir faire plus.

Sous la surveillance discrète d'hommes d'armes qu'on a postés dans les rues voisines de la place, les adolescents se couchent à même le sol. Il fait doux et la nuit se passe dans le calme. Le sénéchal commence à respirer tant il redoutait cette meute livrée à elle-même. Lydia s'est pelotonnée contre Patte-Raide et s'endort, comme une petite fille, dans la chaleur de son ami. Le lendemain, tandis que le jour blanchit le ciel, Castillau se lève le premier et dresse la croix.

— Debout, Pastoureaux, la route est longue encore qui nous conduit à Jésus !

Ils se lèvent et regardent autour d'eux avec curiosité les rues qui partent de la place, l'église. Les coqs chantent, les pigeons roucoulent, des chiens aboient. Les crieurs d'eau, les porteurs de lait vont de maison en maison. Les premiers chariots remplis de légumes et de fourrage arrivent de la campagne. Castillau, la croix levée, ordonne de se mettre à genoux pour la prière du matin. Tous obéissent. Patte-Raide serre la main de Lydia. Un solide garçon aux cheveux roux, au regard niais s'approche d'elle et lui sourit.

— Tu es belle ! dit-il.

Patte-Raide se place entre Lydia et ce vacher dont la maigreur fait saillir les os du visage et des épaules.

— Toi, tu t'en vas !

— Je m'en vais si je veux !

— Non, tu t'en vas ! fait Patte-Raide en tournant vers lui son regard noir et menaçant sous ses longs cils de fille.

La voix du prêcheur domine la place. Des fenêtres voisines, les gens regardent cet impressionnant rassemblement prier avec ferveur. Le vacher fait comme les autres et souffle à Patte-Raide :

— On se retrouvera.

— Quand tu veux !

Le soleil allume des fumerolles sur la Vézère. La prière terminée, Castillau, la croix dressée, se dirige vers la porte nord suivi des adolescents qui chantent leur foi à pleins poumons. Le cortège s'éloigne en direction de Limoges, les bourgeois sont soulagés. Ils en sont quittes pour la peur, mais si, ce soir, d'autres Pastoureaux se présentent, que feront-ils ? La décision est prise de ne plus ouvrir les portes.

Le soleil s'est levé. Les laboureurs ont attelé leur âne ou leur vache devant la petite charrue. Le vacher s'est placé près de Lydia. Patte-Raide l'avertit :

— Tu vas t'éloigner de nous, sinon...

Lydia aime la jalousie de Patte-Raide et laisse faire. Castillau qui sait que Patte-Raide ne risque rien avec ce lourdaud, n'intervient pas et propose une halte dans une prairie où les pissenlits fleuris ressemblent à des pièces d'or répandues dans l'herbe verte. C'est là que le garçon revient à la charge.

— Je vais te corriger comme on le fait à un taureau trop nerveux ! dit-il en se dirigeant vers Patte-Raide.

— Je n'ai pas peur !

Aussitôt, les spectateurs se mettent en cercle et encouragent les belligérants. Le vacher se jette sur Patte-Raide, son bâton levé, comme il le fait chaque jour avec son bétail. Patte-Raide, qui avait prévu la charge, évite le coup. L'autre, plein d'une colère qu'excitent les cris de l'assistance, fonce de nouveau, sans plus de succès. Lydia, un sourire aux lèvres, assiste avec ravissement à ce combat dont elle est la cause. À côté d'elle, Castillau ne perd rien : il aime la violence et la guerre, il aime la bravoure et méprise la peur. C'est un soldat de Dieu, comme tous les templiers, trop d'années d'inactivité lui ont pesé pour ne pas trouver à ce qu'on appellera plus tard la croisade des Pastoureaux un air d'aventure qui le rajeunit.

Au bout de plusieurs attaques infructueuses de son adversaire, Patte-Raide décide d'en finir. Il l'a laissé suffisamment s'essouffler et perdre confiance. Le grand garçon ne sait pas se servir de ses longs bras et de sa force. Sa colère lui enlève toute appréciation. C'est un bœuf qui fonce et ne cherche pas à tirer parti des faiblesses de l'autre. Patte-Raide comprend une fois de plus qu'on porte toujours en soi les causes de ses défaites. Gagner, c'est d'abord garder la tête froide, et se battre sans aveuglement, en homme, pas en animal. Quand le bâton arrive à la hauteur de sa figure, il le saisit et, au lieu de contrarier son mouvement, l'accélère ; déséquilibré, le grand corps maladroit du vacher roule dans l'herbe. Alors Patte-Raide s'empare du bâton ; le premier coup, précis et dosé, touche le garçon à l'avant-bras, le second à la tempe. Castillau sourit : Enguerrand de Niollet n'a pas menti, ce damoiseau aux cils de fille a la détermination des chefs. Il n'a pas eu cette hésitation qui amollit le coup et le rend moins efficace ; il a frappé juste avec la volonté d'abattre.

Les adolescents reprennent leur marche, aussitôt rejoints par d'autres. Ils sont maintenant plus de mille garçons et filles à chanter derrière Castillau.

La progression est lente, sous un soleil éclatant. Dieu approuve cette action et le montre. Les vilains des fermes isolées, voyant cette marée à leur porte, fuient en poussant devant eux leur bétail. Ils savent que ces croisés déguenillés de moins de vingt ans ont le ventre creux et ils craignent que le refus de leur donner à manger ne soit considéré comme une déclaration de guerre. Les ponts-levis des châteaux se dressent, les herses tombent.

À mesure que les heures passent, la faim se fait de plus en plus pressante. La charité publique sur laquelle les Pastoureaux comptaient ne suffit pas, alors, des groupes entrent dans des maisons vides qu'ils saccagent. Ils se répandent dans les champs de blé, les potagers, et comme une harde de sangliers déterrent ce qui peut se manger, fauchent des poignées d'épis verts qu'ils engloutissent. Tout ce qui est comestible est dévoré, un nuage de sauterelles ne ferait pas plus de dégâts. Castillau laisse faire : cette terre ennemie n'a plus d'avenir et les vieux qui restent sont condamnés.

Au soir du quatrième jour, ils arrivent à Limoges. Le sénéchal refuse dans un premier temps d'ouvrir les portes. Castillau parlemente. Une grande rumeur vient alors du chemin de ronde : la jeunesse de Limoges se joint aux croisés et force la milice. La horde, où se cachent désormais des voleurs de grand chemin, des criminels, des ribaudes qui exercent leur métier au vu de tous, entre dans la ville avec une seule préoccupation, trouver à manger.

Des groupes partent dans les rues à l'assaut des maisons bourgeoises, forcent les dépôts et se servent en laissant derrière eux les cadavres de ceux qui se sont opposés. Le lendemain, quand ils partent au lever du soleil, un quartier entier a été ravagé.

À Châteauroux, ils sont plus de dix mille à piller, à tuer, et c'est la même chose à Reims, Amiens, Chartres... Un nouveau fléau s'est abattu sur le pays, pire que la pluie, pire que la maladie ou la guerre. Rien ne peut lui résister et chaque jour les groupes de Pastoureaux s'enflent, se multiplient. Leur marche en direction de Paris laisse sur leur passage désolation, champs saccagés, maisons incendiées et cadavres souvent mutilés de la pire manière.

Guibert de Boisse ne supporte plus d'être séparé de Dyane de Neuvialle, qui n'est pas revenue de Normandie, comme il l'espérait, au milieu du printemps. Il redoute quelques manipulations de son vieux père et rêve de partir la rejoindre. Son amour tourne à l'obsession. Il passe de longues heures à rechercher dans sa mémoire le visage de la belle, la forme de ses lèvres, la couleur de ses yeux. Il a beau se dire que ses cheveux sont blonds, il n'arrive pas à en retrouver la couleur particulière ni la forme des boucles. Et ce sourire qui faisait naître une ride sur le coin de sa joue, comment était-il ?

Un soir, n'y tenant plus, il court trouver Thibault sur le parvis de Notre-Dame. En quelques mois, le visage du jeune homme est devenu celui d'un adulte. Ses joues se sont creusées, ses traits se sont affermis. Quelques poils blonds salissent son menton. Ses yeux d'un bleu profond se plantent comme des lames dans le regard des autres et, pourtant, sa bouche un peu grande est faite pour le sourire. Sur scène, il se transforme ; sa voix trouve aussitôt le ton de la fantaisie. Derrière le masque, les mots légers viennent naturellement à son esprit. La Furie est contente de lui.

— Tu es des nôtres ! dit-elle en le pressant contre ses gros seins.

Jeannette en a fait un bon amant. Elle lui a appris à maîtriser la fougue de sa jeunesse, à dominer le feu de son corps. Il la retrouve tous les jours dans un appentis d'une rue voisine que la troupe a loué pour préparer ses décors. Là ils peuvent donner libre cours à leurs ébats bruyants ; la promiscuité de la nuit n'est favorable qu'aux petits jeux de mains et de bouches, dans le silence et une retenue qui stimulent l'imagination.

Guibert et Thibault s'embrassent et comprennent qu'ils se manquent. Ils vont boire un pot de vin dans une taverne et bavardent tout en se regardant avec curiosité, car ils se trouvent changés et en même temps identiques à l'image qu'ils avaient gardée l'un de l'autre. Ils se racontent leur quotidien avec force détails, puis Guibert dit :

— Je veux partir en Normandie, chercher Dyane. Je ne peux plus vivre sans elle.

Thibault s'étonne toujours des excès de sentiment de son ami. Pourquoi Guibert s'est-il fixé sur cette jeune fille, alors qu'il n'a qu'à regarder autour de lui pour en trouver une autre ?

— Bah, si tu veux t'amuser, va donc dans la rue derrière Notre-Dame, les catins ne manquent pas et...

— Ne me parle pas de tes catins. Je ne toucherai pas une autre fille que Dyane. Je vais donc aller la chercher et je voudrais que tu viennes avec moi. Nous ne serons pas trop de deux !

Depuis le voyage à Reims, Thibault n'a pas quitté le parvis de Notre-Dame et il s'ennuie un peu, il rêve de voyages, d'aventures, de femmes nouvelles. Cet art de l'amour que Jeannette lui a enseigné, il voudrait l'expérimenter avec d'autres conquêtes pour s'assurer qu'il peut, désormais, se passer de son professeur. Et puis chaque corps apporte des sensations différentes avec son grain de peau, son odeur, il voudrait aimer toutes les femmes du royaume !

— Tu comprends, j'ai la comédie et...

C'est un argument pour rien, pour gagner du temps.

— Et nous partons quand ? demande-t-il en souriant.

— Le temps de trouver des chevaux... Demain ?

— Eh bien, à demain !

Jeannette pleure à chaudes larmes quand Thibault lui annonce son départ. La Furie se met en colère et crie si fort que les cloisons de la roulotte tremblent.

— Ce n'est pas la peine de hurler ! dit Thibault. Je reviendrai. J'ai juste besoin d'aider un ami qui se rend en Normandie. Nous serons de retour à la fin de l'été.

La vieille femme tourne vers Thibault un regard terrible.

— Si tu ne reviens pas, dit-elle, le menton tremblant et d'un ton solennel, sache que je te jetterai un mauvais sort et que tu en mourras dans des souffrances qu'aucun homme n'a jamais endurées !

Le lendemain, les deux jeunes gens quittent Paris sur des rosses au dos cassé. Il fait beau ; le mois de mai touche à sa fin et l'air sent bon le foin sec.

— C'est tout ce que j'ai trouvé ! s'excuse Guibert. Et puis des bons chevaux coûtent trop cher.

Des petits nuages blancs courent dans le ciel. Guibert est rongé d'impatience et, si son cheval le pouvait, il irait d'un trait au château de Neuvialle qui se trouve quelque part dans les environs de Lisieux.

— C'est comme le château de Boisse, explique-t-il à son ami. La famille de Dyane n'est pas riche, mais elle appartient à la plus ancienne noblesse de Normandie.

— J'ai hâte de connaître ta belle ! dit Thibault d'un air coquin. J'espère qu'elle a une sœur ou des servantes avenantes. Je ne vais pas en Normandie pour ne point trousser quelque cotillon.

Il sourit, heureux d'être libre, d'aller droit devant lui, de retrouver les routes et leurs dangers, car, s'il a le goût des femmes, il a aussi celui de la bagarre et de la guerre.

— Je t'envie, tu es page dans une grande maison et tu t'entraînes aux armes. Moi, je ne peux qu'aller dans les tripots pour me battre contre des manants. La noblesse apporte beaucoup de privilèges.

Le premier soir, ils dorment dans le grenier d'une auberge où règne une chaleur atroce. Thibault, que la vie marginale a déluré, leur évite de se faire dévaliser. Au dîner, il remarque les regards avides du patron et, en milieu de nuit, quand des pas font craquer l'escalier de bois, il attend, la main sur sa dague, et n'a pas de mal à maîtriser rapidement le voleur.

— Toi, dit Guibert plein d'admiration, je crois que tu as su tirer les leçons de ta nouvelle existence.

— Dans la rue, sur le parvis de Notre-Dame, seuls ceux qui savent se servir d'une lame survivent. Les autres sont trouvés morts un matin au bord du fossé, ou flottant sur la Seine... Mais ce gueux n'en est sûrement pas à son coup d'essai. Dis-nous, manant, où enterres-tu ceux que tu détrousses en ton auberge ?

L'autre secoue la tête en guise de dénégation. La pointe de la dague s'enfonce d'un demi-centimètre dans le gras du cou, un peu de sang coule sur sa chemise.

— Parle, ou je te dépêche chez le diable.

C'est un homme d'une cinquantaine d'années au visage mou, au regard fuyant.

— Je vous en supplie, monseigneur ! Laissez-moi la vie. Je peux vous donner tout l'argent que j'ai.

— C'est bien ce que je pensais. Tu as dû beaucoup tuer pour être aussi généreux. Tu mériterais que je te dénonce à la prévôté. Mais je veux être bon prince. Tu vas nous donner tes deux meilleurs chevaux contre nos carnes et nous serons quittes.

L'aubergiste remercie. Le jour se lève sur une campagne immobile, figée dans la lumière blanche de l'aube peuplée d'une multitude de chants d'oiseaux. Guibert et Thibault commencent par se faire servir un déjeuner copieux puis partent sur deux chevaux du cabaretier qui ne sont pas de première jeunesse mais avancent assez vite.

— J'ai décidé de m'engager dans l'armée du roi ! dit Guibert, pour une année, avant de retourner à Boisse. Tu devrais venir avec moi. Veux-tu être mon valet de pied ?

Piqué au vif, Thibault saute de son cheval et s'accroche à Guibert, qui perd l'équilibre ; les deux garçons roulent dans la poussière de la route.

— Mais qu'est-ce qui te prend ?

— Sache une chose, dit Thibault hors de lui, je ne serai jamais ton valet de pied, ni le valet de personne. Dans la rue, j'ai appris à me faire respecter et j'ai appris aussi que la noblesse ne te protège pas d'une lame. Si je viens avec toi dans l'armée du roi, je serai ton égal.

Guibert ne comprend pas que ce fils de vilain soit aussi impétueux, aussi sûr de lui, aussi fort à manier l'épée ou la dague.

— Cesse de prendre la mouche pour un rien. Tu es mon frère de sang, donc mon égal. Pardonne-moi de t'avoir parlé de la sorte...

— Nos montures se sont éloignées, il va falloir rattraper ces deux carnes !

Ils arrivent enfin à Neuvialle. Le village ressemble effectivement à Boisse, avec ses maisons tassées autour du château qui tombe en ruine. Les douves n'ont pas été curées depuis longtemps et une forte odeur de vase règne sur les petites chaumières grises. Le village n'est pas défendu, mais il n'a pas plus de quinze feux et, en cas d'attaque, les habitants peuvent se réfugier au château.

— À mon avis, fait Thibault, nous ne devons pas nous présenter au père de Dyane en cavaliers venus de Paris. Qu'est-ce que tu vas lui dire ? Il faut ruser. Je crois qu'on devrait se débarrasser de ces deux rosses et se transformer en pèlerins partis pour Compostelle.

— À notre âge, tu ne trouves pas que c'est un peu bizarre ? Les pèlerins sont surtout des hommes d'âge mûr qui ont plein de péchés à se faire pardonner.

— On peut faire le pèlerinage pour quelqu'un d'autre...

— Pourquoi pas ? En tout cas, ça m'amuse, alors on y va !

Ils poussent jusqu'à Lisieux, se débarrassent de leurs chevaux et achètent des robes de bure qu'ils revêtent en riant.

— Par-dessous, dit Thibault, je te conseille de conserver ta cotte de mailles. On ne sait jamais : une bourse de pèlerin, c'est aussi tentant qu'une bourse de marchand. Moi, je garde ma dague qui m'a sauvé tant de fois.

Ils partent enfin en direction de Neuvialle. Le soleil brûlant annonce l'orage. Des nuages sombres montent sur l'horizon ; les paysans se hâtent dans les champs et les prés pour mettre à l'abri les gerbes et le foin.

Ils arrivent à Neuvialle quand les premières gouttes tombent, larges sur la poussière. Le tonnerre gronde. La pluie martèle le sol pendant quelques minutes puis s'arrête. La campagne fume tandis que le soleil sort de nouveau. Une odeur de terreau, d'herbe mouillée, de foin embaume l'air. Guibert et Thibault sont entrés s'abriter dans la seule auberge du village et commandent du cidre. Les gens ne parlent que de ces bandes de jeunes garçons et filles qui écument la région en chantant des cantiques.

— Ils sont partout à la fois ! dit un vieil homme édenté. Paraît qu'ils ont mis le feu à Louviers, qu'ils brûlent les champs de blé...

Maintenant, Guibert hésite. Son cœur bat de plus en plus fort, il regrette son audace et redoute quelque vérité qui va lui ôter tout espoir.

— Je peux pas ! dit-il. Faisons demi-tour.

— Faut savoir ce que tu veux ! Maintenant qu'on est là, faut aller jusqu'au bout.

Ils vident leur chope de cidre et se dirigent vers le château. À l'est, le soleil illumine de grands pans de nuages blancs. Le pont-levis ne fonctionne plus, la grosse porte ferrée qu'on ferme le soir ne résisterait pas longtemps à des ennemis décidés. Le sieur de Neuvialle est trop pauvre pour entreprendre les travaux de rénovation nécessaires. Il réussit tant bien que mal à conserver son antique noblesse en entretenant quelques hommes d'armes, qui sont aussi bûcherons à la saison du bois, moissonneurs pendant l'été, et deux chevaux qui tirent la charrue et ressemblent beaucoup aux rosses que Guibert et Thibault avaient à leur départ de Paris. Les jeunes pèlerins avancent entre les porcs, les volailles qui caquettent. Des jeunes serfs s'activent à nourrir cette basse-cour bruyante. Guibert pense à sa maison de Boisse, bien semblable à celle-là, et à l'hôtel particulier de Bouqueville. Quelle différence entre la haute noblesse à la fortune immense et la petite, pas plus aisée que ses paysans !

Un homme massif, petit, le visage couvert d'une barbe grise mal soignée et vêtu d'une broigne usée, s'approche d'eux.

— Je suis le sire de Neuvialle, dit-il. Vous êtes de bien jeunes pèlerins. J'espère que vous ne faites pas partie de ces bandes de voleurs qui écument le pays au nom de Dieu...

— Nous nous rendons à Compostelle ! dit Thibault, qui a gardé tout son aplomb. Nous demandons asile pour la nuit.

Guibert ne cesse de regarder autour de lui, de suivre des yeux les femmes qui traversent la cour. Il espère et redoute un visage connu, celui qui occupe toutes ses pensées depuis des mois.

Neuvialle s'étonne :

— Je ne vois pas comment, à votre âge...

Thibault lui coupe la parole.

— C'est toute une histoire. Nous n'allons pas à Compostelle pour expier des fautes, mais pour remercier Dieu d'un miracle qu'il fit lorsque nous étions dans les Flandres, il y a deux ans, à l'ost de notre roi Louis le dixième, que Dieu l'ait en Sa protection. Nous étions alors écuyers du chevalier de Bouqueville qui possède un fief en Limousin...

— Monseigneur de Bouqueville ? Vous connaissez monseigneur de Bouqueville ?

— Nous l'avons servi en son hôtel de Paris.

— Quelle coïncidence, dit Neuvialle tandis que son visage se ferme. Figurez-vous que ma fille Dyane servait Mme de Bouqueville, qui l'avait prise en sa protection, et puis la mort de ma pauvre Berthe m'a obligé à la rappeler.

Guibert baisse la tête pour cacher ses joues rouges. Si Thibault n'était pas là pour parler, il serait incapable de se tirer d'affaire.

Un jeune homme s'approche du groupe. Il est aussi brun que le sieur de Neuvialle, mais moins massif. Une barbe peu épaisse noircit son menton et ses joues.

— Mon fils Eude ! dit l'homme. Il voudrait être armé chevalier, mais ce n'est pas simple après ces mauvaises années, l'or est rare...

Eude salue les pèlerins, et son père les invite à entrer boire une chope de cidre.

— Nous n'avons pas grand-chose à vous offrir. On a eu faim, cet hiver. Vous pourrez dormir dans l'écurie.

Il fait bon à l'intérieur du château, la chaleur ne traverse pas les épaisses murailles, mais tout dénote la pauvreté du seigneur, ses coffres en planches ressemblent à des huches de paysan ; des pierres nues des murs suinte une humidité grise.

Une jeune femme apporte une aiguière de cidre.

— Ma bru, Agnès ! dit Neuvialle. L'épouse de mon fils Eude. Sa dot nous a été d'un grand secours. Mais, pour en arriver là, il a fallu que Dyane épouse le sire de Brittanges.

— Hein ?

Guibert s'est dressé, les poings serrés, menaçant. L'étonnement se marque sur le visage de Neuvialle. Il garde le silence un instant tandis que le visage de Guibert se décompose ; ses yeux brillants sont bien proches des larmes.

— Si je comprends bien, ces deux pèlerins sont surtout intéressés par ma fille !

Guibert a mal partout. Le monde s'écroule. Il venait ici chercher un bonheur infini et trouve le désespoir. Tout lui semble hideux dans cette maison, Neuvialle avec sa barbe broussailleuse, son fils, même la jeune Agnès au regard doux. Il ne cache pas son désarroi, et les deux pèlerins, que personne ne retient, saluent et s'en vont.

— Je crois, dit Neuvialle à son fils, que ces deux lascars venaient chercher votre sœur. Heureusement qu'elle n'est pas là, nous aurions eu bien du mal à la retenir.

Guibert est abattu, une nuit de mort règne dans sa tête et il ne voit pas le soleil revenu qui absorbe les flaques ; les plantes gorgées d'eau et de chaleur étalent leurs larges feuilles dans cette aisance de l'été naissant. La nature exulte, mais cela le laisse indifférent.

— Retournons à l'auberge ! dit Thibault. Nous allons décider quelque chose.

— Que veux-tu décider ? Il n'y a rien à faire. Je ne sais plus où vont me conduire mes pas. Je veux mourir.

Thibault se met en colère.

— Eh bien, meurs ! Moi, je ne veux pas mourir ! Je veux connaître beaucoup de femmes avant cela. Quand comprendras-tu que l'amour ne dure qu'un temps, qu'il s'émousse lui-même, comme la pointe d'une lance, qu'il ne peut vivre que dans la peur d'être compromis, dans l'attente, dans le désir de ce qui n'a pas été donné, dans l'insatisfaction ? Regarde cette bergère, as-tu vu ses cheveux blonds, son corps fin et plaisant ?

— Je ne veux rien voir ! Je veux mourir !

De retour à l'auberge, Thibault commande d'autre cidre. Guibert se tait ; il s'imagine enlevant Dyane qui l'aime encore. Cette pensée lui redonne un peu d'espoir. Thibault le comprend.

— Bois donc du cidre frais, c'est excellent pour le chagrin. Demain, on ira faire un tour chez ta belle...

Ils dorment dans l'unique chambre de l'auberge avec d'autres voyageurs, sur des paillasses disposées à même le sol.

Ce sont des marchands de bêtes qui convoient du bétail jusqu'à Rouen. L'un d'eux n'a pas voulu se séparer de son chien, qui aboie au moindre bruit. Le lendemain, Thibault et Guibert partent vers Brittanges. Guibert reste sombre, préoccupé ; Thibault est heureux de marcher dans la lumière de cette chaude matinée. Cette vie d'aventures lui plaît et, parfois, il regrette de ne pas avoir suivi les Pastoureaux. Il tente de consoler son ami, que le manque de sommeil rend défaitiste.

— Son mari est vieux et impuissant ! Tu reviendras la chercher dans quelque temps...

Thibault ne va pas au bout de sa pensée. Il se dit que quelques années de séparation arrangent ces chagrins en inventant d'autres joies, d'autres amours...

Brittanges est un beau village protégé par deux bras de rivière ; on ne peut y accéder que par un pont gardé par la milice du prévôt. Le château se trouve en retrait, comme dans tous ces villages qui ont beaucoup grandi au cours du siècle dernier et ont dû occuper des zones voisines.

Les deux pèlerins s'approchent. Un groupe de jeunes femmes en robes légères passe par le pont et se dirige vers eux. Guibert, qui vient de reconnaître Dyane, reste médusé, incapable de faire un pas de plus. La jeune femme, au milieu de ses amies, s'approche en bavardant sans faire attention aux deux pèlerins. Tout à coup son regard se porte sur eux, s'arrête sur Guibert. Elle pâlit.

— Eh bien, Dyane, tu viens... Qu'as-tu vu ?

Enfin Guibert a la force de faire un pas en avant. Dyane baisse la tête.

— Voilà ! fait Guibert. Je suis venu.

— Pardonne-moi ! murmure Dyane, je me suis opposée autant que j'ai pu...

— Dyane, on t'attend ! dit encore une jeune fille.

— Partez devant, je vous rejoins dans une minute.

Thibault se tient en retrait. Il regarde avec envie les jeunes filles, qui ne semblent pas farouches.

— Pardonne-moi, murmure encore Dyane.

— Je suis venu te chercher. Nous allons partir en Bas-Limousin et personne ne nous retrouvera.

Dyane n'essuie pas les larmes qui roulent sur ses joues.

— Non, Guibert, c'est impossible. Je suis mariée, désormais.

— Rien n'est impossible. C'est que tu ne le veux pas, que tu as oublié tes serments ! Nous nous sommes promis l'un à l'autre avant ce mariage, qui ne compte pas aux yeux de Dieu ! Le poursuivre serait un péché !

— C'est l'inverse qui est péché.

— Dyane, on ne peut pas se parler ainsi devant tout le monde. Dis-moi où on peut se retrouver, j'ai tant à te dire...

Diane se tait un moment puis dit :

— Tu vois ce chemin, près de la rivière. Tu le suis, au bout, il y a une maison abandonnée. Attends-moi demain, après tierce.

Elle s'éloigne à pas pressés. Maintenant que le groupe a tourné dans la ruelle, Guibert se demande s'il n'a pas rêvé. Le lendemain, il est à l'endroit indiqué bien avant tierce. Thibault, qui en a profité pour aller se promener dans le village, le rejoindra plus tard. Les jeunes filles arrivent en bavardant. Dyane entre dans la petite maison. Quand ses yeux se sont habitués à l'obscurité, elle découvre Guibert, debout à côté d'un coffre défoncé. Il lui tend les bras et elle ne peut résister à l'élan qui la pousse vers lui, même si sa conscience lui dit que c'est très mal, qu'il faudra s'en confesser sous peine de porter ce péché tout au long de sa vie. Ils restent enlacés un bon moment, puis Dyane se libère.

— C'est mal ! dit-elle. Je n'ai pas le droit.

— Si, tu as le droit ! Nous sommes l'un à l'autre, comme nous nous le sommes juré. C'est ton père qui t'a contrainte à ce mariage idiot pour de l'argent.

Dyane soupire, une larme perle au coin de ses yeux. Guibert la prend de nouveau dans ses bras.

— Mon mari est un vieillard ! dit-elle. Il peine à marcher, mais il est riche et espère que ma jeunesse va lui redonner des forces. Les hommes acceptent tout, sauf de vieillir.

Elle se tait un instant et dit comme pour elle-même :

— C'est horrible ! Souhaiter la mort de quelqu'un...

Ils s'étreignent de nouveau avec passion, quand ses amies se mettent à parler dehors. C'est le signal. Guibert et Dyane doivent se séparer.

— Chaque soir, je regarderai les premières étoiles de la nuit et je saurai que tu les regardes aussi et que tu penses à moi.

— Oui, les étoiles ! dit Guibert. Un jour, un prêcheur fou à côté de la tour de Nesle disait qu'elles sont aussi grosses que le soleil...

— Qui sait ? Ce sont peut-être les soleils de la nuit...

— Dans deux ans, je serai de retour et je t'emmènerai en Limousin.

Elle s'éloigne très vite, sans se retourner. Guibert reste longtemps dans la petite maison à chercher une image, qui est déjà un souvenir, à sentir le léger parfum de Dyane dans l'air et sur sa chemise. Un sifflement le tire de sa rêverie. Dehors, la lumière l'éblouit. Thibault, à l'ombre d'un chêne, lui fait signe.

— Partons, maintenant ! dit-il. Nous reviendrons puisque tu le veux !

Combien sont-ils ? Deux cent mille ? Plus ? Tous les garçons et filles du royaume sont partis sur les chemins, les routes et convergent vers Paris, lieu de rendez-vous, et départ de la plus grande croisade de tous les temps. D'une même voix, ils chantent des psaumes à la gloire de Jésus. Mais leur jeunesse les brûle, et le soir, quand cesse la marche, ils dansent autour du feu, se poursuivent dans les taillis qui se peuplent de gloussements et de rires retenus.

Désormais, les villes ferment leurs portes à cette marée de pilleurs affamés, mais les hommes d'armes ne réussissent pas toujours à les refouler. Les prêcheurs blancs laissent faire. Chaque matin, ils exhortent cette multitude fanatisée, déroulent devant elle le rêve merveilleux du pays à conquérir, ce pays où le blé pousse sans soin, comme une mauvaise herbe, où la maladie est inconnue, le pays choisi par Dieu pour le passage terrestre de Son fils et qu'ils vont reconquérir puisque leurs pères n'ont pas été capables de le garder.

Ils arrivent enfin aux portes de Paris. La croix en tête, ils sont là, miséreux de Normandie, des Ardennes, d'Aquitaine, du Périgord, d'Auvergne, de Bourgogne, toute la jeunesse de France, grondant comme un essaim, menaçant si les portes ne s'ouvrent pas. Les Parisiens voient avec effroi cette armée qu'aucun roi n'a jamais pu rassembler, et entendent son grondement sombre d'orage. À la prévôté on ne sait que faire, Paris est assiégé par des enfants, quelle défense leur opposer ?

Le roi Philippe V espérait que la vague butant sur des portes fermées irait déferler ailleurs. Mais non, la croisade victorieuse doit partir de Paris. Les spécialistes de la guerre conseillent au roi de ne pas céder.

— Ce sont des gueux ! Que peuvent-ils ?

— Ils peuvent, dit le roi, parce qu'ils sont plus nombreux que tous les Parisiens réunis. Jamais on ne vit pareil rassemblement ! Et puis il ne sera pas dit que je serai le roi qui fait donner l'armée sur sa jeunesse.

Il réfléchit un instant. C'est un homme peu influençable et fort, comme l'était son père, Philippe le Bel. Enfin, il décide :

— Qu'on ouvre les portes ! Faites crier que tout pilleur sera exécuté sur-le-champ.

Les portes de Paris s'ouvrent, et la vague déferle dans les rues. Les Parisiens se barricadent chez eux et tremblent. Le flot arrive au Louvre et demande le roi. Philippe V entend ces voix, celles de son peuple, et s'interroge. Comment toute cette jeunesse a-t-elle pu se mettre sur les routes en même temps, pour arriver ici, groupée et unie ? Des prêcheurs de croisade, des faux prophètes à l'esprit dérangé, il y en a toujours eu, et le peuple ne les suit pas, alors pourquoi ceux-là, avec leur croix faite de deux bâtons attachés par une cordelette, ont-ils réussi ? Le roi pense à la dernière lettre du pape : *Nous avons vous et moi le même ennemi. Nous ne devons surtout pas nous tromper d'objectif. Les templiers ont retrouvé toute leur influence un moment perdue. Nous devons prendre leurs menaces au sérieux puisque nous ne savons rien d'eux, rien de leur grand maître. Nous savons seulement qu'ils ont juré de mettre à genoux le royaume de France et la papauté. Tous les moyens leur seront bons et nous devons être toujours plus vigilants.*

Des milliers de voix adolescentes crient en chœur :

— Le roi avec nous !

— Mon neveu, ce sont des manants ! dit Charles de Valois. Je vous conjure de ne pas ouvrir.

— Qu'on ouvre les fenêtres ! dit Philippe V, décidé, je vais leur parler.

La grande baie pivote enfin, et le roi apparaît, ovationné par ces moins que rien qui ont à cet instant le sentiment de remporter une victoire décisive. Eux qui sont traités à coups de pied au cul, eux qui travaillent dans la boue, le froid, la faim au ventre à longueur de saison, eux qui meurent comme des bêtes, dans un coin d'étable, recroquevillés sur leur douleur, viennent voir le roi et le roi les reçoit, tend ses mains fines vers eux et leur parle.

— Vous êtes venus de toutes les provinces du royaume, appelés par la foi. J'ai confiance en vous...

Une ovation suit ces paroles. Les Pastoureaux scandent toujours :

— Le roi avec nous !

Tout à coup, une voix puissante domine les autres.

— Au Châtelet !

Aussitôt, des groupes se détachent de l'assemblée et s'égaillent dans les rues voisines. Au Châtelet, le prévôt fait barricader les portes, mais quelles portes pourraient résister à tant de corps entassés, soudés en un seul corps ? Le soir, à la tombée de la nuit, sereine comme le sont les courtes nuits de juillet, le Châtelet cède devant le flot, la fourmilière qui broie tout sur son passage. Le prévôt veut s'interposer, appeler au calme, dire qu'il va faire distribuer des vivres. Personne ne l'écoute, il est assommé, et la razzia continue. Au petit matin, les Pastoureaux laissent derrière eux une forteresse dévastée, quelques cadavres jonchent les ruines.

Un nouvel ordre conduit les jeunes en direction de Saint-Germain-des-Prés. Des groupes commencent par saccager les jardins de l'abbaye, puis ils entrent dans le monastère.

Depuis longtemps Patte-Raide s'est imposé comme chef auprès de Castillau. Il se dévoue entièrement à cette noble cause à laquelle il croit : la reconquête du royaume d'Orient. Il conduit les pillages avec une rage qui fait étinceler ses yeux sous ses longs cils noirs. Ses ordres sont brefs, précis ; il a cette force, ce magnétisme qui contraignent à l'obéissance.

— C'est le diable, dit un moine.

Il se démène, boitille d'une pièce à l'autre, il est partout à la fois et les coffres sont défoncés, les niches ouvertes. Un moine plus courageux que les autres se dresse, prêt à faire face ; Patte-Raide l'abat d'un coup sans la moindre hésitation.

Les adolescents se donnent à l'ivresse du vol. Il y a tant à prendre, et ils ont faim ! Eux qui n'ont jamais rien eu, qui ont vécu jusque-là comme des animaux, découvrent les belles demeures, le luxe des palais, l'abondance des garde-manger et, pour une fois, ils sont les maîtres, ils peuvent prendre sans être punis, voler sans risquer la corde. Rien ne les arrêtera, pas plus le roi, qui les menace de son armée, que les hommes du prévôt. Ils sont en guerre, une guerre sainte contre l'ordre imposé qui les a privés de tout. Dieu par leur voix parle de partage et ils récupèrent leur part spoliée. Ce n'est plus une croisade mais une jacquerie.

Saint-Germain-des-Prés dévastée, ils refluent vers l'abbaye Saint-Marcel où le père supérieur se prépare à subir un siège en règle et perdu d'avance. Il fait déménager à la hâte les statues, les trésors d'orfèvrerie dans les caves souvent oubliées par ces voleurs pressés. Les plus courageux des clercs se préparent à vendre chèrement leur vie, les autres s'enfuient. Des bruits circulent sur l'horreur des crimes commis à Saint-Germain, moines empalés, prieur écrasé dans le pressoir à raisin, religieux pendus par les jambes et fouettés...

Mais l'orage cesse brutalement. Un nouvel ordre circule, rappelle à tous qu'il est temps de partir pour la Terre promise.

— À Jérusalem !

Paris se vide en une matinée. Les prêcheurs blancs, croix levée, partent à la tête de cet immense cortège qui marche vers Orléans en chantant des cantiques. L'ouragan ne laisse que désolation sur son passage. Sainte-Geneviève-des-Bois, Montlhéry, Arpajon, Étampes sont pillés. Les autorités militaires locales tentent d'opposer une résistance, mais rien n'arrête cette foule surexcitée. En tuer quelques-uns décuple la rage des autres et il y en a toujours plus. Les retardataires affluent de partout, ceux qui n'avaient pas répondu au premier appel arrivent des quatre coins du royaume. Pas un village de France, pas une ville n'a gardé sa jeunesse. La mort peut frapper ces provinces, le feu les décimer, plus rien ne poussera sur ces terres maudites. Que tombe une pluie éternelle, cela n'a plus d'importance : la France est condamnée, toute une génération est partie la reconstruire là où la misère n'existe pas !

Dix jours après leur départ de Paris, les Pastoureaux sont à Orléans, qu'ils mettent à sac. La milice de la prévôté, une fois de plus, est écrasée par le surnombre. Des groupes d'une extrême mobilité enfoncent les portes, pénètrent dans les maisons, tuent sans la moindre hésitation, percent les coffres à bijoux, les châsses des églises et les précieux reliquaires. Ils emportent ce qui peut l'être, l'or, surtout. Les réserves de nourriture sont mises à sac par des mains avides. Orléans subit la furie des pillards deux jours entiers, puis, à l'aube du troisième, les Pastoureaux quittent les bords de Loire. Une semaine plus tard, ils sont à Vierzon, laissant derrière eux ruines et cadavres, champs dévastés, étables vidées de leur bétail sacrifié et mangé sur place en bacchanales qu'orchestrent tout un tas de malfrats, de putains et d'illuminés. Limoges est ensuite dévasté, puis Brive et Périgueux.

Philippe V, qui jusque-là a refusé d'envoyer la troupe pour éviter un bain de sang, fait part de son inquiétude au pape, mais Jean XXII ne veut pas s'engager dans une action militaire tant qu'Avignon n'est pas menacé.

L'oncle du roi, Charles de Valois, a, dans sa médiocrité, des traits de génie, et ses avis peuvent être judicieux quand ils sont dénués d'intérêt. Il préconise la manière forte.

— Une armée de chevaliers, mon neveu, aura tôt fait de mettre ces gueux au pas. Il suffit de faire des prisonniers, de leur infliger quelques bonnes mignardises sur la roue, d'en pendre une centaine devant tout le monde après leur avoir arraché la langue. Croyez-moi, il ne faut pas laisser le petit peuple agir à sa guise.

Philippe V est perplexe. La guerre, les pendaisons, les souffrances lui répugnent. Il a ce sens de la politique qui ne s'arrête pas à l'apparence des événements, mais cherche à en délier les nœuds et prévenir les conséquences.

— Vous voulez attendre que toutes les villes soient à feu et à sang pour vous décider ? insiste Charles de Valois.

La marée ravage le Périgord, le Quercy, l'Agenais. À mesure qu'elle progresse, la pieuvre étend ses tentacules, se morcelle pour attaquer plusieurs villes à la fois, puis les groupes, avertis par des ordres mystérieux, se retrouvent là où personne ne les attendait. Ce qui semble désordre est au contraire stratégie parfaitement mise en place.

En août, les Pastoureaux s'attaquent aux monastères. La haine des moines s'exprime dans de terribles scènes de torture. Ils incendient les maisons, dévastent les champs où les laboureurs tentent de récolter du blé que, pour la première fois depuis trois ans, la pluie a épargné. Ils vident les étangs, renversent les clochers, profanent les autels et les cimetières.

Le roi obtient enfin des renseignements sur leur organisation.

— Ils sont fanatisés ! dit le chevaucheur qui a mis huit jours pour rejoindre la capitale et tombe de fatigue. Certains de ces adolescents se sont imposés comme de véritables chefs de guerre, mais le pire de tous, celui sous lequel tous les autres se rangent en cas d'attaque, c'est ce gueux aux beaux cils de fille qui a une jambe raide, ce qui lui donne une silhouette de vieux soudard. Il lit et écrit le latin aussi bien qu'un clerc. C'est aussi un bon stratège.

— Il faut le capturer ! dit le roi.

— Bien difficile ! répond le chevaucheur. Il s'entoure d'une garde de solides gaillards, forgerons, bouchers, enfin, des garçons aux épaules solides qu'une lame n'effraie pas. C'est le diable, je vous dis, il les a ensorcelés et ils se feraient couper en morceaux pour lui.

— Les véritables chefs de guerre sont ceux qui savent se faire aimer de leurs hommes ! fait le roi. Dommage, il aurait pu devenir un bon général. Quoi qu'il en soit, une fois capturé, j'aimerais qu'il soit épargné et qu'on l'amène ici.

— C'est faire bien de l'honneur à la crapule ! s'exclame Charles de Valois.

Le roi sourit. Est-ce parce qu'il pense aux longs cils de fille de ce jeune boiteux qu'il souhaite le voir ? Ou bien à cause de ce dévouement que suscite ce garçon, lui qui n'est entouré que de haine ? Les résolutions des rois, comme celles des autres hommes, échappent souvent à l'entendement ; leurs raisons proviennent alors des profondeurs de l'être, dans ces méandres où ne passe jamais la lumière.

Philippe V s'approche de la fenêtre. L'été chaud et sec cède la place à l'automne. Les premières feuilles des cerisiers tournoient dans les jardins du Louvre.

— Je n'aime pas cette saison ! dit-il, comme s'il pressentait qu'en un temps semblable et proche il mourrait en endurant les pires souffrances.

Puis, se tournant vers le chevaucheur :

— Comment s'appelle ce capitaine aux yeux de fille ?

— Il n'a pas de nom, Sire. Les autres l'appellent Patte-Raide à cause de sa jambe. On dit qu'il fut un enfant abandonné sur le parvis d'une cathédrale, récupéré par une vieille femme. Je crois qu'il vient de Tulle, en Bas-Limousin...

— Bien, bien, reprend le roi. Ne trouvez-vous pas curieux que ce chef, ce Patte-Raide, comme vous dites, soit...

Il se tait, conscient de l'irrationnel de son propos. Charles de Valois exprime son impatience. Le frère de Philippe le Bel peut se permettre cette familiarité en présence du roi.

— Je trouve, quant à moi, qu'on parle beaucoup trop pour ne rien faire. Quand comptez-vous mettre hors d'état de nuire ces manants ?

— J'attends que le pape se décide. Il craint désormais pour Avignon.

— Pour Avignon ! reprend Valois en secouant ses rubans et ses bijoux qui brillent à la lumière déclinante du jour. Mais vous n'y pensez pas, mon neveu ! Cette vermine n'osera jamais s'en prendre à notre sainte cité.

— Ils n'hésiteront pas, mon oncle. Je vais envoyer une armée, certes, mais je ne voudrais pas que tout cela dégénère en tuerie, car vous savez comme moi que ceux qui tirent les ficelles ne connaissent ni la pitié ni les regrets.

— Raison de plus pour leur montrer votre détermination !

— Certainement, mon oncle, mais peut-être avons-nous trop attendu !

Du haut du donjon, Foulque de Masvallier promène son regard de corbeau sur le lointain horizon. Des chevaucheurs viennent de lui annoncer l'approche des Pastoureaux. Ils ont mis à sac Brive et Terrasson, et que peut-il contre ces hordes sauvages avec sa poignée d'hommes ? Le soleil brille, ce matin, faisant étinceler en contrebas la Corrèze dont les eaux basses découvrent de larges bancs de galets. La moisson a été convenable, même si beaucoup de blé s'est perdu par manque de bras. L'automne colore les collines. Foulque est satisfait. Tout s'est passé comme l'avait annoncé l'étrange visiteur bossu, l'hiver dernier, au château de Sarran. Une fois le sanglier disparu, il n'a pas eu de mal à prendre une forteresse sans défense. Les amis de son frère, brusquement orphelins, ont fui comme des lapins pourchassés par la meute. Le fidèle Berthot a été retrouvé dans la rivière, un coup d'épée en pleine poitrine. Foulque a laissé le corps s'en aller au fil du courant pour nourrir les écrevisses.

Aude de Lieucourt a beaucoup pleuré. Elle est restée plusieurs jours enfermée dans sa chambre d'où l'on entendait ses lamentations. Foulque ne l'a pas chassée, il était prêt à l'accueillir dans sa suite, mais Iseult s'y est opposée.

— Cette femme ne me plaît pas !

Aude, enfin consolée, a tout de suite compris que sa place n'était plus là. Elle a fait ses malles et s'en est allée sans préciser sa destination.

Iseult ne quitte pas son chevalier. De femme de compagnie qu'elle était, la voici première dame de la place. Elle devrait être heureuse, avec l'homme qu'elle aime, qu'elle a choisi après tant d'années d'attente et d'exaltation. Peut-être a-t-elle trop attendu : la joie s'est ternie comme une belle étoffe que l'on garde pour plus tard. Iseult comprend au fil des jours et des saisons que sa nature profonde est l'insatisfaction, qu'elle s'en est protégée par l'espoir d'un sentiment sublime. Elle éprouve le regret d'un temps trop vite passé. Elle aimait parer l'attente de toutes les vertus, et, n'ayant plus rien à espérer, son amour pour Foulque perd cette force exceptionnelle que lui conférait la soudaineté.

Dans la ville, l'angoisse monte, comme à l'approche de l'orage quand l'horizon s'assombrit. Les Pastoureaux ne sont plus qu'à une lieue. Les riches bourgeois, ceux qui ont des maisons solides, se barricadent chez eux, creusent des souterrains, des cachettes pour échapper au carnage et mettre leurs biens à l'abri, les pauvres prient.

Tulle est comme frappé de stupeur ; les rues désertes retrouvent le silence d'un temps de guerre. L'évêque Lescure s'est retiré dans son château de Gimel bien protégé par son fossé. L'archiprêtre, qui est resté, propose une procession derrière la statue de saint Benoît. Ainsi, toute la curie chantant à tue-tête et suivie d'une foule apeurée parcourt les rues de la ville. Mais Dieu n'entend pas les prières des Tullistes. À peine saint Benoît est-il rangé dans la cathédrale que les Pastoureaux arrivent au pied des murs de la ville, s'entassent dans les prairies de part et d'autre de la Corrèze. Ce n'est pas une armée, c'est un peuple tout entier qui s'étire dans la vallée étroite de la porte Mauvaise à Laguenne. Chacun se prépare au pire et les heures passent, interminables et vides. Les guetteurs pensent que les Pastoureaux vont attendre la nuit pour attaquer ou peut-être le lendemain matin. Comme le chat tarde à achever la souris qu'il laisse repartir par jeu, ils prennent plaisir à prolonger l'angoisse des habitants qu'ils vont bientôt piller et massacrer.

Ce soir, tandis que le soleil se couche, les Tullistes entendent les jeunes chanter des cantiques puis rire entre eux comme dans une fête de village. Le lendemain matin, après une nuit de terreur, ils sont étonnés par la ferveur de cette immense foule qui écoute la messe. Comment d'aussi cruels meurtriers, ces voleurs avides, osent-ils célébrer Dieu et participer à l'eucharistie ? Vers midi, enfin, ils lèvent le camp et s'éloignent par le même chemin qu'ils avaient emprunté pour venir. On n'ose y croire ! Ce qu'on appellera plus tard le miracle de Saint-Benoît s'est bien produit. Une heure après, il ne reste plus personne dans la vallée, Tulle est la première ville épargnée grâce à l'un de ses enfants au genou écrasé par un bourgeois pressé.

Le danger passé, Roger Lescure de Gimel rentre à Tulle avec toute sa maison, ses clercs, ses secrétaires, sa valetaille. Il est de mauvaise humeur : le pape a nommé plusieurs cardinaux, dont un jeune homme de vingt-quatre ans, et l'a oublié. Il ressent cela comme une trahison, mais que faire ?

À l'évêché, c'est l'affolement, comme chaque fois que le maître revient de ses hautes terres. Les servantes courent dans les couloirs ; les marmitons se bousculent aux cuisines pour tout ranger et préparer le repas à l'heure.

Ce soir, crotté d'avoir chevauché dans la boue, fourbu, contrarié, Lescure ne souhaite que le calme près de sa cheminée quand on vient lui annoncer la visite d'Aude de Lieucourt.

— À cette heure ? fait-il, bougon. Je croyais qu'elle était repartie chez son père.

Mais son visage s'est éclairé, ses yeux ont pris ce pli qui les allonge en amande, ses narines ont frémi comme celles du renard qui sent la volaille dodue. Comment résister à la beauté touchante de cette jeune femme ? Il n'a pas oublié les regards qu'elle lui glissait parfois quand Barbe-Noire avait le dos tourné.

— Qu'on la fasse entrer ! dit-il en prenant un air ennuyé.

Il se compose un visage surpris et en même temps heureux.

— Et qu'on nous laisse.

Un froissement de robe de soie, et la jeune femme est devant lui, toujours aussi belle, avec ce teint frais, ces mouvements gracieux, pleins d'une sensualité qui n'a pas échappé à l'évêque.

— Vous ici, madame ? Je vous croyais de retour chez votre père.

— Pour qu'il me marie au vieux chevalier de Boutte-loup ! Je m'étais enfermée chez les clarisses pour faire une retraite après la mort de ce pauvre Geoffroy. Je voudrais tant que Dieu pardonne mes péchés.

— Il vous les pardonnera, mon enfant. Disons que Barbe-Noire avait des moyens bien à lui pour séduire les femmes.

— Certes ! dit-elle, tandis que ses yeux se mouillent. Mais ma pénitence est là, je ne sais où aller. Accepter de revenir chez mon père, c'est accepter d'épouser Boutteloup, qui est riche, mais approche les soixante années et sent si mauvais...

— Si c'est votre pénitence, il faut l'accepter pour mériter le paradis...

— Je ne pourrais. Je préfère la modeste condition de servante. Gardez-moi ici, près de vous. Je vous servirai et Dieu me pardonnera plus facilement mes fautes.

En parlant, elle lève sur Lescure ses grands yeux pleins de larmes. Sa poitrine se gonfle, tend le tissu. Une fois de plus, la tentation se présente et le prélat n'a pas envie de résister. Le pape ne lui a-t-il pas pardonné ses péchés passés et à venir ?

— Je vous en supplie, continue Aude. Gardez-moi en votre maison.

— Nous verrons cela demain ! dit Lescure. En attendant, je vais demander qu'on vous prépare une chambre !

Le soir, après le dîner, l'évêque s'enferme dans son bureau pour lire et écrire, mais ses pensées ne peuvent se détacher de cette poitrine offerte, de ce visage jeune et d'un ovale parfait, de ces yeux qui le suppliaient... Pour chasser le démon, il s'agenouille sous son crucifix et se met à prier.

Quand ils apprennent que le pape les a excommuniés, les Pastoureaux, regroupés en amont de Castres sur un plateau qui domine la vallée de l'Agout, sont pris d'une fureur hystérique. Plusieurs villages et bourgs de la région sont saccagés, incendiés, la population massacrée. Les autorités locales se savent démunies face à ces hordes de loups. Le sénéchal de Carcassonne n'a pas suffisamment d'hommes pour disperser ces enragés, il demande du renfort à ses voisins et dépêche courrier sur courrier au roi de France pour qu'il se décide enfin à envoyer des troupes. Le roi promet, mais cela va prendre du temps, et combien de villes, de villages seront encore détruits, combien de milliers de morts faudra-t-il avant de leur opposer une véritable armée ?

Depuis plusieurs mois, le pays est bloqué. Chacun se terre chez soi en espérant que les massacreurs ne viendront pas. Chaque tentative des forces locales pour arrêter les jeunes pilleurs s'est soldée par un sanglant massacre, et, pour un Pastoureau tué, dix, cent, mille surgissent des quatre coins du pays et rejoignent cette horde de fanatiques. Le pillage, au début simple moyen de subsistance, est devenu un but en soi. Les jeunes chefs ont un sens inné de la stratégie de guérilla. Patte-Raide, monté sur son cheval blanc, sait tirer le plus grand parti de l'effet de surprise. Il lance des leurres pour égarer la défense tandis que l'attaque se produit ailleurs. Il applique ce qu'il a appris dans les environs de Tulle et sa détermination impose le respect à ceux qui commandent avec lui. Lydia ne le quitte pas. Silencieuse, elle voit tout, déjoue les complots, repère la jalousie et l'envie.

— Ça ne durera pas ! dit-elle en tournant ses beaux yeux vers Patte-Raide. Jusqu'à présent, ils ont envoyé des pleutres. Bientôt nous aurons une véritable armée en face de nous et nous serons tous tués.

Patte-Raide bat des cils à plusieurs reprises.

— Il faut entraîner nos troupes avant de partir en Terre sainte. Cette croisade doit être la dernière. Là-bas, il y a un pays à construire où tous les hommes seront égaux. La terre appartiendra à tout le monde et personne n'aura faim !

Quand il parle ainsi, son regard s'allume, un léger sourire étire ses lèvres.

— « Nous partirons au printemps ! » a dit Castillau. Maintenant, il nous suffit de trouver de l'or.

L'hiver 1317 n'est pas rigoureux dans le Sidobre. Les Pastoureaux ont changé de cible et la population respire. Ils s'en prennent désormais aux Juifs, qu'ils dépouillent de leurs biens. Les hommes sont torturés avant d'être pendus, égorgés ou empalés, les femmes brûlées et les enfants jetés à la rivière sans le moindre ménagement. Les tortionnaires récupèrent l'or qu'ils entassent dans un chariot gardé par plusieurs prêcheurs blancs.

Les massacres durent deux mois ; les adolescents tuent avec une sauvagerie inouïe. Monté sur son cheval blanc, Patte-Raide commande les opérations, les basses besognes reviennent aux garçons bouchers qui découvrent l'art de débiter la chair humaine. Il marche à côté de Castillau, qui commande les prêcheurs et surveille les sacs d'or, toujours plus lourds.

Quand ils apprennent que les Pastoureaux s'approchent de leur ville, les Juifs tentent de s'enfuir, mais la chasse s'organise dans la campagne et aucun n'échappe à ces loups pour qui tuer est devenu un jeu. Les plus riches rachètent leur vie et celle de leur famille, mais Castillau ne négocie pas et la somme est énorme.

Lydia supporte de moins en moins ces cris, ce sang, ces entrailles répandues sur les pavés et cette odeur de mort qui lui retourne l'estomac.

— Partons ! supplie-t-elle.

Patte-Raide n'est pas pressé.

— Nous allons bientôt partir, mais nos hommes ne sont pas prêts. Nous en avons fait des tueurs, pas des guerriers. Ils doivent encore s'entraîner. Nous partirons pour la Terre promise au printemps, période favorable aux sièges.

Il lui prend la main.

— Bientôt tout cela sera fini, mais pour l'instant nous n'avons aucune chance avec des garçons d'écurie qui se battent aussi mal que leurs bœufs, même s'ils ont pris le goût du sang.

Lydia essuie une larme qui a roulé sur sa joue.

— Et toi, pourras-tu un jour renoncer à cette vie ?

Il la serre contre lui.

— As-tu vraiment envie d'aller conquérir le tombeau du Christ ? demande-t-elle. Cette guerre ou une autre, pourvu que tu sois au milieu des cris, de la douleur et des larmes, tu es heureux !

Elle éclate en sanglots. Il ne répond pas et s'éloigne sur son cheval blanc.

Les jours passent, identiques, avec de nouveaux massacres, des bûchers hâtivement rassemblés où des Juifs se tordent dans les flammes. L'odeur de la chair brûlée emplit les campagnes. L'eau des rivières est rouge du sang versé. Des amoncellements de chair putride jonchent les rues ; des voituriers emportent ces charognes hors des murs ; rassasiés, les loups, les chiens errants et les corbeaux n'en veulent plus. Pas une seule ville, pas un village du Languedoc n'est épargné. Chaque matin, l'armée des Pastoureaux se divise en groupes qui partent semer la mort, puis se retrouvent le soir dans un champ, près d'un hameau que les habitants ont fui. Les prêcheurs blancs magnifient l'action de ces bourreaux aux regards d'enfants, de ces meurtriers qui pillent pour une noble cause. Ils ont perdu le sens de l'horreur et, la nuit venue, s'adonnent à leurs pulsions ; la mort appelle la vie, l'acte de vie. Ils s'endorment entassés dans des granges avant de repartir, au matin, pour d'autres carnages...

Dans son palais d'Avignon, au milieu d'une cour immense, le pape Jean XXII, âgé de soixante-douze ans, mène la chrétienté d'une poigne sûre. Il a placé des hommes dans toutes les cours et sait avant tout le monde ce qui se passe à Londres, Vienne, Rome ou Paris. Il a fait venir de Cahors ses neveux, ses cousins, et une grande partie de sa famille à qui il a distribué des charges importantes. Personne n'a protesté, car ce petit homme a, très vite, acquis une autorité que les plus grands cardinaux n'oseraient lui contester.

Avignon n'est pas menacé ; pourtant, les débordements des Pastoureaux l'inquiètent, car ils sont la marque d'un mal profond. Si la jeunesse s'est laissée embrigader aussi facilement, c'est à cause des famines, de l'insécurité, des désordres survenus après la mort de Philippe le Bel. Le règne de Louis X a été une catastrophe : les grands barons ont repris leur liberté et ponctionné le petit peuple au-delà du supportable.

Jean XXII sait qui commande tout cela, l'ennemi sournois, toujours fuyant, mais toujours présent : le Temple. Décapiter l'Ordre était nécessaire, mais peut-être ne fallait-il pas agir aussi ouvertement. Jacques Duèze aurait pris des chemins détournés, il aurait rusé, c'est sa spécialité, et, jusque-là, cela lui a bien réussi.

Depuis son accession au trône de saint Pierre, Jean XXII tente d'infiltrer l'organisation devenue secrète, mais il n'y parvient pas. Lui, grand spécialiste des cornues et des alambics, sait que les templiers ont des secrets qui leur confèrent un pouvoir sur la nature et les plantes. Les Pastoureaux, en pillant les Juifs, sont en train de reconstituer le trésor des frères chevaliers. Rien n'a été laissé au hasard. La montée sur Paris avait pour but de montrer au roi de France que la force n'était plus de son côté, de le défier. Ainsi le pape a-t-il, désormais, une certitude : il faut abattre les Pastoureaux, démanteler cette armée pour que le nouveau grand maître sache qu'il n'arrivera jamais à ses fins. Relever le défi reste la seule manière de survivre. Beaucoup de sang va couler, mais le retour de la paix passe par là.

Il a envoyé plusieurs courriers dans ce sens au roi Philippe V.

— Ce sera un grand roi si on lui en donne le temps ! dit-il à l'un de ses secrétaires, puis, après un silence, il ajoute : Dans cette cour, on n'aime pas les grands rois ni les règnes trop longs...

Il ne faut pas croire cette armée de vachers aisée à vaincre, bien au contraire, écrit-il au roi de France. *On me signale de gros mouvements de chevaux près de Béziers. Ils possèdent des arcs et des épées et s'entraînent à leur maniement. Certes, ils n'acquerront pas l'art des chevaliers, mais leur supériorité considérable en nombre rendra la tâche très difficile.*

Philippe V va plus loin que le pape. Il pense qu'une extermination totale est nécessaire, et c'est ce qui l'a retenu jusque-là.

Ces jeunes miséreux sont comme les taureaux qui ont servi dans l'arène et ne reconnaissent plus leurs vaches. Ils ne pourront jamais reprendre la vie qu'ils n'auraient pas dû abandonner, répond-il au pape. *Le mauvais esprit ne les quittera plus, ils doivent donc mourir. De plus, il est temps d'arrêter les massacres, les Juifs sont utiles au commerce. Si nous ne devons pas leur laisser prendre une place trop grande dans nos villes, quelques familles sont nécessaires pour l'approvisionnement en toutes sortes de choses et leurs banques nous sont indispensables. Une nouvelle jeunesse saine et décidée au travail naîtra sur les cadavres de celle que nous sommes, malheureusement, obligés de sacrifier. J'ai donné ordre au sénéchal de Carcassonne de rassembler les troupes nécessaires pour l'opération. J'envoie de Paris le comte de Lisieux à la tête de cinq mille hommes d'armes prêter main-forte et surtout veiller à l'exécution convenable de l'opération qui sera difficile pour des hommes de cœur, mais la moindre faiblesse aurait des conséquences terribles que nous n'avons pas le droit de risquer. Cette troupe sera sur place dans le courant de l'été. Alors va commencer l'opération de nettoyage. Votre aide en hommes et en moyens sera déterminante.*

Jean XXII sait que Philippe V a raison, mais ce roi, comme tous les puissants, ne cesse de quémander au pape des hommes, des indulgences, de l'or. Va pour les indulgences, elles ne coûtent que le prix d'un parchemin signé par Sa Sainteté, mais les hommes, mais l'or ne se trouvent pas aussi facilement ! Il promet cependant de faire tout ce qui est en son pouvoir et surtout de prier.

Pendant ce temps, les Pastoureaux poursuivent leur œuvre de destruction systématique. Les Juifs de Toulouse sont exterminés au mois de mars 1318, ceux d'Albi et de Verdun-sur-Garonne début avril. Il est alors temps de partir vers Jérusalem, mais aucun ordre en ce sens ne vient de Castillau. Patte-Raide insiste.

— C'est le moment ! dit-il. Nous arriverons au début de l'été et nous avons assez d'or.

Castillau n'est pas pressé.

— Nous verrons cela plus tard !

— Je vous en conjure, il faut partir, sinon, nous ne réussirons jamais !

— Depuis quand est-ce toi qui décides ce qu'il convient de faire ?

L'armée du sénéchal de Carcassonne se constitue, aidée sur place par le comte de Foix. En attendant le grand nettoyage, des petites divisions se portent au secours des villes jusque-là épargnées et en surveillent les abords. Mais les longues nuits sans lune sont favorables aux Pastoureaux, qui refusent l'affrontement direct et ont des yeux de chat pour se déplacer dans l'ombre. Ils restent parfois inactifs plusieurs jours par groupes morcelés, cantonnés en des hameaux vidés de leurs habitants où l'on entend le prêche des frères blancs et les cris de ces exaltés qui leur répondent avant de reprendre leurs ravages.

À partir du mois de mai, les Pastoureaux cessent toute action contre les Juifs. Ils quittent le Sidobre, ravagent le Minervois et fixent leur camp dans un coude de l'Orb au pied des monts de Lacaune. À Béziers, un détachement d'adolescents se heurte à des portes fermées et gardées cette fois par des hommes d'armes que la bataille n'effarouche pas. Ils réussissent à s'emparer d'un convoi de vivres et d'étoffes précieuses, mais les temps ont changé : désormais, ce ne sont plus des paysans apeurés et tremblants qui leur font face, des bourgeois suppliants qui livrent leurs Juifs pour avoir la vie sauve, mais des armées organisées et prêtes à se battre. Patte-Raide, à qui ce changement n'a pas échappé, va de nouveau trouver Castillau.

— Partons ! Le plus vite sera le mieux !

Castillau pose une main sur l'épaule du jeune homme.

— Rien ne presse, je te dis.

Patte-Raide ne comprend pas cette immobilité, ce temps perdu. La vie aventureuse a durci les traits de son visage, creusé ses joues.

— La saison avance ! s'exclame-t-il. Il sera bientôt trop tard.

Castillau hausse les épaules, comme si ce que venait de dire le jeune homme n'avait pas d'importance. Patte-Raide se dresse en face du templier.

— Parfois, je me demande si vous n'avez pas conduit toute cette jeunesse ici pour la livrer aux massacreurs !

Castillau a un sourire mauvais qui enlaidit son visage.

— Tranquillise-toi. L'Ordre a ses raisons.

En proie à une violente colère, Patte-Raide rejoint Lydia.

— Partons tous les deux tant que c'est encore possible ! dit la jeune fille.

— Une fois sur les chemins, nous nous ferons massacrer plus sûrement qu'ici, répond-il. Les vilains qui ont souffert à cause de nous auront tôt fait de savoir qui nous sommes. Et puis il faut rester : un capitaine n'abandonne pas ses troupes.

Elle se presse contre lui et le regarde intensément de ses grands yeux bleus. Près de lui, la mort ne l'effraie pas. D'ailleurs, elle lui semble impossible. Patte-Raide a échappé à tant de dangers qu'elle le croit protégé par Dieu Lui-même. Alors, il dit, comme s'il poursuivait sa pensée à haute voix :

— Ma Lydia ! Sans ta tendresse, je serais mort, sec comme un morceau de bois, vaincu par tous les hommes.

Il la serre dans ses bras, un geste d'enfant perdu et d'amant comblé.

Un oiseau s'est mis à chanter sur une aubépine fleurie. Le vent du sud est doux comme une caresse.

— Dis-moi la vérité. Si nous nous en sortons, deviendras-tu membre de l'Ordre ?

Il a un petit sourire.

— Enguerrand le veut, mais je ne lui ai rien promis. C'est un homme fin, il a bien compris que je ne pourrais jamais vivre sans toi.

En cette belle journée de juin 1318, Lescure n'est pas content de la lettre qu'il vient de recevoir du pape. Dans son précédent courrier, l'évêque avait exprimé à mots à peine voilés combien il serait fier et honoré de le servir avec la détermination d'un proche collaborateur, et voici que le Saint-Père s'interroge sur l'existence des anges : *Quelle est leur nature ? S'ils sont d'essence divine ils ne peuvent faire partie de la Création, mais la précèdent ; s'ils font partie de cette Création, ils ont dû passer par un état matériel et dans ce cas, ne sont que des âmes.* Cette question passionne Lescure, qui a beaucoup écrit sur le sujet, mais il aurait préféré que le pape se prononçât sur son éventuelle accession à la pourpre.

L'évêque sait maintenant que son voyage en Avignon a eu un effet déplorable : il s'est montré un peu trop pressant auprès de Jean XXII, qui n'aime pas qu'on lui force la main. Aussi a-t-il décidé d'attendre quelques mois avant de se manifester de nouveau. Pour l'instant, il passe beaucoup de temps en compagnie d'Aude de Lieucourt, dont il découvre l'esprit. La jeune femme sait lire, comprend un peu de latin et se passionne comme lui pour les graves questions de théologie dont ils débattent pendant des heures. Elle insiste toujours pour que l'évêque ne la renvoie pas chez son père.

— Gardez-moi ici, monseigneur, votre compagnie m'est tellement agréable !

Elle appuie sur les deux derniers mots et glisse une œillade espiègle à Lescure, qui baisse la tête pour ne pas montrer que ce corps jeune et beau ne le laisse pas indifférent. Savoir, en outre, que cette femme a appartenu à Barbe-Noire augmente son désir, car cela laisse supposer des manières franches et sans retenue, une paillardise dont il rêve.

— Monseigneur, que pensez-vous de ces jeunes des champs partis par les routes ? Pensez-vous que les templiers aient un tel pouvoir sur les âmes humaines ?

— Il y a là-dessous quelque chose de difficile à comprendre. Il est certain que les hérétiques sont derrière ces débordements et nous narguent.

Il n'a pas osé prononcer le mot *templier* qui, désormais, lui fait peur. Aude sourit en regardant par la baie un vol pressé de palombes.

— Ils ont épargné Tulle alors qu'ils se trouvaient à nos portes, ils ont épargné aussi votre fief quand ils ont ravagé tout alentour, ne trouvez-vous pas cela bizarre ?

Il trouve cela tellement bizarre que, si Barbe-Noire était vivant, il le soupçonnerait d'être à l'origine de ce tour de force. Mais Barbe-Noire est mort et l'évêque se sent menacé. Certes, en bon chrétien, la mort ne l'effraie pas puisque le paradis l'attend, mais il n'est pas pressé et espère beaucoup d'années de cette vie, d'étés chauds et lumineux, d'automnes croulant sous les fruits, d'hivers près de son feu à écouter un troubadour ou un joueur de luth. La vie ici-bas a tant de bons côtés, quand on est riche et puissant ! Son fief de Gimel lui rapporte chaque année de confortables revenus, ce serait un péché de ne pas profiter longtemps de ces bienfaits de la Création.

— J'en pense qu'ils ont préféré aller où la rapine était plus aisée. Tout ce que je souhaite, c'est qu'ils finissent au bout d'une corde avant de dégringoler en enfer. Les laboureurs doivent rester aux champs, les bergers avec leurs bêtes. C'est ainsi que Dieu l'a voulu.

— Et les évêques, monseigneur, doivent-ils accepter la compagnie des femmes ?

— Dieu absout les évêques plutôt que les manants parce qu'Il les a placés à la tête de Son troupeau. Sa Sainteté le pape me disait lui-même, lors de notre dernière rencontre, qu'il n'était pas en faveur du mariage des prêtres ou des évêques, mais que le non-respect occasionnel de la règle de chasteté absolue n'était pas d'une gravité extrême.

— Mais, dans ce cas, ce sont les femmes qui pèchent ?

— Nenni ! Dans ce cas-là, le péché n'existe pas puisque le Saint-Père donne des indulgences. Cela permet de se racheter en versant une somme à l'Église.

— Quel bon moyen pour rester aussi blanc que neige et en même temps profiter de la vie ! Notre pape est un sage.

— Un savant, ma chère amie. Il sait tout de l'alchimie et des sciences de l'univers.

Aude reste un moment silencieuse, les yeux baissés sur les flammes. Tout à coup, elle inspire, tourne son beau visage vers Lescure.

— Si j'ai bien compris ce que vous venez de me dire, nous pourrions être amants ! ajoute-t-elle avec un sourire qui ne cache rien de ses intentions.

— En quelque sorte ! fait l'évêque, troublé par le désir qui monte en lui.

— Je suis une pauvre fille ! dit Aude en baissant de nouveau les yeux. J'ai suivi Barbe-Noire pour échapper au mariage horrible que me promettait mon père, mais je n'étais pas heureuse. Barbe-Noire était brutal et ne comprenait rien aux désirs d'une femme. Tandis que vous, monseigneur, dès la première fois que je vous vis...

Elle s'est approchée et lui a pris la main. Lescure, bien que prélat, n'en reste pas moins un homme, c'est-à-dire prêt à céder en tout à une belle femme qui se dit sensible à son charme. Un flot de chaleur monte en lui. Comment rester de pierre devant cet amour, ce désir avoués quand on sait que la faute est pardonnée d'avance ?

Mais Lescure veut conserver les apparences. Il fait installer Aude dans une chambre à son étage et lui demande de faire attention à ses propos devant les clercs et les femmes de chambre. Il la rejoindra chaque soir par un couloir non gardé, sorte de tunnel taillé à l'intérieur du mur, comme il en existe dans tous les châteaux où les princes trop entourés veulent conserver leurs secrets.

Le bel été ! Lescure dîne tôt, se fait jouer de la musique et rejoint son appartement où il est sensé écrire sur la nature des anges et, pour souligner l'importance de ces travaux, il ajoute que cette communication lui a été demandée par le pape. Aussitôt la porte fermée, il rejoint Aude. Dehors, le jour tarde à tomber. Il aime regarder, alangui par l'amour, cette lumière qui s'accroche au ciel, sentir sur son visage, après le feu de la passion, la fraîcheur de l'air qui s'assombrit. Les cloches de l'abbaye sonnent la prière des moines. Au-delà des murs de la ville, les bruits s'amplifient dans la campagne et le moindre aboiement d'un chien, le moindre appel d'un laboureur arrive jusqu'à lui. Sait-il, ce laboureur au bord de la Corrèze, qu'il existe un homme heureux pas très loin de lui ? Le mois de juin est celui de l'amour. L'odeur du foin invite aux caresses, et la nuit reste si légère qu'elle ne touche pas les choses, qu'elle effleure à peine les collines.

Le désir de la jeune femme ne le quitte pas ; il y pense pendant ses prières rituelles, en lisant son bréviaire, à l'église, en pleine consécration, à chaque instant, l'image du corps nu de sa belle hante ses pensées. Par jeu, il la chasse, mais elle revient plus vite encore, toujours plus nette.

Un matin, un léger mal d'entrailles l'oblige à rester longtemps sur sa chaise percée. Il appelle ses médecins, qui diagnostiquent un échauffement des humeurs aigres de l'estomac et prescrivent une potion qui fait son effet puisque, le lendemain, Lescure est guéri, mais cela ne dure pas ; le surlendemain, les douleurs reviennent, plus vives encore.

— C'est probablement les cerises, dont je raffole et qui ne sont pas suffisamment mûres.

— Sûrement ! dit Aude en laissant tomber ses paupières sur ses yeux clairs. Dieu vous fait payer le péché de gourmandise !

— Vous mangeâtes autant de cerises que moi et vous voilà en pleine forme !

— Certes, mais je ne suis pas ministre de Dieu !

Les médecins de nouveau appelés à son chevet lui font avaler un liquide aigre constitué d'une décoction de feuilles de ronces pilées, de sève de saule et de vin poivré, mais les douleurs persistent. Les médecins décident alors, pour nettoyer les humeurs malignes de l'intestin, de lui administrer un clystère, qui le soulage. Il peut enfin reprendre une vie normale et surtout, le soir même, retrouver Aude. Le lendemain, il est de nouveau cloué au lit, un feu intérieur le ronge.

Aude insiste pour rester près de lui. Lescure, calé sur ses oreillers, a le regard abattu, un peu de bave coule au coin de ses lèvres. Son visage de renard est devenu celui d'un vieux chien battu. Une sueur épaisse et rougeâtre roule en grosses gouttes sur son front tout à coup ridé.

— Ne vous tourmentez pas ainsi, vous augmentez votre fatigue. Ce mal va s'en aller comme il est venu...

Des chevaucheurs vont chercher le docteur Gisbeau, qui, en compagnie de son innombrable suite d'élèves, se trouve une fois de plus sur la route entre Bordeaux et Tulle. « C'est curieux, dit le grand homme, quand je suis à Tulle, c'est à Bordeaux que je voudrais être, et dès que j'arrive à Bordeaux je m'ennuie de Tulle ! » Trois jours plus tard, Gisbeau trouve l'évêque amaigri et d'une grande faiblesse. Trop occupé par son art, il ne voit aucune similitude avec la maladie de Barbe-Noire, et la présence d'Aude de Lieucourt ne l'étonne pas.

— Vous dites que vous mangeâtes des cerises ?

— J'en suis friand ! fait l'évêque en baissant les yeux, comme un enfant de chœur qui avoue un péché véniel.

— Les mangeâtes-vous sur l'arbre ou dans un panier ?

— Sur l'arbre, qui est petit. Il suffit de tendre la main pour se servir.

— Alors, je vois ! dit le médecin. C'est la maladie du fruit défendu. Dieu punit parfois Ses ministres quand ils font le geste d'Ève sous le pommier originel. Les médicaments ne vous guériront pas. Il faut faire pénitence. Trois jours sans prendre autre chose que de l'eau fraîche. Ensuite tout ira bien.

Drapé dans sa robe d'un bleu d'azur, Gisbeau sort de la chambre en se plaignant de la chaleur car il doit repartir aussitôt pour Bordeaux.

Lescure n'a pas de mal à respecter le jeûne, car il est bien incapable d'avaler quoi que ce soit. Son visage creusé a pris une couleur d'ardoise. Il fait des promesses : si Dieu le tire de là, il distribuera tout son surplus de blé aux pauvres, il donnera l'ordre qu'on engraisse quinze cochons pour les plus démunis. Parfois, il se lance dans des monologues que personne ne comprend, parle du diable et de l'enfer qui n'existent pas. La lampe allumée à son chevet l'éblouit et il a, par moments, l'impression de brûler sur un bûcher. Les cris qu'il pousse alors allument le regard d'Aude. Tout le monde admire le courage de la jeune femme qui reste dans cette pièce où, malgré les courants d'air qu'on maintient, l'odeur est insupportable. Foulque de Masvallier ne se déplace pas : il n'aime pas suffisamment l'évêque pour risquer la contagion.

Au début du mois d'août, la maladie resserre son étau. Les bouillies que jusque-là l'estomac épiscopal acceptait sont aussitôt rejetées. Lescure sait qu'il va mourir. Son cœur s'emballe et lui fait atrocement mal. Avec une patience infinie, Aude essuie son visage et aide les servantes à changer la literie souillée. Il ne cesse de faire son examen de conscience et ses pensées reviennent toujours aux deux grosses fautes de sa vie : l'enfant qu'il a eu d'une serve et son faux témoignage pendant le procès des templiers de Tulle.

— Pour l'enfant, dit-il, j'ai payé. J'ai donné une tenure à la femme que j'ai affranchie. Je lui ai donné aussi un mari et je lui ai fait apporter à manger pendant la famine. Pour le reste, j'ai obéi au pape et au roi. Ce sont eux les coupables, pas moi !

Un soir, il fait appeler son clerc.

— Tu vas aller chercher la Blandine du Val, et tu la feras venir ici. J'ai à lui parler.

— Mais, monseigneur...

— Fais ce que je te dis. À cette heure, pas un homme, pas un serf ne voudrait ma place, va donc la chercher.

Blandine est étonnée de voir arriver à la ferme du Val une litière aux armes de l'évêque. Un clerc la salue avec déférence et lui demande de le suivre. Blandine en est heureuse et surtout apeurée. Elle attendait, elle espérait sans y croire ce moment de la reconnaissance, du souvenir, et la voici tremblant de peur, avec l'envie d'aller se cacher.

— Je ne peux pas aller comme ça. Je suis sale, je reviens de la fenaison.

— Cela n'a pas d'importance.

Blandine a juste le temps de boutonner sa cottière et d'enfiler un chaperon sur ses cheveux libres. Aîné, qui revient du pré, ne fait aucune remarque : il sait que la survie de la famille a été assurée par les vivres de l'évêque et en connaît les raisons, même si Blandine ne lui en a jamais parlé.

À l'évêché, elle promène son regard émerveillé sur les tapisseries aux murs, les coffres, les tables, les fauteuils... Le clerc la conduit à la chambre de l'évêque. Blandine, suffoquée par l'odeur, découvre un vieillard au visage décharné. C'est ce qui reste du beau chevalier qu'elle n'a jamais réussi à oublier malgré ses prières. Elle tombe à genoux et éclate en sanglots.

— Qu'on nous laisse ! dit Lescure.

— Même moi, mon doux seigneur ? demande Aude.

— Même vous. Ce que j'ai à dire à cette femme ne regarde que Dieu.

Les clercs se retirent et ferment la porte. Lescure tend vers la paysanne sa main droite aux doigts crochus. Blandine la prend et la presse contre ses lèvres. Le mal de dents a déformé sa mâchoire inférieure et détruit la symétrie de son visage. Des rides lacèrent son front et, du menton au cou, des nerfs trop courts se tendent sous la peau. La superbe fille que Lescure a couchée dans le foin, cette serve à qui tant de princesses auraient voulu ressembler n'est plus qu'une vieille femme fripée avant l'âge.

— Toi seule me plains dans cette maison. Toi seule es sincère ! dit-il en retirant sa main. Les autres n'attendent que mon dernier soupir pour se ruer sur ce que je vais leur donner.

— Cette femme..., murmure Blandine.

— De quelle femme veux-tu parler ? Aude ?

Blandine fait une grimace de dégoût. L'évêque n'insiste pas. Il demande :

— As-tu des nouvelles de ton fils ?

Il n'a pas dit « notre fils » ; même à l'extrême limite de sa vie, au moment de réparer sa faute, il ne peut admettre que le fils de cette pauvre femelle puisse être de son sang. Dieu a pourtant rendu possible le croisement du cheval et de l'ânesse, alors pourquoi pas celui d'un noble et d'une vachère ? Mais le mulet n'est pas un cheval, alors, ce fils, dont le pape lui-même a demandé d'assurer l'avenir, n'est pas de la lignée des puissants seigneurs de Gimel.

Blandine secoue la tête.

— Non, dit-elle. Depuis qu'il est parti avec le jeune sieur de Boisse, je n'ai rien eu de lui. On dit qu'il est avec ces voleurs qui courent le pays...

— Ah oui ?

Il se tait un instant. Sa respiration bruyante fait mal à entendre. Il pense toujours à cette comparaison d'âne et de cheval et se dit que Jean XXII n'est pas de race noble. Dieu l'a pourtant appelé pour guider la chrétienté. Lescure doit donc, pour assurer sa place au paradis, suivre ses conseils.

— Je veux aider ton fils. Je ne serai plus de ce monde quand il reviendra, mais je vais dicter mes intentions à mon notaire.

— Mais, monseigneur, vous êtes trop bon. Thibault aura la ferme du Val...

— Et tes autres enfants ?

— Ils feront comme ceux de notre rang, ils loueront leurs bras quand il y aura du travail. Ils sèmeront quand il y aura du blé à semer, ils...

Elle ne poursuit pas sa pensée, elle pense aux terribles années de famine tandis que dans ce palais on festoyait. Lescure, qui a compris, précise :

— Dieu ne fait pas de différence entre Ses créatures. Il accorde Ses bontés aux riches, certes, mais quand arrive l'heure de la mort nous sommes tous égaux.

Blandine regarde ce moribond de ses yeux qui ont gardé un peu de leur beauté ancienne, ce mélange de paillettes dorées et de bleu profond. Lescure y lit une grande tendresse et lui prend de nouveau la main.

— Dans mon testament que je vais dicter ce soir même, je vais donner à Thibault le fief de Fontbelle qui est tenure noble et me vient de ma mère. Je préciserai qu'il est de sang noble et qu'il peut être armé chevalier.

Oubliant l'odeur repoussante, Blandine pose la tête sur le rebord du lit. Les quelques journées de sa jeunesse passées à attendre cet homme, à rouler avec lui dans les herbes tendres ont été les seuls moments de bonheur de sa vie, ce bonheur qu'elle doit au diable et qui lui a donné la force de supporter la maladie et les privations. Demain, quand Lescure sera mort, il ne lui restera que le désespoir d'un monde vide.

— Monseigneur, vous êtes trop bon.

— Va, maintenant. Le notaire viendra te trouver après ma mort qui ne saurait tarder.

Lescure agite une clochette au son aigrelet, les clercs reviennent dans la chambre et emmènent Blandine, qui ne retient plus ses larmes. En sortant, son regard croise celui d'Aude, et elle sait que tout le mal vient de cette femme.

Le soir même, l'évêque fait appeler son notaire à qui il dicte ses dernières volontés. Aude ne peut assister à l'entretien et tente d'obtenir une indiscrétion de la part du notaire, mais celui-ci, vieil homme aigri, reste insensible aux sourires, aux œillades pleines de promesses de la belle femme.

Le lendemain, dans la matinée, Lescure est si faible qu'on croit sa dernière heure arrivée. Il ne parle plus et ses yeux ont déjà l'éclat vitreux de la mort. Le docteur examine ses urines et déclare :

— Il sera passé avant la vesprée.

Les clercs, l'archiprêtre et ses abbés prient, à genoux, assez loin du lit d'où s'échappe une odeur insoutenable. Seule Aude reste près du malade dans un dévouement total.

— Il a été si bon avec moi ! dit-elle tout le temps. Il m'a recueillie après la mort de Barbe-Noire. Je lui dois tant !

Elle ne veut surtout pas rater les derniers instants de l'évêque. Quand elle le voit trop faible pour parler, mais encore conscient, tandis que le murmure monotone des prières monte dans la pièce, où il règne une chaleur torride, la jeune femme se penche vers le mourant et lui souffle à l'oreille :

— Souvenez-vous de l'Ordre...

L'homme a un mouvement des paupières mais ne réussit pas à ouvrir les yeux.

— Vous mourez empoisonné, murmure-t-elle au moribond. Le grand maître n'oublie jamais...

Lescure semble s'agiter mais ne réussit pas à faire pivoter sa tête sur l'oreiller. Alors, il ouvre la bouche, comme si l'air lui manquait, et, juste au moment de rendre son dernier soupir, ses yeux s'ouvrent sur le beau visage de sa meurtrière puis s'immobilisent dans une expression d'horreur.

— Dieu ait son âme ! dit l'archiprêtre Leblond en constatant le décès.

Il pense que cette mort prématurée vient à point nommé pour lui. Se tournant vers Aude, il ajoute :

— Votre dévouement a été exemplaire et le Créateur vous en sera reconnaissant.

Avec des airs de maître des lieux, il prend en main l'organisation des cérémonies d'inhumation. La disparition de son supérieur hiérarchique lui confère une assurance qu'on ne lui connaissait pas. Celui qui pesait toujours les inconvénients avant d'apprécier les avantages montre tout d'un coup une rapidité de décision qui surprend ses proches collaborateurs.

Trois jours plus tard, l'évêque Roger Lescure de Gimel est inhumé en la cathédrale de Tulle, son cœur et son cerveau étant ensevelis auprès de ses ancêtres dans la chapelle de son château.

Aude fait ses malles et s'en va. L'archiprêtre la regrette mais finit par se dire que c'est peut-être préférable pour la sauvegarde de son âme. La jeune femme se rend à Malemort et se présente chez Enguerrand, qui la félicite. Elle a pris goût à ce jeu de la séduction et de la mort et se dit prête pour une nouvelle mission.

— Nous verrons ! dit Enguerrand. Pour l'instant je vous conseille de faire une petite retraite au couvent des Bénédictines à Brive, histoire d'obtenir la rédemption de vos fautes. L'accumulation des péchés rend l'âme lourde et sujette aux pires travers. À moins que vous ne souhaitiez rejoindre votre père.

— Jamais, je ne veux pas épouser le barbon qu'il me réserve.

— Vous êtes très habile à vous débarrasser de vos amants, vous le serez tout autant avec votre mari... Réfléchissez.

— Je vais retourner à Tulle ! dit-elle.

Une semaine plus tard, un pêcheur de truites ramène dans son épervier le corps gonflé d'une femme au visage tellement abîmé que personne ne peut l'identifier. La sénéchaussée ne perd pas de temps à faire une enquête. Il s'agit sûrement d'une sorcière victime d'un règlement de comptes ou d'une ribaude en conflit avec sa maquerelle. Le corps est enfoui dans la fosse commune réservée aux condamnés. Aude de Lieucourt a rendu assez de services à l'Ordre et se taira désormais...

Le comte de Lisieux et ses cinq mille hommes d'armes arrivent à Carcassonne fin août 1318. Le pape a envoyé des renforts et un peu d'or, mais beaucoup moins que ne l'espérait le comte de Foix, car l'opération contre les Pastoureaux va coûter cher. Heureusement, il y a l'argent des Juifs survivants qui, pour une fois, prêtent sans compter. L'ost est rassemblé au pied des tours de la ville, dans la plaine où chaque bannière a monté ses tentes et attend le moment d'en découdre avec des enfants. Certains chevaliers font les difficiles et disent qu'ils n'ont pas le droit de se battre contre des rustres. Pourtant, tous savent que ces illuminés sont guidés par des prêcheurs qui ont un réel sens de la stratégie : des milices bien organisées comme celles d'Orléans, de Toulouse ou de Bordeaux ont pu s'en rendre compte à leurs dépens.

Envoyé par le roi, le comte de Lisieux est assisté de son vassal que l'on dit plus riche que lui, le chevalier de Bouqueville. Le commandement suprême a été confié au comte de Foix, désigné par le pape, car il s'agit d'une guerre religieuse : Philippe V ne l'a pas oublié et a préféré laisser à Jean XXII la responsabilité des massacres.

Sous la bannière de Bouqueville, Guibert de Boisse traîne son mal à l'âme. Lourd de peine, il ne peut détacher son esprit du souvenir de Dyane ; il revit dans sa tête leur dernière étreinte dans le moulin délabré, entend le bruit de la cascade sur la roue immobile et la promesse de la jeune femme de l'attendre auprès de son vieil époux.

Thibault du Val chevauche près de lui, fier de faire partie de l'expédition. Le jeune comédien a réussi à séduire Bouqueville avec ses farces, son habileté à l'épée, quelques mensonges à propos de sa noblesse et de sa parenté avec le vicomte de Turenne. Guibert sait bien que son ami lui sera d'une grande utilité : Thibault a acquis cet art de se tirer des pires situations, de tromper avec l'accent de la plus grande sincérité. C'est aussi un compagnon précieux pour son courage et sa détermination.

— Faire la guerre à des vachers qui ne savent tenir que la houe me semble insensé ! dit-il, sceptique. A-t-on besoin d'une telle armée pour si peu de chose !

— Si peu de chose ? réplique Guibert. Mais ils sont tellement plus nombreux et n'ont peur de rien. Si décidés qu'ils vont fondre sur nous comme un essaim de guêpes. Nous en tuerons beaucoup, mais cela ne nous donnera pas forcément la victoire. On dit qu'ils ont plus de cinq cents chevaux, qu'ils s'entraînent à manier l'épée et l'arquebuse depuis l'hiver dernier. On dit surtout que les templiers leur ont fait boire une eau bénite qui les rend invincibles et insensibles à la douleur !

Au début du mois de septembre, retranchés sur un plateau de l'Espinouse, à côté des monts de Lacaune, les Pastoureaux, informés de ce qui se prépare, attendent de pied ferme. Chaque jour, des groupes, sous le commandement de leurs chefs, manient l'épée, tirent à l'arc, mais leurs progrès sont laborieux.

— Il faut profiter de notre supériorité en nombre ! dit Castillau.

Patte-Raide a perdu confiance ; désormais les frères blancs ne se contentent que de prières molles, de prêches sans vigueur. Ils ne savent plus insuffler à leurs paroles cette force brûlante qui subjuguait les Pastoureaux, qui leur donnait la force de renverser les montagnes et devant qui aucune milice ne pouvait résister.

— Nous serons vaincus ! dit le jeune chef. Le pape sous-estime nos forces, mais après ce premier engagement où nous allons avoir beaucoup de tués, nos hommes flancheront car ils sont d'un sang impropre à la guerre !

L'homme au corps difforme qui rappelle un peu celui d'Enguerrand, mais en moins grossier, moins puissant, passe la main sur son crâne lisse. Il n'a pas été rasé depuis deux jours et son menton est piqué d'une barbe blanche. Il louche et son regard incertain semble voir ce qui échappe aux autres.

— Après ce qu'ils ont connu, ils ne peuvent pas redevenir de simples vachers. Beaucoup seront tués, j'en conviens.

— Ils sont maladroits à l'épée, précise Patte-Raide. Avec l'or des Juifs nous aurions dû acheter une compagnie de véritables hommes de guerre, mais je me demande si cet or n'a pas été ramassé au seul profit de l'Ordre !

Il s'approche de l'homme et le regarde bien en face.

— Je crois comprendre pourquoi nous ne sommes pas partis au printemps pour la Terre sainte. Votre but n'était pas la croisade, mais, après avoir ruiné le royaume, vous voulez faire tuer sa jeunesse... Vous nous avez menti !

L'autre s'anime, se dresse. L'épaule droite est plus haute que la gauche. Il marche en se dandinant mais reste très mobile.

— Et même si c'était... Que trouverais-tu à y redire, toi qui dois tout à l'Ordre ? De quel droit sais-tu ce qui est convenable et ce qui ne l'est pas ?

— Enguerrand aussi m'a menti, lui qui voulait m'adopter !

Blême de colère, Patte-Raide rejoint Lydia dans sa tente.

— Tout ça va finir par un immense massacre, dit-il.

Il se tait un moment, pince les lèvres, puis se tourne vers la jeune fille et dit enfin :

— Nous sommes prisonniers, sans aucune possibilité de fuite. Le voyage va s'arrêter là !

Il s'assoit et regarde longuement Lydia. Un pressentiment se forme dans son esprit, la certitude que cette bataille va le toucher de plein fouet. Une voix profonde, peut-être celle de Dieu, lui souffle qu'il n'a vécu jusque-là que pour des événements dont il sera le centre, que son destin va prendre un tournant définitif.

Lydia laisse couler ses larmes. Elle aussi a le pressentiment que sa vie va basculer.

— Je ne veux pas que tu meures ! dit-elle. Je veux que tu vives, que nous vivions tous les deux dans une maison avec un jardin autour et plein d'enfants.

Patte-Raide prend la jeune fille dans ses bras et la serre à l'écraser.

Un matin lumineux et doux de septembre, l'énorme armée du comte de Foix quitte Carcassonne et se prépare à livrer une bataille unique en son genre, et, tandis qu'ils hissent leurs bannières, les chevaliers à la tête de leurs divisions ont la conscience lourde : on les envoie égorger des garçons et des filles sans défense. Certains ont revêtu l'armure de fer, mais un grand nombre se sont contentés d'une cotte de mailles, plus confortable. Guibert et Thibault, sous la bannière de Bouqueville, sont prêts pour ce premier affrontement d'un genre particulier. Guibert pense à Dyane, cela lui donne un peu de cœur au ventre.

Deux jours plus tard, l'armée se déploie au pied des collines de l'Espinouse. C'est une suite de landes où poussent des buissons et des épineux, des pins noueux. Les prairies maigres ont été désertées par les moutons depuis plusieurs mois et l'herbe sèche forme des touffes jaunes qui retardent les chevaux. Le soleil au zénith dans un ciel sans nuages tape fort et les chevaliers cuisent dans leurs armures. Le comte de Foix préférerait chasser le sanglier, même s'il pense que ces gueux méritent une leçon. Il donne l'ordre d'avancer en rangs serrés, prêts à la riposte. Les hommes gravissent le flanc du premier plateau par un chemin de terre entre des taillis et des landes nues. Le silence cache une menace sensible. Guibert et Thibault ont dégainé leur épée et surveillent les alentours, le cœur battant. Tout à coup, une immense clameur monte de partout à la fois, et des centaines, des milliers de jeunes garçons et filles s'élancent, le couteau à la main, se faufilent entre les jambes des chevaux qu'ils tentent de renverser. Alors, les chevaliers du comte de Foix se mettent à tailler dans cette mêlée, à frapper de grands coups de masse d'armes. On entend craquer des os, éclater des crânes. Des cris stridents se mêlent aux hennissements des bêtes. Le sol se jonche de cadavres chauds, de blessés gémissants que piétinent les animaux. Une deuxième clameur annonce l'arrivée des cavaliers de Patte-Raide, ce fameux garçon dont on a parlé à la cour de France et qui se reconnaît par sa jambe droite qui pend sur le flanc de son cheval blanc. Ce revers déstabilise un instant l'armée royale, qui reprend vite le dessus, et le massacre recommence, systématique, sans quartier. La terre de France boit le sang de ses enfants, se mélange à sa chair écrasée. Filles et garçons sont passés au fil de l'épée. Leurs cris d'agonie remplissent cette campagne désertée par les vilains. Du haut d'un tertre en retrait, Castillau assiste à la débandade annoncée. Le carnage est immense, les Pastoureaux commencent à refluer et, privés de chefs, courent en désordre comme un troupeau de chèvres, poursuivis par les hommes à cheval qui défoncent ces poitrines, écrasent ces têtes encore enfantines.

Les combats cessent à la nuit. L'armée du comte de Foix, fatiguée d'avoir autant tué, se replie vers son campement, laissant derrière elle des monceaux de corps d'où s'échappent des gémissements, des appels, des pleurs. Des membres s'agitent dans ces chairs broyées, mais qui peut aider ces blessés par milliers, ces enfants mutilés qui halètent, pleins de cette douleur énorme que seule la mort peut apaiser ? Déjà les corbeaux tournent et noircissent les bosquets voisins.

Le comte de Foix a décidé d'en finir dès le lendemain. Il a reçu l'ordre terrible de ne laisser aucun survivant. Il profite de la nuit pour positionner des divisions autour du plateau. Ce remue-ménage n'échappe pas à Patte-Raide. Le jeune homme avait raison, il fallait fuir au printemps. Peut-être avaient-ils une chance de prendre Jérusalem comme ils ont pris d'autres villes par surprise ou par ruse. Mais ici, face à des hommes dont la guerre est le métier, toute la jeunesse de la chrétienté n'aurait pas suffi. Il fait irruption dans la tente de Castillau.

— J'avais raison, nous allons tous mourir, et ce gâchis, c'est vous qui l'avez voulu !

Castillau se dirige vers la sortie puis se tourne vers Patte-Raide, le regard dur et déterminé.

— C'est la vengeance de l'Ordre. Nous reconstruirons sur les ruines du royaume de France.

Patte-Raide n'a pas envie de mourir. L'autre comprend sa pensée et dit :

271

— Rassure-toi, tu ne mourras point.

— Des hommes sont postés tout autour du plateau. Je ne vois pas comment on pourra s'échapper !

— Je te dis que tu ne risques rien. Enguerrand de Niollet te veut pour fils et tu sais ce que signifie le mot « fils » dans l'Ordre ! Ta vie a été achetée avec l'or des Juifs.

— Et Lydia ?

Le voilà pris d'un pressentiment. Il court jusqu'à sa tente, qu'il trouve vide. Il regarde autour de lui un instant, sort devant la porte, tend l'oreille aux cris des blessés. Où est Lydia ? Il l'appelle, mais seuls les agonisants lui répondent. Il revient dans la tente de Castillau, qui a réuni tous les frères prêcheurs.

— Où est Lydia ? crie-t-il.

Tous les regards se tournent vers lui.

— Où est Lydia ?

C'est un cri du plus profond de lui-même, un aveu d'amour que ces hommes ne peuvent comprendre. Enfin Castillau dit d'une voix lente :

— Un détachement d'une dizaine d'hommes est passé. Lydia était dans la tente. Les hommes l'ont vue et ils l'ont emmenée avec eux.

Le sol se dérobe sous les pieds de Patte-Raide. Sans Lydia il n'est rien, il ne peut rien. Il préfère mourir.

— Et ils sont partis où ?

Castillau a un geste évasif. Patte-Raide se précipite sur le templier, qu'il adosse au piquet de la tente.

— Vous êtes content, hein ? Elle vous gênait, la belle Lydia, parce que vous saviez que je n'accepterais pas de m'en séparer !

Finalement, Patte-Raide n'a pas envie de frapper. Il laisse les larmes monter à ses yeux, mouiller ses grands cils. Dehors, la nuit complète amplifie les cris des blessés, les hennissements des chevaux perdus, la rumeur de la mort comme une houle, un ressac. Une écœurante odeur de tripaille écrasée, de chair déchirée, de sang flotte dans l'air. Patte-Raide marche dans l'ombre. Pourquoi n'a-t-il pas laissé quelques garçons autour de sa tente au lieu de faire confiance à ces prêcheurs illuminés pour qui Lydia n'est rien qu'une fille ordinaire ?

Le jeune homme est seul, sa fidèle garde a disparu dans la tourmente. Lydia est assez adroite avec les hommes pour survivre, mais son absence creuse en lui un immense trou, une faille qui ne se comblera jamais. Il n'a plus de force et ne se battra pas demain. Autant mourir plutôt que de vivre sans sa compagne. Si elle était avec lui, ils tenteraient quelque chose, une fuite par la montagne où le comte de Foix n'a pas placé de sentinelles, mais, seul, ses pas ne le conduisent nulle part.

Les heures passent, lourdes, ponctuées de ces pleurs d'enfants qui cherchent la main de leurs mères. La lune s'est levée sur ces ombres qui se traînent sans but dans la boue, seulement pour déplacer leur peur et leur douleur. Quand le jour se lève, Patte-Raide a l'impression d'avoir un corps de plomb. Il fait chaud et lourd, comme en plein été. Un détachement du comte de Foix lance une première attaque et ne rencontre aucune résistance. Ils encerclent un groupe de Pastoureaux, en pendent aux premiers arbres, sabrent les autres. Les adolescents courent au hasard en hurlant ; ils ne cherchent pas à se défendre, mais fuient, misérable gibier. Dans un réflexe de survie, Patte-Raide saute sur son cheval ; une inextricable mêlée s'est formée autour de lui, il tente de la forcer, l'épée haute, mais pas pour longtemps. Un coup de masse d'armes le renverse, et l'assomme. Quand il se réveille, avec un violent mal de tête, il regarde autour de lui. Il n'y a que cadavres et agonisants. La bataille s'est déplacée ; les chevaliers poursuivent les adolescents qui fuient par bandes désordonnées vers Olargues. Patte-Raide est indemne. Il veut s'éloigner quand une voix l'appelle. Il se tourne et aperçoit Castillau, allongé sur le sol. Des bouillons de sang sortent de ses vêtements déchirés à la poitrine.

— Ils m'ont eu ! dit-il. Ils m'ont eu par surprise ! Ça n'a pas d'importance. Dieu m'appelle et je vais Le rejoindre. Approche-toi, la lutte continue.

Patte-Raide enjambe un cadavre.

— Je vais vous aider...

— À quoi veux-tu m'aider ? Tu ne peux rien pour moi et ce n'est pas grave. Dieu seul peut m'ouvrir Sa porte. Approche, j'ai quelque chose d'important à te dire.

L'homme grimace à chaque inspiration. Il tente d'approcher ses lèvres de l'oreille de Patte-Raide.

— L'or des Juifs...

Il s'arrête un instant, crache un flot de sang glaireux puis continue.

— Il est caché dans la chapelle du Maspertuis et celle de Blancquemart, entre Cessenon et Saint-Chinian. Tu trouveras une rivière, c'est dans cette vallée. Toutes deux ont été construites par les templiers. Au pied de l'autel, une dalle donne accès à un souterrain. Il te conduira à une cave voûté. L'or est là... Un setier dans la première, deux dans la seconde... N'oublie pas de le rapporter à Enguerrand, tu es le seul à connaître le secret...

Il pousse un soupir, sa tête roule sur son épaule. ıl est mort.

Patte-Raide s'éloigne lentement quand il aperçoit son cheval, qui l'attend. Il monte en selle, descend le plateau, rejoint un groupe de Pastoureaux qui fuient à travers la lande, poursuivis par une meute impatiente de sonner l'hallali. Beaucoup sont rattrapés, égorgés aussitôt ou pendus par groupes de vingt ou trente.

Ils arrivent dans une vaste zone plate. Un bras mort de l'Orb se perd dans une tourbière où l'eau affleure entre les joncs, les grosses touffes d'herbe et les aulnes minuscules. Des groupes entiers s'enlisent. De la boue jusqu'à la taille, ils tentent d'échapper au piège, moulinent désespérément des bras, s'accrochent aux touffes de jonc. Chaque mouvement les enfonce un peu plus dans la boue qui les avale. La terre de France ouvre ses innombrables bouches pour dévorer vivants les Pastoureaux. Ceux que le massacre d'hier a épargnés périssent ici, engloutis dans cette puanteur d'eaux croupies.

Patte-Raide réussit à s'échapper une fois de plus. Le voici galopant avec une vingtaine de compagnons vers le nord et les montagnes qui se profilent à l'horizon. Une division l'a pris en chasse, Bouqueville a donné l'ordre de le capturer vivant et promis une récompense.

La poursuite ne dure que quelques heures. Patte-Raide et ses compagnons, qui n'ont pas des chevaux aussi frais que les autres, décident de se replier derrière un éperon rocheux, de faire face, de livrer bataille et de ne pas se rendre.

— Nous mourrons en hommes libres ! s'écrie Patte-Raide. Battons-nous jusqu'au dernier souffle.

Ils rangent leurs chevaux en ligne. La division arrive à leur hauteur. Ce n'est pas à Dieu que pense Patte-Raide à cette heure qu'il sait la dernière, mais à Lydia, la belle blonde, dont il sent en lui l'amour brûlant.

— Rendez-vous, dit le capitaine. Il ne vous sera fait aucun mal.

— Je ne comprends rien de ce que tu dis, mais nous ne nous rendrons pas ! répond Patte-Raide dans le parler de Tulle.

Guibert pousse Thibault du coude.

— Tu entends, il parle comme chez nous !

L'ordre d'attaquer est donné. Patte-Raide se bat comme un forcené, mais les coups de l'ennemi l'évitent. Ses compagnons tombent les uns après les autres, il est finalement encerclé et ne peut plus résister.

— Capturez-le vivant ! dit le capitaine.

Maîtrisé, Patte-Raide doit donner son arme. La nuit tombe lentement, un éclair allume l'horizon. Guibert s'approche du prisonnier.

— Tu es d'où ? demande-t-il dans son parler.

— Du pays de Tulle, en Bas-Limousin...

— Mais que faisais-tu à Tulle ? Quelle est ta famille ?

— Je n'en ai pas ! dit Patte-Raide en battant des cils. On m'appelle Patte-Raide parce que je n'ai pas de nom. Vous pouvez me pendre, je n'ai pas peur.

— Pas question de te pendre pour l'instant, dit le capitaine, heureux de sa prise. Tu as tant fait parler de toi que tout le monde veut te voir, même le chevalier de Bouqueville. Il paraît que le roi s'est intéressé à toi. Mais dis-moi, tu sembles bien dégourdi pour un enfant de la rue. Et tu parles bien.

— J'ai appris à lire et à écrire. Je connais aussi le latin, les mathématiques et un peu de théologie !

L'homme siffle entre ses dents.

— Ma parole, tu es un clerc ! Allez, on rentre à Carcassonne ! dit-il.

Thibault observe Patte-Raide, et ce garçon, fier sur son cheval blanc, le fascine. Sa jambe raide ajoute à sa silhouette une dureté qui devient dignité, noblesse. Ses grands cils de fille en montrent la sensibilité sans cacher la détermination du regard. À son tour Thibault pousse Guibert du coude.

— Il est de chez nous. Nous devons le sauver !

Quand elle voit entrer les hommes dans sa tente, Lydia comprend qu'elle va mourir. Une évidence se précise : elle a toujours pensé qu'elle vivrait moins de vingt ans. Elle n'a pas peur et regarde la lame levée, éclatante de lumière, approcher de son cou. La mort n'est rien quand elle est attendue, quand elle a déjà tant frappé. Mais laisser Patte-Raide seul lui fait mal.

L'arme s'approche, se lève pour prendre son élan et frapper. Une main l'arrête.

— Tu vas pas te salir pour ça ?

— Qu'est-ce que tu veux dire ?

La lame s'abaisse.

— Mets-la avec les autres. Elle sera pendue !

Lydia est conduite vers un groupe de garçons et de filles que gardent plusieurs soldats à la lisière d'un boqueteau de chênes. Des hommes attachent des cordes aux grosses branches. Les adolescents regardent, effarés, la préparation de leur supplice, certains pleurent, d'autres se sont mis à prier. À l'heure de mourir, ils regrettent d'avoir quitté leurs champs ou leurs étables et sont prêts à demander pardon, à s'humilier. Comment expliquer maintenant ce qui les a poussés à partir ainsi, à dresser la croix comme on dresse une épée, à saccager villes et villages parce qu'ils n'en pouvaient plus de se taire et de savoir que, quoi qu'il arrive, leur sort serait toujours le même : travailler l'estomac vide ? Ils ont commis la faute de s'élever contre l'ordre de l'univers, contre Dieu Lui-même. Ils sont partis vers l'inconnu qu'ils appréhendaient parce qu'ils étaient mal chez eux, et les prêcheurs blancs leur avaient apporté la confiance du lendemain, l'espoir d'une vie meilleure. Le voyage touche à sa fin : une corde qui pend à une branche de cet arbre.

— Ne vous bousculez pas ! crie le bourreau improvisé, il y aura de la place pour tout le monde. Le premier d'entre vous, par ici !

Ils baissent la tête, ils se voudraient invisibles et se font petits derrière leurs voisins. Les premiers esquissent un pas en arrière. Ils vont tous mourir, certes, mais retarder l'échéance de quelques minutes vaut toutes les lâchetés. Lydia fixe des yeux ces cordes que le vent balance mollement. C'est là que Patte-Raide va la trouver, la figure déformée, la langue bleue, les yeux sortis de leurs orbites. Elle sera la laideur même, celle que la mort imprime aux plus beaux visages, aux corps les mieux moulés. C'est cela qui la fait hésiter et baisser la tête à son tour.

— Allons ! insiste l'homme. Bon, puisque personne n'est volontaire, toi, avance.

C'est un gringalet aux cheveux de paille, qui tourne autour de lui un regard plein de terreur comme s'il n'avait pas compris et cherchait celui que le bourreau a désigné.

— Allons, tu te décides...

— Non, monsieur... Je vous en supplie ! laissez-moi retourner chez moi !

— Tu n'avais qu'à y rester. Avance !

L'homme le pousse rudement. Le garçon pleure tandis que deux solides gaillards le traînent et lui passent de force la corde au cou. Le voilà maintenant qui gesticule sous la branche, puis ses bras tombent le long de son corps, ses jambes s'immobilisent.

— Au prochain. Une fille, pour changer.

Le bourreau s'approche de Lydia et la regarde longuement.

— Pas toi, tu es trop belle. On a d'autres choses à te proposer.

Il tire à lui une grosse fille qui ravale sa morve.

— Toi !

La fille pousse un cri, se met à genoux et supplie à son tour. Ils l'emportent comme un paquet, recroquevillée, poussant des hurlements de porc qu'on égorge. Quand la corde se tend, son corps se vide de sa vie d'un coup, mou et enfin apaisé. Le long des jambes coule le sang des ovaires éclatés.

Pendant plus d'une heure, une trentaine de garçons et de filles sont ainsi pendus, les uns après les autres. On leur refuse l'assistance d'un prêtre puisque ce sont des excommuniés. Trois filles, dont Lydia, sont épargnées.

— On va s'amuser. On les pendra demain.

La nuit tombe, les combats cessent. C'est l'heure de rentrer. Lydia et ses deux compagnes, bien encadrées, doivent descendre dans la vallée par un sentier de chèvres. Elles arrivent au campement et sont enfermées dans une tente avec d'autres filles, toutes réservées au plaisir des chevaliers. Elles sont là, pauvres créatures prostrées dans la pénombre, qui tremblent dès que des bruits de pas se rapprochent. Tout à coup, un homme fait irruption dans la tente, grand, fier, très brun. Il tient une torche qui donne une lumière rougeâtre et va d'une fille à l'autre ; une seule lève la tête et ose le défier, Lydia, qui, contrairement à ses compagnes, sait le pouvoir qu'elle peut exercer sur les hommes. Leurs regards se croisent, se soutiennent. Il devrait se mettre en colère contre cette arrogance, ce toupet, mais il se contente de plonger dans ces yeux bleus, comme si tout à coup, à travers le mur clair de ces pupilles, il découvrait que son destin se trouve là.

— Toi, dit-il, tu vas me suivre.

Lydia, sans un mot, se lève, marche vers lui, la silhouette fière. Un des gardiens dit :

— Vous avez fait le meilleur choix, monseigneur.

Il ne répond pas et conduit Lydia dans une grande tente gardée par des hommes en armes. Plusieurs pièces sont aménagées, un plancher protège de l'humidité du sol. Lydia traverse deux chambres, suit un couloir, une salle de réception et arrive enfin dans une troisième chambre luxueusement meublée.

— Qu'on me laisse ! dit le chevalier en fermant la véritable porte en bois qui le sépare d'un petit hall où se tiennent les gardiens.

Plusieurs chandelles, une lampe à huile sur le chevet du lit chassent toute ombre de la pièce. Dans un coin se trouvent une table avec des chaises, des coffres sculptés. Le maître des lieux s'assoit et regarde Lydia, debout devant lui. Elle n'a toujours pas baissé les yeux.

— Tu me sembles bien effrontée, toi. Tu défies toujours tes maîtres ?

Elle ne répond pas. Il pose son chapeau de fer et découvre sa chevelure noire, frisée. Son visage est très régulier, presque beau.

— Tu sais que je peux te corriger, te tuer si j'en ai envie ?

En parlant, il a dégainé son épée.

— La mort ne me fait pas peur ! dit enfin Lydia.

— C'est ce qu'on dit quand on ne court aucun danger, mais ce n'est pas ton cas.

Son œil droit est un peu plus grand que le gauche ; ce petit déséquilibre dans l'harmonie du visage ajoute un brin de fantaisie.

— Déshabille-toi. Je veux voir si tu es aussi bien faite que tu le parais.

— Non, monseigneur, je ne me déshabillerai point.

— Que crois-tu ? Comment peux-tu oser me parler ainsi ? Tu es une fille du peuple et moi le futur baron de Capestang.

— La richesse ne donne aucun pouvoir sur les cœurs.

Le regard de l'homme change. Sa bouche a pris la forme du mépris.

— Une vachère me parler de la sorte ? Tu mérites que je te corrige !

— Je ne suis pas une vachère, je suis une ribaude ! dit Lydia avec défi.

Il la regarde avec de plus en plus de curiosité.

— Une ribaude ?

— La vie n'est pas facile, monseigneur, quand on n'est pas née du bon côté.

— Comment tu t'appelles ?

— Lydia du Pont. Mon père était pêcheur. Il est mort noyé et ma mère est morte aussi d'une mauvaise toux. Je me suis retrouvée seule très vite, cela aide à apprendre la vie.

Son visage s'éclaire. Il aime les femmes qui savent parler et son plaisir n'en est que plus grand quand il rencontre quelque résistance ; pourtant, les préliminaires ont assez duré.

— Très bien, Lydia, déshabille-toi.

Elle ne bouge pas.

— Déshabille-toi, j'ai dit !

Elle ne bronche toujours pas, alors il se précipite sur la jeune fille, la frappe et, d'un geste violent, déchire sa robe. Surprise, Lydia pousse un cri, se débat mais que peut-elle contre ce corps bardé de fer qui l'écrase et l'immobilise.

— Tu te prétends ribaude ! Eh bien, tu vas être servie ! Chanac, Puaut, Reisselin, Berthier, venez donc.

Aussitôt quatre jeunes gens arrivent dans la tente.

— Monsieur le baron nous a appelés ?

Le baron est par terre, une joue en sang. Sur le lit, Lydia, nue, s'est recroquevillée en boule et regarde les quatre hommes, en une attitude de chat sauvage pris au piège, toutes griffes dehors.

— Cette sauvageonne mérite une leçon. Allez-y franche-ment, mes amis.

Ils s'approchent en souriant.

— Quatre hommes pour une femme, crie Lydia. Voilà de grands chevaliers !

— En plus, elle veut nous donner une leçon !

Ils saisissent Lydia, qui mord à pleines dents ces bras qui la maîtrisent. Des mains fouillent son corps. Le baron les encourage.

— Allez-y, mes chevaliers, prenez du plaisir. Dieu ne vous en tiendra pas compte, c'est une ribaude. Nous la pen-drons dès demain.

Tandis que trois hommes la tiennent, le quatrième la viole. Ah, Patte-Raide, si tu étais là, comme tu leurs montre-rais ton habileté à manier l'épées à ces porcs !

Quand ils la lâchent, elle gît sur le lit, haletante, mais pas vaincue.

— Curieux, dit l'un d'eux en remontant son haut-de-chausses, elle n'est pas comme les autres paysannes qui puent l'urine. Elle a au contraire une odeur de foin sec que l'on ramasse sous le soleil de juin.

— Elle fera une pendue comme les autres ! dit le futur baron de Capestang. Emportez-moi ça, et ramenez-m'en une plus docile.

Sans ménagement, l'un d'eux pousse Lydia au bas du lit. Elle prend sa robe déchirée, s'en couvre tant bien que mal la poitrine griffée et son ventre sale de la souillure de ces hommes.

— Demain, nous nous débarrasserons de tout ça.

Ils la ramènent avec les autres filles prostrées, serrées dans un coin de la tente. L'un d'eux s'approche et, du bout de l'épée, cherche celle qu'il va emmener.

— Toi.

— Non, monseigneur ! crie la fille. Je vous en supplie, prenez quelqu'un d'autre. Je suis pucelle !

— Justement, c'est d'une pucelette que nous avons besoin. Allez, viens.

Il la saisit sans ménagement par les cheveux, l'oblige à se lever et sort en échangeant des plaisanteries grossières avec ses compagnons.

Lydia reste dans son coin. Elle ne se mélange pas à cette masse tremblante de filles que la peur avilit. Certaines pleurent en silence, d'autres prient. L'une d'elles s'écrie :

— Mais pourquoi j'ai suivi ceux du village ? Ah, si je reviens chez nous, je jure que plus jamais je n'en partirai.

— Tu seras pendue demain, comme nous toutes ! dit une autre.

À ces mots, des lamentations montent dans la pénombre. Lydia pense à la corde qui serrera son cou, au craquement de ses vertèbres brisées, et à ce flot de sang qui jaillira entre ses cuisses. Que va-t-il se passer après cet ultime éclair, quand la vie sera partie ? Rejoindra-t-elle son père et sa mère ? Où sera-t-elle demain à cette heure, dans une nuit perpétuelle et froide ? Pourra-t-elle voir Patte-Raide, le conseiller, l'aimer toujours ?

La nuit est chaude, fiévreuse. Les loups hurlent sur les collines. Lydia a retrouvé le calme. La mort va la nettoyer des souillures subies. Son âme sera propre, nette comme une robe que l'on vient de coudre.

Le jour se lève lentement. Le ciel blanchit ; les derniers loups s'en vont vers la forêt, l'estomac lourd de cette chair d'homme qu'ils préfèrent à celle des animaux, si abondante ces dernières années que les meutes ont grossi.

Le campement se réveille. Des hommes s'appellent, bâillent bruyamment, des chefs commandent les corvées auprès des chevaux. Près de la tente une voix s'écrie :

— On part ce matin. Il faut expédier ces filles au plus vite. Allez récupérer les cordes qui ont servi hier.

Des pas crissent sur le gravier. Deux sergents vêtus de fer poussent un pan de la tente. Une lumière crue inonde cet intérieur où l'air vicié sent l'urine et la femme négligée.

— Allez, mes belles, c'est l'heure d'aller fleureter avec le diable. On est en train de placer les cordes.

Une fille aux épaules de charretier se dresse en poussant un rugissement furieux et se jette sur l'un des gardiens qui, surpris, roule au sol avec son assaillante. La fille se dresse d'un bond, sort de la tente, court à travers le campement tandis que des hommes se lancent à ses trousses. Elle est vite rejointe et expédiée d'un coup d'épée, une corde a été économisée.

— Allez, dépêchez-vous !

Les sergents frappent à coups de pied dans cette masse grouillante et pleurnicharde. Le soleil monte sur les collines, souverain. Déjà la chaleur caresse agréablement la peau. Lydia suit le mouvement. Elle ne regrette rien. Dans un instant, elle rejoindra Patte-Raide et, s'il vit, elle veillera sur lui et l'attendra avec la patience d'une veuve. Son corps disparu, son âme vivra une éternelle jeunesse, sans tourment, sans faim, dans une sorte de bonheur infini. Les coups reçus hier endolorissent encore ses membres, et elle marche en boitillant.

Entouré d'une dizaine de gardiens, les prisonnières arrivent à un bosquet où pendent des cordes.

— À la première de ces dames ! dit le bourreau. Toi, approche.

— Moi ? Mais pourquoi moi ? Je veux pas.

Elle est emportée par trois soldats qui la soulèvent le temps de lui passer la tête dans le nœud coulant.

— Bon, faut aller plus vite que ça ! On n'a pas le temps de s'amuser.

Des renforts sont arrivés et les pendaisons se poursuivent par groupes de trois. Quand c'est au tour de Lydia, deux gaillards veulent la porter.

— Je suis assez grande pour marcher ! dit-elle en avan-
çant vers l'arbre où d'autres filles pendues montrent leurs
figures tordues.

Lydia arrive au tabouret. Elle a mal aux genoux et ne
peut y grimper qu'avec difficulté.

— Fais vite ! On est pressés.

La voilà enfin debout. Tandis qu'on lui passe la corde
autour du cou, elle regarde une dernière fois les collines ruis-
selantes de lumière, le plateau où elle était hier, les tentes.
Tout cela va bientôt se brouiller, sombrer dans le néant, son
néant. Elle ferme les yeux.

— Non, pas celle-là !

Le bourreau était prêt à renverser le tabouret. La voix
autoritaire a stoppé son geste. Lydia ouvre de nouveau les
yeux. Capestang est là, vêtu d'une cotte de fer, l'épée au côté.
Il s'approche ; les yeux bleus de Lydia l'ont plongé dans un
curieux trouble qui a duré toute la nuit.

— Je la veux pour moi.

Aussitôt une fille se précipite vers le jeune baron, se met
à genoux et supplie :

— Prenez-moi aussi, je serai votre servante, je sais faire...

Il a un mouvement des mains, des soudards emportent
la fille qui hurle des menaces. Son cri s'arrête brutalement
dans sa gorge brisée.

Lydia est là, devant Capestang qui l'observe. Hier, dans
la lumière des torches, il n'avait pas remarqué combien sa
peau était blanche et la courbe de ses joues douce. Et ses
yeux, qu'elle ne baisse toujours pas, sont la perfection même.
Quelle beauté, quelle tenue, quel orgueil pour une paysanne
ou une ribaude ! Il y a là un mystère qui l'intrigue.

— À genoux ! dit un des hommes. À genoux devant
monseigneur le baron et remercie-le de t'avoir sauvé la vie.

Elle ne bouge pas. Le soldat veut la forcer à s'age-
nouiller, mais Capestang le retient.

— Laisse. Dépêchez-vous, nous rentrons au château. Le
sénéchal et les hommes du roi vont poursuivre ce qu'il reste
de ces moribonds. La victoire est totale !

Puis, se tournant vers Lydia :

— Suis-moi.

Elle obéit. Il entre dans sa tente que ses valets démonteront en dernier. Lydia arrive dans la pièce où, hier, elle a été battue et violée devant le regard satisfait du maître.

— Je t'ai sauvée ! dit le baron en s'asseyant dans un fauteuil. Tu sais pourquoi ?

Elle secoue la tête et, pour la première fois, baisse les yeux. Ses paupières fermées, son visage perd sa dureté et se pare d'une douceur, d'une grâce qui donnent envie de le caresser.

— Lydia ! Tu vois, je me souviens de ton prénom.

Il l'a sauvée et c'est lui qui est embarrassé.

— Je ne vous ai rien demandé ! dit la jeune fille. Je ne veux rien vous devoir, surtout pas la vie.

Elle s'était habituée à l'idée de mourir et regrette un peu d'être encore là.

— Je t'ai sauvée parce que tu es belle et que les servantes de ta beauté sont rares.

— Pour m'offrir en pâture à vos amis ?

— Tu vois bien que tu ne parles pas comme une vachère ! Je ferai de toi ce que je souhaite, tu es ma prisonnière ! Tu ne vas tout de même pas te prendre pour une fille de noblesse ? Donc, tu vas venir à Capestang, là-bas, je trouverai à t'employer. Tu as été catin, m'as-tu dit ?

Lydia ne répond pas. Elle pense à Patte-Raide. Ne pas savoir s'il est mort ou vivant la torture. S'il vit, elle doit vivre, s'il est mort, elle franchira le pas à la première occasion.

— Tu ne me parles plus ? poursuit le baron. Tu m'en veux pour hier ? Il faudra bien que, de gré ou de force, tu fasses ce que je te demanderai pour moi et pour mes amis.

Enfin, se tournant vers la porte, il appelle un de ses gardiens.

— Trouve une robe ou quelque chose pour cette fille. Je ne vais pas l'emmener au château à moitié nue...

La chasse aux Pastoureaux se poursuit à l'ouest jusqu'au pied des Pyrénées, et à l'est sur le Larzac et les gorges des Cévennes. Pareils à des lapins derrière les chiens, ils sont massacrés par milliers. Les loups suivent à distance, par hordes entières, presque aussi nombreux que les cavaliers. Dans les montagnes, les ours viennent à la rescousse et dévorent cette manne bienvenue avant l'hiver.

Patte-Raide n'a pas été mêlé aux autres prisonniers. Il est enfermé dans un chariot qui suit l'armée, attaché à la jambe par une solide chaîne. Des cavaliers encadrent le convoi et le garçon n'a aucune chance de s'évader. On le traite bien ; Thibault du Val lui rend visite de temps en temps et Patte-Raide a bien compris à son regard bienveillant qu'il peut avoir confiance en lui. De là naît un faible espoir.

Avec les premiers froids, le comte de Lisieux décide d'arrêter la poursuite et se met en route pour Paris. L'armée levée pour chasser les Pastoureaux est libérée et s'en va dans la campagne à la recherche d'un nouvel employeur. Bouqueville décide de passer en un fief près de Rodez qui lui vient de sa femme et dont l'intendant oublie depuis des années de lui verser les revenus. Son séjour sera bref, quelques jours au plus, tant il a hâte de retrouver son hôtel parisien. Mais le froid, précoce cette année-là, le surprend. La neige tombe en abondance pendant plusieurs jours puis une bise glaciale se met à souffler, faisant d'énormes congères. Bouqueville est contraint d'attendre un temps plus clément pour se remettre en route. L'ennui le ronge dans ce château inconfortable. Il n'y a rien à faire. Ses sorties dans la campagne lui ont montré une région pauvre, des cailloux, de maigres prairies où seuls les moutons et les chèvres peuvent survivre. Il s'est rendu dans un lupanar à Rodez ; la saleté et la laideur des filles l'ont contraint à une abstinence qui le ronge.

Alors, il est de mauvaise humeur et ne cesse de s'en prendre à tout le monde. Il joue aux échecs mais ne supporte pas de perdre. Ses adversaires l'ont bien compris et le laissent gagner. Il gagne aussi à l'épée, ne trouvant en face de lui que de piètres combattants.

Tout est bon pour se distraire durant ces longues soirées qui n'en finissent pas, auprès d'une cheminée où le bois mouillé enfume tout le monde et réussit à peine à réchauffer les pieds.

— Qu'on m'amène ce prisonnier, cet enfant qui s'est comporté comme un véritable capitaine ! demande-t-il à ses serviteurs.

En être réduit à faire la conversation avec un gueux de la plus basse espèce l'exaspère, mais ici il n'y a pas de conteurs d'histoires, de jongleurs ou de joueurs de luth. Et puis ce prisonnier a un regard particulier qui plaît au gros homme.

De la minuscule ouverture qui donne sur un précipice, Patte-Raide peut voir une campagne écrasée de neige, silencieuse et gelée. À l'horizon, les cheminées de Rodez fument autour de l'énorme cathédrale. Le jeune garçon tremble sous sa couverture râpée de peau d'ours.

— On va se promener ! dit le geôlier qui vient d'entrer.

Patte-Raide ne pose pas de question et marche entre les quatre hommes armés de lances. Son silence, que les sergents de la forteresse interprètent comme une force de caractère, en impose à ces soudards. Aussi respectent-ils cet adolescent dont ils n'ont pas oublié les manœuvres avec ses cavaliers et l'habileté à l'épée.

Patte-Raide arrive dans la grande salle dont les froides dalles de pierre ont été recouvertes de paille. Le sieur de Bouqueville se chauffe en regardant le feu. Son nez aquilin donne à sa tête massive l'aspect d'un chien hargneux. Ses excès de table lui valent des crises de goutte précoces, mais cela ne le gêne en rien puisque son astrologue lui a prédit qu'il mourrait en même temps que Philippe V, ce qui le rassure : le roi de France n'a, en effet, que vingt-six ans et jouit d'une excellente santé.

— Ah ! te voilà ! fait Bouqueville en se tournant vers Patte-Raide, tu t'es bien battu, mais tes hommes n'étaient que des pleutres. Explique-moi, qu'est-ce qui vous a pris, de vous rebeller de la sorte ?

Bouqueville ne jouit pas d'une intelligence capable de discerner les causes cachées des événements. Son esprit est à l'image de son corps, lourd et d'une seule pièce. Ce n'est pas un mauvais bougre et il laisse Patte-Raide tendre ses mains aux flammes et rester debout au lieu d'exiger qu'il soit à genoux.

— Allons, explique-moi, pourquoi êtes-vous ainsi partis de chez vous ?

— La misère, monseigneur.

— La misère ? fait Bouqueville en riant et en regardant autour de lui ses serviteurs qui rient à leur tour, Thibault du Val qui reste sérieux et Guibert de Boisse qui n'a pas entendu car il pense à Dyane.

— Oui, la misère qui fait que les jeunes travaillent la faim au ventre et qu'ils n'ont aucun espoir de manger un jour à leur guise.

— Tu parles bien, toi. Ça se voit que tu sais lire et écrire.

Patte-Raide éprouve alors le besoin de montrer sa supériorité à ce gros hommes riche mais totalement illettré.

— J'ai aussi appris le latin, les mathématiques et la théologie.

Bouqueville siffle entre ses dents.

— Cela ne change rien à ton avenir. Tu seras exécuté à Paris. C'est un honneur. Tu auras droit aux meilleurs tourmenteurs. Si tu ne le sais pas encore, tu vas apprendre ce que souffrir veut dire.

— J'en suis très fier, monseigneur.

— Attends, tu ne feras pas autant le malin. Et tu comprendras enfin ce qu'il en coûte de semer le désordre.

— J'ai bien peur que d'autres troubles, plus graves encore, ne se produisent. Il est des plaies qui ne se referment pas.

Bouqueville regarde, interrogateur, les gens présents, puis le prisonnier, toujours debout près des flammes.

— Que veux-tu dire ?

Patte-Raide se tait. Les bûches s'effondrent dans l'âtre. À cet instant, son regard croise celui de Thibault, qui esquisse un petit sourire.

— Mais laissons cela, continue Bouqueville. Tu parleras quand tu seras entre les mains des tourmenteurs.

Il fait signe aux gardes de l'emmener. Avant de sortir, le jeune homme regarde une nouvelle fois Thibault, qui lui fait un petit signe. Entre eux est née, sans même qu'ils aient besoin de se parler, cette complicité des gens de la rue, de ceux qui vivent de leur malice et ne sont pas à un mauvais tour près.

Les quatre hommes ramènent Patte-Raide à sa cellule. Son geôlier, le brigadier Bradins, un petit homme maigre aux larges oreilles qui dépassent de ses cheveux gras, entre dans la pièce où règne une odeur tenace de pourriture et d'eau croupie. Les autres sont restés à la porte qu'ils gardent. À ce moment, Patte-Raide se penche à l'oreille de Bradins et murmure :

— De l'or, beaucoup d'or pour toi, t'es d'accord ?

L'autre le regarde avec des yeux ronds de poisson. Il se tourne furtivement vers la porte puis interroge son prisonnier du regard.

— Un setier d'or ! Imagine, tout pour toi. De quoi t'acheter la chevalerie, un fief et mener la vie d'un grand seigneur.

Patte-Raide se dirige vers l'ouverture et regarde les collines que le soleil allume d'un blanc éblouissant. Bradins s'en va avec son broc. La porte se ferme, la lourde clef tourne dans la serrure.

Maintenant, Patte-Raide sait qu'il peut s'évader. Il va le faire le plus vite possible pour retrouver Lydia, la soustraire à ses tortionnaires. Mais où la chercher ?

Il s'assoit sur les planches qui lui servent de lit et lui permettent de dormir au sec, à quelques pouces de la boue. L'odeur de pourriture ne le gêne plus depuis longtemps. Il s'est aussi habitué au froid. La décision d'acheter sa liberté a été prise tout à l'heure, parce qu'il a un allié dans la place, ce jeune garçon qui lui a souri. Les quelques mots glissés dans l'oreille de Bradins devraient faire leur effet, l'or ne laisse personne insensible, surtout les plus simples.

Quelques instants plus tard, le geôlier revient avec le broc d'eau fraîche. Ce n'est pas dans ses habitudes, et Patte-Raide comprend qu'il a mordu à l'hameçon appâté d'or.

— Voilà ton eau ! dit-il en posant le broc. Tu peux boire, faut dire que ce temps n'est pas très assoiffant.

Patte-Raide le laisse venir à lui et ne dit pas un mot. L'autre n'arrive pas à s'en aller. Enfin, il s'approche et demande à voix basse :

— Un setier, vraiment ?

— Un setier ! affirme le garçon.

— Qu'est-ce qui me prouve que c'est vrai ?

— L'or pillé aux Juifs... Ce serait bête de le laisser aux autres quand on peut l'avoir pour nous.

Bradins s'estime employé en dessous de ses capacités. Il a toujours eu la certitude que sa situation s'arrangerait, qu'il deviendrait riche. C'est l'occasion à ne pas manquer. Ses ancêtres avaient la noblesse et son grand-père dut en abandonner les privilèges parce qu'il était trop pauvre pour nourrir un cheval. Ce retour chez les manants a toujours été la honte de Bradins.

— Écoute, dit-il, c'est pas facile. Je ne veux pas me balancer au bout d'une corde pour une promesse. Mais dis-moi, où se trouve cet or, et comment se fait-il que tu en connaisses l'emplacement ?

— Cet or se trouve dans un souterrain sous une chapelle. Je ne t'en dirai pas plus. Et surtout tiens ta langue, car cela peut intéresser beaucoup de monde. Réfléchis à la manière de partir et de protéger notre fuite.

Bradins sort sans rien ajouter. Les jours suivants, il apporte les repas du prisonnier mais ne dit mot ; pourtant, son regard qui s'attarde ne trompe pas Patte-Raide.

Le mois de février 1319 passe, froid et lumineux. Les après-midi, le soleil commence à chauffer et la neige fond. Des pans de collines sombres sortent de la blancheur. Bientôt Bouqueville va pouvoir reprendre la route de Paris.

Patte-Raide dit à Bradins :

— Ma proposition tient toujours et le temps presse.

L'autre le regarde de ses grands yeux blancs.

— C'est que...

— Pense au setier d'or. Beaucoup voudraient être à ta place. Avec un setier d'or, tu deviendras l'égal de Bouqueville lui-même. Tu pourras être reçu à la cour !

— C'est que... Promettre de l'or ne convient pas. Il faut le montrer.

Patte-Raide s'en va à la meurtrière, déplace une pierre qu'il pose sur les planches de son lit et sort une bourse en vessie de porc.

— C'est tout ce que j'ai pour l'instant. Fais vite, sinon, tu n'auras rien de plus et tu auras raté la seule chance de ta vie.

Bradins prend la bourse. Son poids le surprend et il l'échappe. Il se penche pour la ramasser, mais l'échappe de nouveau, comme si cet or le brûlait. Il réfléchit rapidement, cherche en vain le moyen de faire évader ce prisonnier singulier et surtout de semer les poursuivants.

— Cherche la bonne occasion, insiste Patte-Raide. Un setier d'or, ça ne se gagne pas sans peine.

Bradins ne répond pas. Il sort, ferme la porte à double tour, comme d'habitude, et le bruit de ses pas s'éloigne sur les dalles de pierre.

Le soir, enfin, le sergent entre dans la cellule.

— Tout le monde est occupé, nous avons un peu de temps pour parler. Le départ est prévu pour demain, à prime. Tiens-toi prêt. Tu prendras ces habits. Dans l'ombre, personne ne te remarquera. Tu sortiras cette nuit et tu te cacheras dans le recoin près de l'escalier. Passé minuit, les préparatifs vont recommencer. Tu te mêleras aux hommes et tu sortiras, personne ne fera attention à toi ; les chariots sont derrière la première enceinte. Là, tu profiteras de la nuit pour traverser la cour. Il y a un bosquet, tu le longeras et derrière tu trouveras un cheval pour toi et des cavaliers pour t'accompagner. Vous partirez en direction de la forêt. Je vous rattraperai très vite.

Patte-Raide réfléchit un instant puis pose une main sur l'épaule de Bradins.

— Rappelle-toi, un setier d'or. Si tu ne veux pas le partager, il vaudrait mieux que nous ne soyons que tous les deux.

— T'inquiète pas. Les deux gars qui t'attendront sont des soudards sans emploi. Nous les sèmerons en route, mais ils nous seront utiles en cas de mauvaise rencontre.

— Et la porte ?

— Je ne la fermerai pas à clef.

Il sort. Dehors, les déménageurs remplissent les chariots, chargent les coffres. À mesure que les heures passent, l'agitation diminue, puis le silence tombe sur la forteresse. Patte-Raide se décide. Il enfile rapidement les vêtements que Bradins lui a apportés, remonte la capuche qui lui cache le visage, fait tourner le loquet de la porte, puis sort dans le couloir. Le cœur battant, il se plaque contre le mur et progresse ainsi en tâtant le sol du bout du pied. Il arrive à la première marche de l'escalier qui donne sur un chemin de ronde. Le ciel dégagé est piqué d'étoiles qui diffusent une lumière poussiéreuse. Un chien aboie au loin, des chouettes s'appellent et se répondent.

Passé minuit, le remue-ménage recommence. Après avoir dormi deux ou trois heures, les hommes de Bouqueville reprennent leur travail. Tout doit être prêt pour partir au lever du soleil. Des voix s'interpellent dans l'ombre, des torches se déplacent, des roues ferrées sonnent sur les pierres de la cour. Patte-Raide se glisse dans cette cohue et marche, la tête baissée, vers la deuxième cour où des hommes sellent des chevaux. Le ciel blanchit déjà, mais la nuit reste épaisse à hauteur d'homme. Le froid est vif.

— Dis donc, le tire-au-flanc, viens donc m'aider à porter ce coffre.

Patte-Raide reconnaît Bradins, qu'il aide à charger le coffre, puis se glisse derrière les écuries, traverse le pont-levis abaissé que personne ne garde. Il arrive enfin au bosquet et trouve, comme convenu, un cheval attaché à un tronc d'arbre. Il monte en selle et s'éloigne tandis que deux cavaliers le rejoignent et galopent à côté de lui jusqu'à une maison abandonnée au bord d'une petite rivière. L'un des deux hommes se place devant lui.

— Il faut attendre ici.

Le jour s'est levé. Des nuages glissent au-dessus des collines. Un peu de brume flotte sur le ruisseau. Enfin, le bruit d'un galop annonce l'arrivée de Bradins.

— Bon, fini de rigoler ! dit Bradins en dégainant son épée. Tu es notre prisonnier et tu vas nous raconter tout ce que tu sais à propos de l'or des Juifs. Si tu m'as parlé d'un setier, c'est qu'il y en a beaucoup plus !

Les compagnons de Bradins ont mis pied à terre et désarçonnent Patte-Raide, qui ne peut opposer aucune défense. Ils le ligotent et veulent l'attacher sur son cheval quand deux cavaliers en cotte et chaperon de fer font irruption, l'épée au clair. Bradins a su choisir ses complices : les deux hommes se battent bien, mais les deux jeunes garçons, que Patte-Raide a tout de suite reconnus, sont les plus forts. Ils savent profiter de l'effet de surprise et désarment leurs adversaires. Bradins tente de s'enfuir, mais Guibert de Boisse le rattrape vite.

— Pitié, monseigneur ! pleurniche-t-il.

Avec la corde qui ligotait Patte-Raide, Guibert attache solidement les trois hommes à un arbre.

— Si les loups n'en veulent pas, fait Thibault, ils finiront bien par se libérer, mais vous serez loin.

Il ôte son chaperon de fer et se tourne vers Patte-Raide.

— Ainsi, vous êtes de Tulle ? Nous aussi, ou presque. Moi, je suis de la ferme du Val, qui se trouve sur la Corrèze à six lieues en amont de Tulle, et mon ami, Guibert de Boisse...

— Je sais où se trouve Boisse ! dit Patte-Raide.

— Depuis longtemps nous cherchions le moyen de vous faire évader quand nous avons compris que Bradins s'en chargerait. Mais il avait trop de fourberie dans le regard pour ne pas préparer quelque mauvais tour. Nous l'avons guetté et nous l'avons suivi.

— Et vous avez bien fait ! dit Patte-Raide en battant à plusieurs reprises de ses grands cils noirs.

Le soleil est sorti de la brume et allume sur la rivière des fumerolles qu'un léger vent anime comme des corps de femmes qui dansent. Attachés à leur arbre, Bradins et ses compagnons se disputent dans une langue que les jeunes hommes ne comprennent pas.

Thibault et Guibert devraient s'en aller. On va les soupçonner d'avoir fui avec le prisonnier, mais ils ne bougent pas. Ils ressentent, comme Patte-Raide, cette chaleur qui monte en eux, ce contentement que procure une amitié naissante et qui n'a pas besoin de mots pour s'exprimer.

— Nous devons partir ! se décide enfin Thibault. Nous nous retrouverons en Limousin, ce printemps.

— Je n'ai pas de famille ! dit Patte-Raide. La seule personne qui pourra vous donner de mes nouvelles, c'est Enguerrand de Niollet, qui réside à Malemort. Il est copiste et tient boutique près de la rivière.

— Partez vite ! dit Guibert. Nous allons emmener les chevaux. Bradins ne vous rattrapera pas !

Patte-Raide remercie une fois de plus et s'éloigne, comme à regret, le cœur plein d'une joie inconnue jusque-là et qui lui fait un bien immense.

Trois jours plus tard, il arrive à la chapelle du Maspertuis, construite sur un promontoire rocheux près de l'Orb. C'est un petit bâtiment abandonné au clocher en pierre. Dans sa niche, la cloche n'a plus de battant. La nuit tombe. Le ciel s'est découvert et il fait frais.

Le jeune homme entre, allume une torche et découvre aussitôt la dalle que lui avait indiquée Castillau : le joint vide de poussière indique qu'elle a été récemment déplacée. Il la pousse, descend un escalier de terre très glissant, arrive à une cave voûtée. Plusieurs tonneaux sont disposés à l'autre bout.

Le premier est vide, le deuxième aussi. Le troisième est tellement lourd qu'il n'arrive pas à le déplacer. Du bout de l'épée, il fait sauter les cercles d'osier. Une rivière de pièces d'or coule à ses pieds. Émerveillé, la respiration rapide, Patte-Raide contemple un moment le trésor. Le voici l'égal des plus riches ! Ses doigts tremblent à la lueur de la torche. Enfin, comme la flamme faiblit, il glisse quelques pièces dans sa poche et sort. L'air frais de la nuit le dégrise. Une hibou pousse son cri lugubre, la lune éclaire les arbres de sa lumière bleue.

Les ruines du château de Morsille se dressent sur une colline, entouré de forêts profondes du Morvan réputé pour ses loups et ses ours. Les chemins évitent ce lieu maudit, hanté par les armées du diable, proche de Nevers. Le château appartenait au Temple et était bien défendu. Sans l'effet de surprise, l'arrestation des moines soldats aurait été difficile. Depuis, l'immense bâtisse est vide. Le vent hurle au coin des tours ; les rares voyageurs égarés dans ce lieu reculé racontent avoir vu, sur le chemin de ronde, des silhouettes, des ombres qui vont et viennent, celles des templiers brûlés ou pendus après leur procès. Autrefois, il y avait un village, mais les habitants ont déserté les maisons et leurs maigres champs sont retournés aux friches.

C'est là qu'en ce mois de mars 1319 le grand maître Léon de Tolède retrouve les principaux maîtres de l'Ordre. Ce soir, après une messe et les prières propres aux templiers, Léon de Tolède, vêtu de blanc, tend ses longues mains noueuses face à ses frères. Dans ses yeux brûle toujours cette haine que rien ne saurait apaiser.

— Frères, pas un Pastoureau n'a survécu. La jeunesse de tout le royaume a été engloutie. Voilà le bon travail de nos frères prêcheurs que Dieu accueille en ce moment en Son paradis. Toute une génération a été sacrifiée, le royaume de France ne s'en relèvera pas !

Un sourire passe sur ses lèvres. Les bras levés, le maître parcourt l'assistance, les cierges éclairant son visage maigre et long d'une lumière changeante.

— Maintenant, nous allons semer sur le royaume la pire des misères, pire que le manque de blé, pire que le feu, pire que la lèpre. Un mal diabolique !

Ses mots tombent sur l'assistance comme une grêle de feu. Enguerrand est là, recroquevillé dans son manteau en peau d'ours, car il a pris froid en chevauchant. Des frissons parcourent son corps, mais tout devrait vite s'arranger : le grand maître lui a administré l'un des médicaments secrets du Temple.

Léon de Tolède reprend, un sourire méchant aux lèvres :

— Deux années de suite ils ont eu faim à cause de la pluie, l'été prochain, ils mourront par manque d'eau !

Une rumeur parcourt l'assistance. Le maître s'écrie :

— Oui, car ils trembleront de boire ! Il suffit de l'eau d'un seul des tonneaux ramenés d'Orient où sévissait l'année dernière l'épidémie du mal d'entrailles pour contaminer au plus chaud de l'été toutes les sources de France !

Une ovation lui répond.

— Le roi lui-même en mourra !

Enfin, les frères entonnent un chant plein de ferveur. Les voix s'amplifient et s'échappent dans la nuit. Le vent les emporte jusqu'au village de Fontanes situé à une lieue de là, et les vilains se signent, certains d'entendre les revenants rassemblés dans ces ruines maudites pour quelque cabale infernale. Ils barricadent leurs portes et prient Dieu de les protéger.

Léon de Tolède attire Enguerrand de Niollet dans un coin de l'immense salle.

— As-tu des nouvelles de ton fils adoptif ?

Enguerrand soupire.

— Non. Nous n'avons rien pu savoir, même auprès des nôtres engagés dans l'armée du comte de Lisieux et chargés de le protéger. Une rumeur prétend qu'il aurait été fait prisonnier et se serait évadé.

Le grand maître sourit.

— C'est bien là un trait qui ne trompe pas. Tous nos prêcheurs blancs sont morts, et ce qui est grave, surtout, c'est que l'or pris aux Juifs reste introuvable !

Ils se taisent quelques instants, puis le maître demande de nouveau :

— Et cette superbe fille qui était chez toi ? Elle est partie avec ton fils. Je suppose que...

Enguerrand sourit.

— Ne t'en fais pas, j'avais chargé plusieurs des nôtres de la dépêcher. Nous ne la reverrons plus jamais.

— Tu m'en vois satisfait.

Le château de Capestang, à trente lieues à l'ouest de Béziers, est une immense demeure avec des centaines de domestiques. Le vieux baron, grand et maigre, le visage immobile, presque toujours vêtu de noir, s'entoure d'une foule de chevaliers et mène un train de vie princier. Cet homme qui ne dit pas trois mots par jour donne des fêtes, des banquets où se côtoie toute la noblesse de la région. Ce solitaire aime s'entourer de gens bavards. Des musiciens, des troubadours, des danseurs animent les dîners, car ce désespéré, depuis la mort de sa femme, aime les arts. Même s'il n'y prend part, il suit avec intérêt les conversations à propos de Dante ou de quelque autre poète à la mode.

Son fils aîné, Guillaume de Capestang, futur baron lui-même, a épousé Amélie de Puisserguier, petite femme bossue, sans grâce mais riche. Guillaume la délaisse et la valetaille murmure qu'elle ne risque pas d'avoir un enfant puisqu'elle est encore pucelle.

Lydia travaille à la lingerie et s'occupe du linge personnel de Guillaume. Ainsi le jeune maître apporte-t-il lui-même ses chemises à laver. Cette sollicitation n'échappe pas aux lingères, qui s'étonnent à haute voix qu'un si grand seigneur s'intéresse tout à coup à d'aussi basses besognes. Parfois, il fait monter la jeune fille dans son appartement en prétextant des draps à changer ou un tapis à brosser. Sa beauté le fascine. Lui que les alliances de sa famille contraignent à vivre avec un laideron ne se repaît pas de ces grands yeux pleins de lumière, de cette peau qui appelle la caresse, de ce nez parfait, de ces lèvres qu'il voudrait embrasser à pleine bouche.

— Sans moi, vous auriez été pendue. Cela vaut bien une petite faveur !

— Vous pouvez me prendre par la force, monseigneur, me livrer à vos amis, comme vous le fîtes par dépit, mais je sais que vous êtes une âme noble !

Guillaume est complètement démuni devant cette servante qu'il peut pourtant faire fouetter. Il a cessé naturellement de la tutoyer tant cela lui semblait incongru de se mettre en position de maître devant cette femme mystérieuse et inaccessible.

— Je sais que vous n'êtes pas de basse condition. Si je vous ai mise à la lingerie, c'est pour vous humilier, pour qu'à la surfin vous me disiez qui vous êtes.

— Je vous l'ai dit. J'ai été ribaude.

— Une ribaude ne refuse pas les avances d'un homme qui a tout pouvoir sur elle.

À court d'arguments, Guillaume renvoie Lydia à ses occupations et va s'épuiser dans la salle d'armes à jouter jusqu'à la nuit.

Tout le monde a vite remarqué l'attachement du maître envers Lydia, et certains ne cachent pas leur jalousie.

— Une belle délurée ! Elle sait montrer ce qu'il faut à un pauvre niais comme monseigneur Guillaume.

— Un niais ? Vous voulez dire qu'il ne sait rien de ces traînées ! Le pauvre ne supporte plus dame Amélie.

— Les riches ont bien leur malheur. Ce beau seigneur avec ce laideron toujours de mauvaise humeur ! Tout ça pour un fief !

— Dis ce que tu veux, Marion, mais moi, pour un fief, j'épouserais le plus laideron des laiderons, même s'il avait l'aiguillette nouée.

Lydia ne doit pas seulement supporter les brimades des serviteurs. Dame Amélie éprouve une haine naturelle pour les belles filles de condition inférieure à la sienne. Pourquoi la beauté qui lui a été refusée serait-elle donnée à quelqu'un qui n'en a pas besoin ?

— Une souillon, voilà ce que tu es ! fait-elle en inspectant le linge. Bien sûr, on ne peut pas tout faire, jouer à la belle et travailler sérieusement !

Parfois, ses reproches sont plus nets.

— Je ne t'aime pas ! Te voilà avertie ! Tu dois bien prendre garde à ce que tu fais.

Guillaume laisse rouspéter sa femme et continue ses visites à sa belle lavandière. Un jour, il découvre qu'elle sait lire et écrire.

— Vous n'allez pas me dire que cela vous est venu en tapant le linge au ruisseau ou en plumant un bourgeois dans un bordel ! Vous ne me dites pas la vérité, vous n'êtes pas une fille de rue.

— Je suis Lydia du Pont ! répète-t-elle avec malice. Mes parents sont morts alors que j'étais toute petite. Il a fallu que je me débrouille.

— Où avez-vous appris à lire ?

— Chez un clerc que je servais. Il se trouve que j'ai des facilités pour l'étude.

— Des facilités ! fait Guillaume en marchant de long en large dans la chambre, toujours ébloui par la beauté de ce corps qui se refuse et qu'il ne veut pas prendre par la force.

Puis, s'approchant d'elle, les yeux dans ses yeux bleus si profonds qu'il s'y noie, qu'il y perd sa raison :

— Je regrette de vous avoir livrée à mes hommes. Ils ne vous méritent pas, mais vous m'aviez exaspéré. Je vous veux. Je ne pense qu'à ça tout le temps, le jour et la nuit.

— Mais madame votre épouse, monseigneur...

— Je ne la supporte pas. Elle me hérisse la peau quand elle s'approche de moi. Elle est si mal faite que... Alors que vous...

Il ne finit pas ses phrases, ne trouvant pas les mots suffisamment forts pour exprimer sa pensée. Il serre les poings, conscient que même les hommes puissants n'ont pas tout ce qu'ils veulent.

— Je ne serai jamais à vous, monseigneur, jamais !

Une telle affirmation, dite avec assurance, brûle Guillaume comme du fer rougi.

— Vous voulez dire que vous appartenez à un autre ?

— C'est à peu près ça, monseigneur.

— Si je le tenais, celui-là, je le ferais empaler. Est-il riche, au moins ?

— Oui, très riche. Plus riche que vous, monseigneur. Il possède les plus beaux cils qui aient été donnés à un homme.

— Quel est ce grand seigneur que je ne connais point ? Est-il à la cour de France ?

— Nenni. Peut-être est-il mort ! dit Lydia en baissant la tête.

Un après-midi, Lydia et d'autres servantes doivent nettoyer les tentures dans la grande salle où la cour du baron se rassemble le soir pour écouter de la musique ou assister au spectacle de jongleurs ambulants. Un luth a été oublié sur une table. Lydia ne peut s'empêcher de le prendre, de le regarder de près, de toucher les cordes pour en vérifier l'accord. Avec cet instrument, son passé à Malemort illumine sa mémoire, les soirées chez Enguerrand tandis qu'elle jouait d'un luth semblable. Patte-Raide souriait : il aimait tant la musique !

— Eh, Marion, dit une grosse fille, regarde, elle se prend pour une dame. Voilà-t-y pas qu'elle va nous jouer de la musique !

— Elle connaît mieux la musique que le travail, t'en fais pas, ce genre de garce se tire toujours d'affaire.

Lydia, qui ne fait pas attention à ce que disent ses voisines, s'assoit sur un coffre, pose l'instrument sur ses genoux et commence à jouer. Les notes s'envolent, pures comme des grains de cristal, légères comme des bulles. Les servantes s'arrêtent de travailler et écoutent, ravies comme des enfants, cette mélodie qui semble venir du paradis. Puis Lydia chante une de ces complaintes apprises chez Enguerrand. Elle n'est plus dans ce château trop grand, mais chez le maître templier en compagnie de Patte-Raide. Des larmes roulent sur ses joues et sa voix en est plus juste, plus vibrante. Tout à coup, les femmes se remettent au travail. La silhouette déformée de dame Amélie se profile dans le couloir. Lydia pose l'instrument.

— Depuis quand les filles comme toi jouent-elles du luth et connaissent-elles le chant ? fait Amélie de sa voix rayée et méchante.

Lydia ne répond pas et pose l'instrument. La dame s'approche d'elle.

— Tu vas me suivre.

Lydia emboîte le pas à sa maîtresse. Elles traversent la grande salle, suivent un couloir austère et descendent un escalier de pierre.

— Je ne sais pas d'où tu viens, ni si tu es de noblesse. Mais je sais que tu es le diable dans cette maison.

Amélie appelle Gélinot, un homme qui lui est entièrement dévoué. C'est un colosse qu'elle a sauvé autrefois de la corde. Depuis, il lui voue une fidélité totale.

— Tu vas emmener cette fille dans une cellule de l'ancienne tour où personne ne met jamais les pieds. Elle pourra hurler. Il n'y aura que les revenants pour l'entendre. On dira qu'elle s'est enfuie. Personne n'en portera le deuil.

L'homme, sans un mot, prend Lydia par le bras et veut l'emmener.

— Tu peux t'amuser ! ajoute Amélie. Une fille aussi belle ne doit pas être perdue pour tout le monde.

Lydia veut s'échapper, mais l'homme la tient solidement et l'emporte avec un gros rire. Amélie court dans sa chambre se prosterner devant le crucifix.

— Pardonnez-moi, mais je ne peux plus..., supplie-t-elle. Cette belle fille qui a tous les charmes et qui est sûrement de noblesse, pourquoi l'avez-vous laissée venir ici ? Mon Dieu, Vous me donnez tant de souffrance !

Elle se recueille un long moment. Cette méchanceté, ce côté rebelle et bougon ne sont pas dans sa nature. Quand elle était enfant, on la disait gaie et généreuse, mais la vie apporte parfois des revers qui révoltent. Amélie était une superbe petite fille. À douze ans, un terrible mal de dents a déformé sa mâchoire, enlaidi sa figure, puis son dos s'est voûté à mesure qu'elle grandissait.

— Je ne veux plus qu'il la voie, qu'il l'approche. Ça me fait trop mal. Pourquoi l'avez-vous faite si belle et moi si laide ?

Elle voudrait tant plaire, tant être aimée de cet homme qu'elle a épousé et qui l'ignore ! Sa solitude est telle que, parfois, elle éprouve l'envie de s'offrir au premier soudard qui passe.

Dans le château, la disparition de Lydia n'étonne personne : elle avait dans le regard un désir d'ailleurs, d'autres paysages, d'autres gens. Une fille qui joue du luth et chante aussi juste ne peut pas se contenter d'une place de lingère, il lui faut le lit d'un bourgeois !

Quand il s'aperçoit que Lydia a disparu, Guillaume de Capestang, de retour de sa maison forte de Saint-Amans, pousse un cri de colère. Il va d'une pièce à l'autre dans cette immense demeure, court comme un fou dans les couloirs et s'arrête devant la porte d'Amélie, qui a deviné sa présence.

— Où est Lydia ?

— Elle a dû s'en aller, dit-elle. Elle a sûrement suivi quelque troupe de baladins.

Il ne la croit pas et apprend par les autres domestiques la scène du luth.

— Elle connaît le luth, dis-tu ?

— Fort bien, monseigneur. Et elle chante à ravir.

Cette fois, la colère lui donne de l'audace. Il fait irruption dans l'appartement de sa femme, chasse ses dames de compagnie par de grands mouvements des bras. Il est blême, les lèvres serrées. L'absence de Lydia lui pèse, tel un billot sur les épaules. Pourquoi ne l'a-t-il pas emmenée à Saint-Amans ? Pour ne pas s'attirer les reproches de son père ? Il tourne en rond dans la pièce comme un ours en cage, se tord les mains.

— Mon ami, dit Amélie, l'absence d'une servante peut-elle vous mettre dans cet état ?

— Une servante ? Vous savez qu'elle est de noblesse. Je l'ai sauvée de la corde pour cela.

Elle sourit, désabusée.

— M'auriez-vous sauvée ? Dans les mêmes conditions, vous ne m'eûtes point vue !

Il marche encore nerveusement, revient vers Amélie. Sa laideur l'offense, augmente son désir de Lydia.

— Vous me mentez, j'en suis certain. Vous retenez Lydia prisonnière quelque part dans ce grand château. Mais je vous assure que je la retrouverai, dussé-je le démonter pierre par pierre !

Il va trouver Gélinot et lui place la pointe de l'épée sous la gorge.

— Tu vas me dire ce que tu as fait de cette fille. Tu entends, sinon, je te tranche comme un porc.

— Elle est partie, monseigneur !

— Tu mens ! Si elle avait dû partir, elle l'aurait fait depuis longtemps.

Quelque chose lui dit que Lydia n'est pas loin. Cette certitude sans fondement vient de ce sentiment qui l'embrase, cette conviction que leurs chemins ne se sont pas croisés pour rien.

— Tu me le dis ?

Il appuie sur la garde de l'épée, la lame entaille la peau. Un filet de sang coule sur le cou.

— Monseigneur, ce n'est pas de mon vouloir. Je n'ai fait qu'obéir aux ordres de Madame...

— Conduis-moi, tu parleras après.

Ils partent dans l'aile désaffectée du château, qui sert de temps en temps à abriter une garnison de passage, et surtout à enfermer des prisonniers que l'on souhaite ne pas entendre crier. Une salle de torture munie de tous les accessoires se trouve à côté des cellules.

Lydia est là, dans une fosse froide et humide, sa robe déchirée. Quand il la voit, Guillaume pousse un cri terrible. Il positionne l'échelle et se laisse tomber dans ce trou boueux.

— Que vous ont-il fait ?

Il se met à genoux, pose sa tête contre la poitrine de la jeune fille.

— Je vous demande pardon.

Il la prend dans ses bras et l'emporte en criant comme un fou. Les domestiques accourent.

— Installez-la dans mon appartement. Qu'on lui fasse chauffer un bain et qu'on lui donne des vêtements de sa condition, ceux d'une personne de noblesse.

Tuer Amélie lui ferait du bien ; il court chez elle en se disant qu'il va la jeter dans la fosse. D'un violent coup de pied, il pousse la porte et, du plat de son épée, balaie les pots et ornements des coffres, les masques de porcelaine, casse les chandeliers, déchire la literie. Amélie, qui est en train de se faire coiffer, ne bronche pas. Enfin, quand il se calme, elle demande, avec sa maîtrise habituelle :

— Voyons, mon ami, que vous prend-il ?

— Il me prend que vous avez traité mon invitée d'une manière indigne. J'ai envie de vous étrangler.

— Votre invitée ? Vous invitez des lingères, maintenant ?

— S'il n'y avait pas mon père, il y a belle lurette que je vous aurais renvoyée en vos terres.

Amélie répond d'une voix sifflante :

— Je n'en doute pas un instant.

Elle repousse le miroir qu'une servante approche et dit enfin, d'une voix pleine de lassitude :

— Il faut vous ressaisir, mon ami. Vous ne comprenez pas qu'elle vous a envoûté, qu'elle possède un sortilège et que vous avez sombré ? Tout cela est ridicule.

L'aplomb d'Amélie, sa manière d'exprimer ses certitudes ont toujours retenu Guillaume, qui se sent, lui, plein de contradictions. Elle insiste.

— Ces gens ont commerce avec le diable. Vous le savez puisque vous les avez combattus. Ils sont excommuniés, cela veut tout dire.

Guillaume sort de la pièce ; sa colère a cédé la place à l'abattement. Dans le couloir, il croise son père en compagnie du sire de Lautrement, son fidèle conseiller. Le baron porte ses soixante-cinq ans avec majesté. Sa présence silencieuse a le poids de sa poigne de fer. Face à cet homme qui ne se trompe jamais, Guillaume est encore un enfant.

— Guillaume, dit le baron, je trouve que vous vous agitez beaucoup pour une affaire qui ne mérite pas que l'on fouette un chat.

Il n'ajoute rien et s'éloigne. Guillaume regagne son appartement et trouve une Lydia transformée. Tant de beauté le laisse sans voix. Elle a revêtu une robe de brocart rouge et bleu, ses cheveux, rassemblés en deux grosses tresses rabattues sur le haut de la tête, dégagent les contours délicats de sa nuque. Ses yeux bleus n'ont jamais été aussi profonds, son teint aussi éclatant.

Il fait un pas vers elle.

— Madame...

Il ne trouve pas les mots. Comment croire que cette femme est vachère ou catin ? Elle porte les vêtements les plus riches avec une aisance qui prouve ses origines.

— Madame... Je ne sais pas votre nom, mais vous n'êtes pas la Lydia du Pont.

Son regard brille, il ne voudrait jamais le détacher de ce corps magnifique, de ce visage parfait. Il appelle son domestique.

— Fais apporter un luth.

Le domestique revient quelques instants plus tard avec l'instrument demandé. Guillaume le tend à Lydia.

— On m'a tellement parlé de votre art de jouer et de votre voix. Faites-moi ce plaisir...

— Monseigneur, il se trouve que Dieu m'a donné quelques facilités pour apprendre la musique, mais cela ne fait pas de moi une fille de noblesse. Vous me voyez là vêtue comme je ne l'ai jamais été.

— Dieu vous a donné beaucoup de facilités, l'étude, la musique, le chant...

— C'est qu'Il a souci de justice, et comme Il donne l'or aux riches...

Elle est réellement émue, ce qui apure un peu plus les formes de son visage.

Et puis la musique commence, légère, nostalgique et gaie, émue et brillante. Guillaume, qui s'est assis sur un siège, se tient la tête dans la main droite, le coude posé sur le genou. Les notes entrent en lui, l'habitent. Il n'existe plus, il est cette mélodie que chante Lydia d'une voix douce et profonde. Quand elle s'arrête, il lève ses yeux mouillés vers la jeune fille.

— Lydia, vous êtes une fée.

Alors, elle s'approche de lui avec cette souplesse de mouvement, cette grâce rare réservée à ceux qui savent tout de leur corps, et pose un baiser sur le front du jeune homme.

— Vous êtes bon ! dit-elle.

— Quand m'aimerez-vous ?

Elle se tait un instant, joue un accord et dit enfin :

— Cela ne se commande pas, monseigneur.

À cet instant, elle pense à Patte-Raide, peut-être prisonnier, peut-être blessé ou mort et peut-être, aussi, libre comme il l'a toujours été. Quand le reverra-t-elle ?

Patte-Raide commence par s'acheter un bon cheval et cherche la deuxième chapelle, celle de Blanquemart, où sont cachés les deux autres setiers d'or volés aux Juifs. Il la trouve assez facilement, en retrait de Hérépian, sur une butte au milieu des ruines d'un ancien château qui domine l'Orb. Les douves sont comblées, mais les gens évitent ce lieu maudit comme tous ceux qu'ont habités les anciens templiers, et les vignes sont abandonnées sur les pentes au-dessus du fleuve. Le jeune homme s'y rend un soir en prenant d'infinies précautions tant il redoute d'être suivi. Un souterrain permet certainement d'y accéder discrètement, mais il faudrait en connaître l'entrée, sûrement dissimulée dans un puits ou une maison du village ayant appartenu aux frères chevaliers.

La chapelle est délabrée, les voûtes de la nef s'effondrent, le sol est jonché de gros blocs de pierre écroulés du plafond. Patte-Raide doit en déplacer plusieurs avant de trouver la dalle qu'il réussit péniblement à déplacer tant elle est lourde. Celle-ci donne accès à un escalier taillé dans une roche molle qui s'effrite sous les pieds. La torche à la main, il descend les marches et suit un étroit boyau humide. Une eau froide et jaune tombe de la voûte. Il arrive enfin dans une salle où sont entreposés des malles et des tonneaux. Deux corps desséchés recroquevillés dans un dernier mouvement de vie, se trouvent près d'une nouvelle galerie qui doit conduire à une autre sortie. Ces momies prouvent bien que la place a servi de prison.

Patte-Raide ouvre les coffres, qui sont vides, et se demande un instant si quelqu'un ne l'a pas précédé. Il tire la bonde d'un premier tonneau et approche sa torche. Celui-ci est rempli de pièces, de bijoux, d'objets en or massif. Il y a là de quoi mener grande vie, devenir un des plus puissants seigneurs du royaume. Que va-t-il faire de cette fortune ?

Il décide d'explorer l'autre souterrain, enjambe les momies dont personne ne connaîtra jamais le secret et pénètre dans le boyau. Il retrouve les sensations de sa vie souterraine à Tulle, ce qui ramène ses pensées à Lydia. Que ne donnerait-il tout cet or pour retrouver la jeune fille !

Un éboulement l'arrête bien vite. En poussant un bloc qui se décompose en lamelles rouges, il réussit à passer. Maintenant, il doit avancer avec précaution pour ne pas risquer d'être bloqué, mais le plafond tient solidement. Il arrive dans une deuxième salle, totalement vide celle-là. Patte-Raide connaît suffisamment les habitudes des templiers pour savoir qu'un autre souterrain conduit à une deuxième entrée ; ils n'oubliaient jamais une issue de secours, mais là rien de semblable, ce qui l'étonne un instant. Sa torche de résine faiblit. Il a emporté une lampe à huile qui éclaire mal, mais suffisamment pour lui permettre de découvrir, parfaitement ajustée, une dalle cachée par les ruissellements de boue. Il réussit enfin à la faire pivoter et la lampe révèle une deuxième salle jonchée d'ossements de prisonniers, sûrement emmurés vivants et morts de faim.

Patte-Raide comprend qu'il n'y a plus rien à trouver et rentre à son auberge. Il est trempé et sera obligé de raconter qu'il a fait une chute de cheval.

Le lendemain, il part pour Malemort : si Lydia vit, c'est là qu'il la retrouvera. Et puis il en veut à Enguerrand de l'avoir trompé. Pourquoi lui avoir fait miroiter l'espoir d'une reconquête du royaume d'Orient ?

Ce voyage seul n'est pas sans risques, aussi s'assure-t-il les services de cavaliers qui se louent aux marchands et bourgeois contraints de se déplacer pour leurs affaires.

À Malemort, Enguerrand l'accueille à bras ouverts. Il rentre lui-même d'un voyage dans le lointain Morvan. Le retour de Patte-Raide lui redonne espoir. Enfin, le voilà, ce fils adoptif, ce disciple sur lequel il compte tant !

— Si tu savais combien j'ai regretté de t'avoir laissé partir ! Mais je savais que tu n'étais pas mort. On m'avait dit que tu t'étais évadé, je n'en attendais pas plus de toi.

Ses yeux sont mouillés ; la joie amplifie les disgrâces de son visage anguleux. Patte-Raide reste grave, ce n'est plus un père qu'il retrouve, mais un de ces templiers qui ont conduit toute une génération au massacre.

Il s'approche d'Enguerrand, blême, les lèvres serrées.

— Vous m'avez trompé ! Vous avez trompé toute la jeunesse du royaume ! Au lieu de la croisade, ce qui nous attendait, c'étaient des épées et des cordes !

Enguerrand reçoit ces paroles de reproche comme un seau d'eau froide à la figure.

— Combien de fois je suis allé trouver Castillau pour le supplier de partir, mais il n'a jamais voulu ! poursuit le jeune homme.

Enguerrand se déplace en boitillant. Il s'approche du feu qui flambe, cherche ses mots.

— Mon fils, voyons...

— Je ne suis pas votre fils !

Blessé, Enguerrand fait face, les mains ouvertes devant lui, des pattes d'ours.

— Et nous, quand on nous a appliqué la question, quand on nous a fait avouer des crimes que nous n'avions pas commis, quand on a allumé les bûchers pour nous brûler et qu'on nous a pris tous nos biens, crois-tu qu'il y avait une seule personne pour nous plaindre ?

Patte-Raide se tait. Un mur s'est dressé entre Enguerrand et lui pendant ces longs mois de cavale, d'errances, le mur d'un rêve brisé.

— Je n'entrerai jamais dans l'Ordre ! dit Patte-Raide.

Enguerrand tousse à plusieurs reprises. Il ouvre de grands yeux, ses lèvres bougent comme s'il avait perdu sa respiration. Il dit d'une voix très calme :

— Et, pourtant, tu as été formé par l'Ordre, tu as grandi avec les idées de l'Ordre, tu penses comme ceux de l'Ordre !

C'est justement cette détermination apprise avec maître Perrot, puis avec Enguerrand, qui le sépare désormais de ceux qui ont mis tant d'espoirs en lui. L'Ordre s'est renié en abandonnant ce qui était sa raison d'être, la reconquête des terres qui l'ont vu naître et grandir !

— Je vous répète que je ne serai jamais un frère templier. Je suis venu vous le dire et prendre des nouvelles de Lydia.

Enguerrand a un rire sec. Il s'approche de Patte-Raide, qui ne baisse pas les yeux.

— Si c'est cette fille qui t'empêche de prononcer tes vœux, sache que tu ne la reverras jamais. Tous les Pastoureaux sont morts !

Patte-Raide sent le sol fléchir sous ses pieds. Les larmes lui montent aux yeux ; Lydia, la belle Lydia est morte ! Desséchée, recroquevillée comme les momies de la chapelle de Blanquemart. Il ne reste rien de sa beauté, rien de sa douceur.

— Alors, je peux mourir aussi ! dit Patte-Raide en se laissant tomber sur un siège.

Enguerrand sait que les chagrins de jeunesse forgent les caractères forts et que les grandes douleurs marquent toujours un revirement du destin. Ce que Patte-Raide vient de lui dire à propos du Temple l'a marqué plus qu'il ne le montre.

— Tu veux aussi des nouvelles de la Jeanne ? Elle va bien...

Patte-Raide n'a pas entendu. Son esprit est noir, tourné vers une seule pensée : Lydia est morte. Il veut la rejoindre dans l'au-delà. Vivre sans elle est une torture de chaque instant. Jusque-là, il s'est évadé, il s'est battu uniquement pour le bonheur de la retrouver. Tout à coup, il se dresse, la main sur la garde de l'épée.

— C'est vous qui l'avez tuée !

Enguerrand a blêmi, mais il se tait. Patte-Raide, aveuglé par la colère, poursuit :

— Je vous combattrai tant que je serai vivant. Vous n'aurez pas un moment de répit. Vous pouvez aller dire à votre grand maître que jamais il ne mettra la main sur le trésor des Juifs que des malheureux ont volé pour lui !

Enguerrand sursaute ; Patte-Raide ne vient-il pas de parler du trésor des Juifs ? Il sait donc où se trouve cet or ! Il se précipite vers le jeune homme avec des gestes désordonnés. Son regard s'allume de ce feu qui brûle si fort dans les yeux de Léon de Tolède.

— Malheureux, que viens-tu de dire ? L'or des Juifs, c'est bien ce que j'ai entendu ? Tu sais où il est caché ?

— Personne ne le trouvera jamais ! crie Patte-Raide. J'en fais le serment !

— Qu'est-ce que tu dis, misérable ? Tu ne comprends pas que tu blasphèmes, que tu mérites les pires tourments en parlant ainsi ?

— Castillau m'a révélé son secret avant de mourir. Jamais vous ne le saurez !

Le jeune homme sort. Cette déclaration de guerre l'a calmé. Sa colère exprimée n'a pas apaisé sa douleur mais a allégé sa conscience de ce sentiment d'horreur qu'il porte en lui depuis le début des massacres. Il monte sur son cheval et s'éloigne sans se retourner. Il comprend maintenant son imprudence : avoir révélé l'existence du trésor des Juifs le condamne à une perpétuelle fuite. Les templiers vont le poursuivre, le chercher jusque dans le moindre recoin. Il hésite : doit-il retourner chez Enguerrand pour faire la paix ? C'est inutile, Enguerrand ne vit que pour l'Ordre et il acceptera sans peine le sacrifice de celui qu'il voulait comme fils !

Le voilà, maintenant, au bord de la Corrèze qu'il passe au pont d'Aubazines. Au-delà du village, le longeant sur la droite, l'immense forêt de Beynat s'étend sur des lieues jusqu'aux gorges de la Dordogne. C'est un monde à part où l'on ne s'aventure qu'en groupes et toujours avec beaucoup de prudence.

Il pense à Thibault du Val et à Guibert de Boisse qui l'ont sauvé lors de son évasion. Peut-être sont-il déjà arrivés, pourtant, il ne va pas se rendre chez eux, les risques qu'il leur ferait courir sont trop grands.

Il vérifie ce que contient son sac : de la cordelette, de l'étoupe, des pierres à feu et leur fusil, une bourse remplie d'or. Son épée pèse contre sa cuisse gauche. Il abandonne son cheval par une tape sur le flanc. Le voilà maintenant dans un sentier de cerf, marchant en silence. En forêt, le chasseur devient souvent gibier ; dans l'ombre profonde des taillis, dans la nuit épaisse et éternelle du sous-bois, vivent d'autres êtres que la lame traverse sans tuer, que la peur ne rend jamais maladroits, des êtres de l'enfer qui se cachent là et n'aiment pas qu'on les dérange. Patte-Raide sait tout cela et retient ses pieds pour éviter de faire craquer les brindilles. Dans une clairière au milieu de laquelle se trouve une mare où coassent des grenouilles, le jeune homme aperçoit une ourse et ses deux petits. Il contourne la clairière pour ne pas déranger les animaux, poursuit sa marche, effarouche un cerf qui s'enfuit dans un bruit de brindilles, puis arrive sur un chemin boueux où il découvre des traces de roues ferrées. C'est ce qu'il cherchait : ce chemin doit rejoindre un campement de charbonniers.

Il arrive dans une clairière artificielle. Une cabane construite en rondins de bois et couverte de pierres plates sert de dépôt de charbon. C'est là que les charretiers prennent livraison de la marchandise. Plusieurs sentiers s'éloignent dans le sous-bois, ceux des charbonniers venus jusque-là apporter les sacs à dos de mulet. Au-delà de cette clairière s'ouvre le monde de ces hommes discrets qui vivent entre eux et qu'on redoute.

— On verra bien ! fait-il, philosophe, et il continue sa marche dans le sentier qui disparaît sous les grandes herbes sèches.

Un pont de planches mal jointes a été lancé sur une rivière au courant bouillonnant. Le vent apporte une odeur âcre de fumée de bois, le campement ne doit pas être très loin. Le silence de la forêt, entre ces grands arbres élancés, a la majesté d'un silence de cathédrale. Patte-Raide avance en évitant de faire le moindre bruit quand une racine accroche son pied, il trébuche et tombe. Un homme vêtu d'une peau d'ours, le visage couvert d'une abondante barbe noire, avec, sur la tête, une sorte de toque en fourrure de loup, s'approche. Son regard d'animal sauvage se plante dans celui du garçon, qui se dresse vivement, la main sur la garde de l'épée.

— Mais voilà un bien jeune voleur qui vient chercher refuge dans la forêt ! dit l'arrivant d'une voix bien timbrée, presque chantante.

Patte-Raide tient toujours la main sur son épée. Son expérience lui a montré qu'il ne faut jamais faire confiance au premier sourire d'un arrivant, c'est souvent une manière de cacher son intention de tuer.

— Qu'est-ce que tu fais là ? Tu as tué qui pour venir jusqu'ici ? Sais-tu que les charbonniers n'aiment pas les étrangers ?

— J'ai l'habitude des endroits où la justice de la sénéchaussée n'a pas cours ! répond Patte-Raide, toujours sur ses
gardes.

L'autre repousse son bonnet. La mâchoire supérieure
du loup a été conservée et les crocs brillent entre les cheveux.
Il fait quelques pas sur le côté et se tourne de nouveau. La
peau d'ours, très souple, vit autour de ses reins, le poil luit à
la lumière blanche du sous-bois.

— Tu peux lâcher la garde de ton épée. Ici, elle ne te
servira à rien.

— À rien ? Si, elle servira à me défendre et je sais m'en
servir !

L'homme éclate de rire en s'approchant, les poings sur
les hanches. Son visage a pris un air de pitié.

— Ça se voit que tu ne sais rien d'ici. Je vais te montrer
que ton arme ne convient pas.

Il porte les doigts à la bouche et siffle longuement ; des
hurlements lui répondent. Le soleil est passé derrière un
nuage sombre, il fait presque nuit dans cette clairière. Huit
grands loups arrivent, la langue pendante d'avoir couru.

— Couchez ! Gaspard, approche !

Aussitôt les loups s'assoient. Le plus gros se lève et vient
aux pieds de son maître en remuant la queue comme un
vulgaire mâtin.

— Ils sont à moi ! Personne ne me cherche d'ennuis.
Pas plus les charbonniers de Perrin qui se trouvent un peu
plus loin que ceux du Marquis, de l'autre côté de la rivière.
Ils me laissent tranquille tout comme les bandes qui arrivent
parfois jusqu'ici.

Il pose la main sur l'énorme tête de Gaspard.

— Va, Gaspard.

Aussitôt, le fauve menaçant charge Patte-Raide, qui
dégaine son épée et attend, mais le loup s'arrête, prêt à
bondir.

— Je n'ai qu'un mot à dire et tu es mort, déchiqueté
par Gaspard et sa meute. Mais pour l'instant je ne le dirai
pas. Tu n'as pas crié, tu n'as pas reculé, tu étais prêt à te
défendre, donc, tu es courageux. C'est une qualité par ici. Et
puis tu es un curieux garçon avec ta démarche de vieux

mangé par la goutte et tes yeux de fillette. Je doute que tu aies eu la vie bourgeoise de quelque ville douillette.

— Vous n'êtes pas un charbonnier ?

Il rit. Les loups poussent des petits glapissements.

— Moi ? Tu le vois bien, je suis avec mes loups !

On dit que les meneurs de loups sont inspirés par le diable, à qui ils ont donné leur âme. Ils ont la parole des hommes, la cruauté des fauves et les malices de Satan. Ils vivent loin des maisons, des champs, des prairies et se délectent de chair humaine chaque fois qu'ils peuvent. Patte-Raide se souvient de celui que Barbe-Noire avait capturé et cloué au pilori à Tulle. Un homme au regard ardent, qui grognait comme un loup quand on s'approchait de lui et montrait ses dents pointues. Ce fut une fête pour tous le jour où il fut écartelé, puis lapidé et enfin pendu. Les jours suivants, ses loups vinrent hurler aux portes de la ville.

— Et maintenant que tu connais la vérité, as-tu peur de moi ?

— Je ne redoute pas la mort ! dit Patte-Raide.

— Où vas-tu ?

— Je vais demander aux charbonniers de me prendre avec eux.

— Les charbonniers n'ont aucune pitié, tu devrais le savoir. Si tu viens là, c'est que tu ne peux aller nulle part ailleurs ; alors, ils te feront travailler à coups de pied aux fesses jusqu'à ce que tu en meures.

— Je préfère travailler avec des coups de pied aux fesses plutôt que de rester seul au milieu de la forêt.

L'homme a compris que Patte-Raide n'est pas un petit voleur qui fuit devant ses justiciers. Un garçon qui ne recule pas quand un grand loup le charge ne peut être un de ces petits criminels qui assassinent dans le dos.

— Écoute, dit-il. Je veux bien te rendre service et te présenter à Marquis.

— Un marquis ?

— On l'appelle comme ça parce qu'il est fier. On peut aller le voir, si tu veux.

— Je trouve que tu me fais confiance bien vite. Tu ne sais rien de moi.

Il tape dans ses mains, aussitôt, les loups s'éloignent dans les taillis.

— Ce n'est pas parce que je t'emmène voir le Marquis que je te fais confiance. Rappelle-toi une chose : ici, un gadaud comme toi ne peut pas s'échapper. Mes loups ont bon nez. Viens.

Ils s'engagent dans un sentier à peine visible entre les grandes herbes et les ronces qui tapissent le sol, passent la rivière à gué. Une lourde odeur de fumée de bois flotte dans l'air. Ils arrivent enfin à des baraques au cœur d'une grande clairière artificielle. Des montagnes de bûches fument en se consumant lentement. Des hommes vêtus de peaux d'ours s'activent autour de ces amoncellements. Des chiens à grosse tête, d'une maigreur squelettique, se mettent à aboyer. Un charbonnier, très droit, portant un chapeau en peau, vient au-devant des arrivants. La barbe et le charbon noircissent son visage. Seuls ses yeux vivent dans cette crasse. Il salue le meneur de loups.

— Tiens, le Feuillot. Que m'amènes-tu là ?

— Un garçon que je viens de trouver.

— On peut le faire travailler, mais on n'a pas de quoi le nourrir, alors, qu'il aille se faire tuer ailleurs.

Trois jeunes bûcherons reviennent au campement, la hache sur l'épaule. Leurs visages cirés sous leurs bonnets de peau de blaireau ont la laideur des gens qui vivent entre eux. Quand ils aperçoivent Patte-Raide, ils se mettent à rire de sa jambe qu'il ne plie pas et de sa peau trop blanche. Patte-Raide comprend la menace mais leur fait face. Ils s'approchent, la hache à la main.

— Voyons, le Marquis, tu ne vas pas...

— Laisse, le Feuillot. La jeunesse a besoin d'exercice.

Les yeux de Marquis brillent de plaisir. Ici, on aime la violence, le sang et l'habileté aux armes. Les trois garçons se plantent devant Patte-Raide et le défient du regard.

— On vient en forêt pour échapper à la corde ! dit l'un d'eux. En forêt, il y a aussi des cordes...

— Ou des haches ! complète l'autre.

— J'ai aussi une épée et je sais m'en servir ! précise Patte-Raide.

Ils éclatent de rire. Le Marquis s'étonne de l'audace de l'étranger, Feuillot se souvient qu'il n'a pas reculé devant l'attaque du grand loup.

— Tu as vu comment il parle ! Allez, défends-toi si tu es si fort que tu le dis.

Alors, sans se précipiter, Patte-Raide dégaine son épée. La hache que le premier des garçons fait tournoyer siffle à quelques centimètres de son visage. Patte-Raide connaît ces rustres, il en a vaincu des dizaines chez les Pastoureaux : bagarreurs, aussi forts que leurs bœufs, mais sans aucune réflexion. Ainsi, il ne met pas longtemps pour désarmer ses adversaires d'un coup de plat d'épée sur les mains.

— Je vous avais dit que je savais me servir d'une épée ! fait-il. La prochaine fois, ce sera avec le tranchant.

Les trois garçons s'éloignent, piteux, jurant de prendre leur revanche.

— Mais tu sais te battre ! constate le Marquis.

— J'ai appris, en effet.

— Dans ce cas, on a peut-être quelque chose pour toi.

À Capestang, les vignerons travaillent activement sur les pentes ensoleillées. Ici, le vin est bon mais la vigne exigeante. La terre caillouteuse toujours trop sèche doit être piochée plusieurs fois l'an, labourée partout où la pente n'est pas trop forte ou bêchée dans les meilleures parcelles. Le mois de mai est arrivé avec son soleil puissant, cette chaleur lourde, pesante que Lydia supporte difficilement. Les blés drus promettent une belle récolte.

En attendant la moisson de l'orge à la Saint-Jean, il faut couper le foin, l'engranger avant qu'il ne soit trop mûr, que l'herbe perde sa saveur et sa sève. Dès que le jour blanchit le ciel, les faucheurs poussent la faux. On les entend battre le fil de l'outil sur la pointe en fer plantée dans une vieille souche, cela fait un bruit de cloche fêlée, caractéristique de la saison. Et ils chantent, ces vilains qui n'ont d'autre distraction que le travail, ils chantent parce que l'herbe est belle, que le printemps est encore né de l'hiver. Leurs chansons montent vers Dieu comme un remerciement, un hommage puisqu'ils sont vivants, qu'ils auront des choux et des raves à manger, bientôt du pain nouveau. Quand la soif brûle leur estomac, quand la sueur à force de ruisseler sur leur poitrail ouvert dessèche leur bouche, ils vont s'allonger près du ruisseau ou de la fontaine et boivent à pleines mains cette eau fraîche et pure, bonne à cette heure comme le meilleur des vins. Chaque gorgée répand en eux un bien-être profond, un contentement de vivre qu'ils savourent sans rien espérer de plus parce que l'été sera bref comme l'est la vie.

Au château de Capestang, les fêtes et les tournois se succèdent. Guillaume de Capestang paraît de plus en plus souvent en compagnie de cette superbe jeune femme à la démarche élégante qui dénote un sang de la plus haute noblesse, au visage si fin que les poètes ne cessent de chanter sa beauté. Il l'a installée dans un appartement proche du sien et a fait livrer pour elle les plus beaux meubles, des parures de reine et un luth richement décoré. Elle mange dans des plats en argent et a trois servantes pour sa toilette. Au début, son parler du Bas-Limousin faisait rire les rudes Biterrois aux mots rocailleux comme leurs terres. Depuis, les troubadours imitent son accent et ses tournures en affirmant que Dante lui-même avait envisagé d'écrire *La Divine Comédie* dans la langue de Bernard de Ventadour.

Guillaume est ensorcelé. C'est ce qui se murmure, et les plus perspicaces flairent déjà le drame. Le jeune homme ne peut se passer de Lydia, il la voudrait toute à lui, mais la belle résiste toujours.

— Je ferai de vous la baronne de Capestang. Je vous épouserai devant Dieu.

— Cela ne se peut ! répond Lydia en levant sur lui ses yeux dont un peu de fard fait ressortir la belle couleur bleue pailletée d'or.

La passion du jeune homme l'étonne. Au début, elle croyait que l'embrasement soudain allait s'éteindre très vite, que Guillaume avait surtout du désir pour elle, mais non, au fil des jours, il se sent de moins en moins digne de cet amour brûlant et ose à peine soutenir le regard de sa belle. Et, s'il lui prend la main, c'est avec une infinie douceur. Lydia, qui n'a connu des hommes que la rudesse, la brutalité, l'appétit de plaisir rapide, est touchée. Comment un aussi grand personnage qui a droit de mort et de torture peut-il se comporter avec autant de retenue ?

— Lydia, je vous aime.

Ce mot, l'hiver dernier, semblait mièvre, rempli d'une avidité qui choquait la jeune fille, maintenant, il l'attendrit. Elle éprouve de la tendresse pour Guillaume, qu'elle découvre, baissant la tête devant son père qui lui a imposé une femme sans grâce. Le futur baron a besoin de sentiments authentiques ; sa grande âme et sa jeunesse l'empêchent encore de s'abîmer dans la légèreté des riches.

— Vous avez beaucoup de noblesse, monseigneur ! dit Lydia. Je ne parle pas de celle de la naissance, qui va de soi, mais de celle du cœur, la plus rare. Vous méritez mieux que moi et vous mentir serait un grave péché. Sachez que je vous aime bien.

Parfois, il s'impatiente, se met en colère.

— Mais, Lydia, cet homme à qui vous restez fidèle est peut-être mort. Alors profitez de la vie.

— Il est peut-être mort, mais ce n'est pas pour cela que je vais l'oublier. Je peux tout vous donner, monseigneur, mais cette partie de cœur qui est à lui ne vous appartiendra jamais.

— Je me contenterai de ce qui reste.

Guillaume la comble de cadeaux. Il ne demande rien en retour, pas la moindre faveur, le moindre sourire. Il va, d'une pièce à l'autre, comme un enfant éconduit. Il brûle sa hargne dans des joutes sans fin, des exercices d'armes où il laisse ses adversaires pantelants.

Amélie ne quitte plus son appartement avec ses dames et ses serviteurs. Elle ne paraît plus aux dîners ni dans les divertissements. Elle cache sa laideur et ses larmes qui ravinent ses joues. Seul le vieux baron, qui lui voue une réelle affection, lui rend régulièrement visite.

— Cela ne durera pas. Les hommes sont ainsi, mais il vous reviendra !

— Pour qu'il revienne, se lamente la femme esseulée, il faudrait qu'il fût déjà venu !

Amélie a tant d'amour à partager ! Son visage tordu, son corps bossu cachent une âme généreuse. Elle a toujours rêvé d'une vie simple, aux côtés d'un époux attentif. Ce désir s'est envolé le jour même de son mariage puisque Guillaume ne l'a même pas approchée pendant la nuit de noces. Il s'est retiré dans son appartement, laissant la jeune épousée en pleurs. Depuis, Amélie ne cesse d'implorer le ciel, de faire brûler des cierges, de multiplier les aumônes, mais Dieu ne l'entend pas, Dieu précipite son mari dans les bras d'une catin qui se donne des allures de princesse. Jusque-là, Amélie priait pour tous les hommes riches ou pauvres, pour les femmes malheureuses, elle n'avait jamais souhaité la souffrance et la mort de personne. Maintenant elle est prête à se donner au diable pour une mort vile qui déformerait le visage trop beau et le corps trop élégant de sa rivale. Car vivre avec la laideur, c'est vivre avec la lèpre.

Confiante dans l'autorité de son beau-père, elle a toujours gardé le vague espoir que celui-ci ferait quelque chose, chasserait cette catin et imposerait à son fils ses devoirs d'époux et de chef de maison qui consistent à assurer sa descendance. Un soir, au retour d'une chasse épuisante dans une chaleur torride, le baron est pris d'un étourdissement. Il tombe dans la cour du château à sa descente de cheval. On l'emporte au lit, son médecin le déclare perdu. Il recouvre cependant ses esprits dans la nuit et va un peu mieux le lendemain matin, mais il ne se fait pas d'illusions.

— C'est la fin ! dit-il à ses vassaux.

Guillaume est complètement désemparé. Il erre dans ce grand château désormais vide du pas sec de son père et de sa haute stature. Jusque-là, il s'était contenté de vivre dans son ombre, c'est lui désormais qui devra assurer la bonne marche de la maison. Un peu avant midi, il se rend au chevet du mourant, tremblant comme un enfant qui redoute de découvrir quelque monstre. Le malade est maintenu assis par des coussins. Sa barbe grise, qu'il porte courte, cache la pâleur de ses joues. Ses yeux, qui ont perdu leur acuité d'aigle, se tournent lentement vers Guillaume. Par discrétion, l'évêque de Monferré, un familier des lieux, s'est reculé.

— Le nouveau baron de Capestang commet une grave erreur ! commence le vieil homme d'une voix qui est restée celle du commandement. Tu vas jurer devant les témoins ici présents que tu vas cesser de t'afficher avec cette catin et reprendre une vie normale avec ta femme, qui n'attend que ça.

Guillaume regarde tour à tour l'évêque, les clercs puis baisse la tête. Quitter Lydia, ne plus la voir, la faire partir d'ici, c'est laisser ce château sombrer dans la noirceur du tombeau ! Plutôt mourir !

— Ma femme ne me donnera jamais d'enfant. Vous voulez que s'arrête votre lignage ?

Le vieux baron grimace. Un serpent de douleur se plie dans sa poitrine.

— Et tu veux continuer le lignage noble avec une excommuniée qui vient d'on ne sait où ?

— J'irai voir le pape, il lèvera l'excommunication.

L'évêque Amaury de Monferré, drapé dans sa dignité ecclésiastique, se contente d'opiner. Il n'a jamais eu l'esprit bien vif et, pour cacher son manque d'idées, adopte toujours l'opinion inverse des autres ; il rêve de la pourpre, bien sûr, mais le nouveau pape n'est pas pressé de faire de cet « ânon » un pair du trône de saint Pierre.

— Mon fils, reprend le vieux baron, les femmes ont toujours fait le malheur des Capestang. Dieu m'a préservé de ce vice... Aussi, je t'en conjure, respecte au moins les convenances. Reprends ton épouse, fais-lui des enfants. Personne ne t'en voudra d'avoir une maîtresse, c'est pratique courante.

— Les femmes ! fait l'évêque en soulevant les bras. Comme s'il n'y avait que les femmes en ce bas monde !

Il va et vient dans la pièce, fier du vent qu'il remue avec ses longues robes violettes.

— Mon père, je...

Ils se regardent un moment en silence. Guillaume comprend que son père va lui manquer et que, désormais, il sera amputé d'une partie de lui-même, que la vie ne sera plus jamais la même. Il dit enfin :

— Si Lydia venait à mourir, je me jetterais du haut du donjon.

Le vieux baron se souvient de cet amour violent ressenti pour celle qui allait devenir son épouse et que Dieu lui a prise trop tôt. Il va bientôt la rejoindre, conscient d'avoir raté l'essentiel, la survie de son lignage. Mais il n'insiste pas, une lourde fatigue plombe son corps. Dieu n'accorde aux hommes que ce qu'Il veut, et pour la première fois le vieil homme à la volonté de fer plie, cède, refuse la lutte. Déjà, il entend la musique douce des anges. Alors, dans un geste d'impuissance, il demande à l'évêque :

— Je vous prie de me donner l'extrême-onction.

L'évêque frappe discrètement dans ses mains. Une nuée d'abbés, de clercs arrivent dans la chambre et se mettent à chanter. Dehors la nuit tombe, une belle nuit de mai qui donne des pensées d'amour et de vie. Le baron rend son dernier soupir et Guillaume va cacher ses pleurs auprès de Lydia, la tête posée sur les genoux de la jeune fille, comme un tout petit enfant. Du bout des doigts, elle caresse sa joue mouillée et pose un baiser sur la tempe où bat le cœur.

Le maître enterré, il n'est pas un domestique qui ne se sente orphelin : le baron savait avoir pour tous tantôt un regard, tantôt une de ses rares paroles. Sa présence silencieuse protégeait tout le monde en maintenant chacun à sa place. Amélie le pleure abondamment, puis elle a un sursaut d'orgueil. Elle se découvre la force, l'envie de mener jusqu'au bout cette bataille probablement perdue d'avance. Elle sait qu'une femme laide et sans charme ne peut espérer des hommes que ce qu'elle achète au prix fort. Tenter de faire tuer Lydia par des moyens ordinaires est trop dangereux. Elle doit agir sournoisement, avec le pouvoir de la magie. Pour cela, elle demande à son mari la permission d'aller visiter son père et sa mère en leur château de Puisserguier, distant de quatre lieues.

— On me fait savoir que mon père n'est pas très bien. J'irai quelques jours seulement.

Guillaume accepte, le contraire eût étonné Amélie, mais ravi son cœur toujours prêt à s'enflammer.

Le fidèle Gélinot fait préparer les chariots et les chevaux. Une journée est nécessaire pour parcourir cette distance entre les vignes, les prairies où les vilains fanent un foin léger et odorant, et les champs de blé. Amélie oublie un moment ses peines pour se donner au seul plaisir de revoir ses parents, de presser sa mère contre elle. Eux, du moins, l'aiment et ne voient pas l'ingratitude de son visage !

Elle retrouve avec plaisir Marcelot, le nain dont son père ne se sépare jamais. C'est un excellent animal de compagnie doté de parole et d'un solide bon sens qui en fait une sorte de conseiller avisé. Lui seul se permet de parler franc au seigneur de Puisserguier et ne manque jamais de perspicacité. Aussi le père d'Amélie a-t-il toujours refusé de le vendre alors qu'on lui en a proposé de bons prix. Marcelot a une trentaine d'années ; il marche en se dandinant, portant fièrement son énorme tête sur sa bedaine, car il est gourmand et mange trop, surtout ces venaisons que chacun sait mauvaises pour les humeurs du sang, qu'elles refroidissent à outrance.

Le lendemain de son arrivée, après le banquet en son honneur, Amélie demande à Marcelot de la rejoindre dans sa chambre pour la distraire par ses cabrioles et ses boutades. Le nain a toujours une histoire amusante et sait tout ce qui se passe à cent lieues à la ronde. Il raconte ainsi comment le père dominicain Monseit, qui ne cesse dans ses prêches de recommander l'abstinence aux jeunes hommes, voit en cachette la mère supérieure du couvent des Clarisses. Il raconte aussi que l'évêque Amaury de Monferré est si benêt qu'il s'est fait escroquer par un vacher.

Après ces nouvelles qui font sourire Amélie, le nain enchaîne :

— Il y a aussi l'histoire de cette jeune princesse qui avait fui le toit de son prince pour revenir se réchauffer près de son père...

Amélie éclate en sanglots. Marcelot s'approche du lit. Sa main plate aux doigts courts et tordus se pose sur la longue main délicate de la jeune femme.

— Je suis la plus malheureuse de la terre ! dit-elle. En me faisant épouser Guillaume de Capestang, mon père m'a fait épouser l'enfer.

— Vous voulez dire qu'il vous bat ?

— Non, il ne s'occupe pas de moi. Depuis notre mariage, il n'est pas venu une seule fois dans mon lit.

— Vous voulez dire que...

— Que je suis pucelle après deux ans de mariage. Dès que je m'approche, je vois à quel point je lui répugne. Il en a la chair de poule.

— Mais il ne manque pas de seigneurs dans la châtellenie. Et de jeunes hommes vigoureux, capables de vous débrider le bas-ventre.

— Les seigneurs préfèrent les vachères de belle allure à la fille bossue et difforme que je suis.

Marcelot retire sa main et s'assoit à côté d'Amélie, ses petites jambes tordues allongées sur la couverture. Lui aussi est monstrueux, et de la pire manière.

— Vous savez, ce n'est guère mieux pour le nain que je suis, pas plus haut que trois pieds. On ne m'a jamais trouvé de naine à ma taille. Remarquez, les femmes sont curieuses, elles me demandent parfois de me mettre nu et s'étonnent de ce qu'elles découvrent au point de vouloir le tâter.

— Toi, d'accord, tu es fait pour l'amusement des grands, mais moi je suis la fille du seigneur de Puisserguier ! Crois-tu que Dieu ne S'est pas trompé de personne ?

— Certainement, fait Marcelot en sautant du lit.

— Et puis Guillaume a pris une maîtresse, une femme dont la beauté est un affront pour toutes les femmes, elle chante et joue du luth à merveille. Elle se dit fille du peuple, mais ses manières montrent qu'elle est de noblesse. Je veux que tu la tues !

— Ce n'est pas facile, ma douce, les gens se méfient. Peut-être peut-on demander à la Rigotte de...

— La Rigotte ?

Le nain fait quelques pas jusqu'à la fenêtre. Il se dandine comme une oie.

— La Rigotte, une sœur du couvent des Bénédictines qui a jeté ses vœux sous le pont. Elle tient une petite boutique de mercerie mais fait commerce de sorcellerie. Nous pourrons aller la voir.

— Nous irons dès cet après-midi. Je demanderai à mon père de te laisser avec moi pour une promenade en ville.

— Je m'en occuperai, n'ayez crainte. Cela coûtera un peu : la Rigotte aime l'or, mais personne ne s'en plaint.

L'après-midi suivant, Marcelot emmène Amélie rendre visite à son amie, la belle et douce Isabelle de Monfort, au couvent des Filles de Dieu situé sur une colline pelée où ne poussent que quelques pins noueux. Au retour, ils passent par le village de Puisserguier et s'arrêtent devant la boutique de la Rigotte. Gélinot et les autres serviteurs restent à la porte pendant qu'Amélie et Marcelot entrent. Pas plus haut que les tabourets, le nain avance dans le petit local entre les étagères où s'entassent des boîtes. Au fond, assise à une table, la Rigotte coud des boutons sur une robe de soie. Elle est réputée pour ses bons yeux, qui lui permettent d'effectuer les travaux les plus minutieux. Son commerce avec le diable n'a jamais aussi bien marché et elle bénéficie de solides protections pour avoir simplifié certaines successions importantes. Ainsi a-t-elle toujours échappé aux bûchers sur lesquels grillent chaque année des dizaines de sorcières.

L'énorme tête de Marcelot ne dépasse pas le rebord de la table et il la tient toujours renversée vers l'arrière, comme s'il regardait continuellement le ciel. La Rigotte n'est pas très âgée. Son visage rond ne manque pas de beauté, ce qu'Amélie remarque aussitôt. Ses yeux très noirs luisent d'un éclat grave. Elle pose la main sur la tête de Marcelot comme elle le ferait avec un animal familier.

— Te voilà, toi. Je parie que tu es encore en train de manigancer quelque chose au profit de ton maître.

Le nain commence par raconter comment l'évêque s'est fait escroquer deux écus par un vacher, puis en vient au sujet de sa visite.

— Amélie de Capestang que tu vois là, manque de boutons semblables pour sa chemise et celle de son mari.

— Je vois, fait la Rigotte. Mais ces boutons ne sont pas courants et coûtent cher.

— Cela n'a pas d'importance ! dit le nain en montrant une bourse à la femme, qui se lève de son tabouret et se dirige vers l'arrière-boutique.

— Suivez-moi.

Ils entrent dans une petite pièce encombrée de vêtements, de boîtes, d'objets divers. Une forte odeur d'encens chatouille les narines. Des chandelles sont rangées par paquets sur des étagères.

— Voilà, continue Marcelot. Son mari a une maîtresse fort jolie. Ce serait grande chance pour tout le monde si cette fille dont on dit qu'elle fut ribaude passait outre.

— Ribaude ? Cela change tout. Ce n'est pas simple, les ribaudes sont protégées par qui tu sais.

Elle réfléchit un instant, puis, posant de nouveau la main sur le crâne du nain, dit :

— Toi, tu me portes chance, alors on va essayer, mais il me faut du sang de pucelage, de la terre de marais, des poils de ribaude... Ce qui me manque, c'est le sang de pucelage. Reviens me voir demain.

— Les gens de forêt ne sont pas hommes communs ! dit le Feuillot à Patte-Raide. Nous sommes nés sous les arbres, dans les taillis, comme les loups, nos frères. Ne t'étonne pas si ce que nous disons ne ressemble pas toujours à ce que nous faisons !

Pendant la journée, le Feuillot dort à l'intérieur d'une cabane à côté de celle du Marquis. Parfois, il donne un coup de main aux bûcherons, mais dès qu'arrive le soir, que les hurlements montent de la forêt, son regard s'éclaire de cette lueur sauvage et profonde, de cette lumière qui semble venue des profondeurs infernales et qui allume les yeux des loups. Il se transforme, son visage perd son expression humaine, il devient loup lui-même.

— La lune sur les grand arbres donne aux loups cette couleur grise. Eux et moi, on a le même esprit !

Alors, il quitte sa cabane. Ses loups, qu'on ne voit jamais, sortent des taillis et l'entourent. La meute se met à hurler, et l'homme hurle avec elle, gesticule comme ses animaux dont certains se dressent sur leurs pattes arrière pour exécuter une danse curieuse et fantasque dans cette clarté diffuse du bois. Enfin, ils partent, le Feuillot en tête, vers des rapines nocturnes, des chasses interdites.

Marquis conduit sa tribu avec une autorité stricte. Ici, on ne désobéit pas au chef, la moindre peccadille est punie du fouet, souvent de la torture ou de la corde. Plusieurs familles apparentées constituent le clan. L'argent n'existe pas, ils font du troc, échangent leur marchandise contre de la farine, des harengs, du sel, du vin. La forêt fournit la viande et les légumes sauvages. Excommuniés, les charbonniers ont des connaissances transmises par les âmes des morts et les démons de la forêt. Ces hérétiques méritent le bûcher, mais les expéditions punitives sont rares : les prélats, tout comme les riches nobles ou les bourgeois, ont besoin de leur charbon qui donne une chaleur sans flamme ni fumée, qui chauffe si bien leurs hôtels et leurs châteaux. Et puis les propriétaires des forêts évitent de pousser la chasse jusqu'à leurs campements car ils redoutent leur pouvoir magique.

Marquis accepte momentanément de garder Patte-Raide à condition que celui-ci travaille et se taise. La vie est simple : le matin, les hommes vont couper le bois, fendre les bûches qui devront sécher pendant tout un été, exposées au soleil dans une clairière. Les femmes s'occupent à préparer les repas. L'après-midi, elles aident à former les bûchers qui brûlent lentement, pendant des semaines. Le charbon est alors stocké dans un hangar en bois, couvert de peaux de sanglier. Les convois de livraison se font invariablement le jour de la nouvelle lune.

La rivalité entre Marquis et Perrin conduit à des règlements de comptes expéditifs. Chacun pense que l'autre est de trop, un seul charbonnier suffirait à approvisionner les alentours, mais les deux hommes se haïssent pour des raisons plus personnelles que la concurrence. Autant l'un est maigre, peu bavard et strict, autant l'autre est gros, amateur de vin et de femmes. Perrin n'a pas de dieu, pas de diable non plus. Il croit que les hommes sont nés spontanément de l'écorce d'un chêne, comme la pourriture se met toute seule sur une charogne, comme les corbeaux se forment autour d'un gibet.

— Si Dieu existait, dit-il en riant fort, le monde ne serait pas aux crapules. Quant au diable, il est en chacun de nous. Avant ma naissance, c'était la nuit, après ma mort, ce sera encore la nuit. Alors profitons de ce petit clair de lune ! ajoute-t-il en tendant son gobelet pour qu'on le remplisse.

Il lui arrive d'aller en ville, dans une taverne ou au bordel, mais les ribaudes n'aiment pas les charbonniers, brutaux, sales et qui sentent affreusement mauvais.

Patte-Raide se tient constamment sur ses gardes. Marquis l'a admis pour une raison que le jeune homme ignore, mais le Borgne, Branchu et Pleutre rêvent de revanche et se sont juré de lui faire payer cher l'humiliation subie le jour de son arrivée...

Les femmes obéissent aux ordres secs de la Marquise, une solide gaillarde qui ne recule pas devant la bagarre. Une flopée d'enfants glapit autour de ces mégères, tous plus ou moins dégénérés. La consanguinité extrême de ce groupe qui vit en autarcie depuis des générations a fait une fillette avec un seul bras, plusieurs garçons idiots que l'on utilise comme des bêtes de somme au transport des bûches.

Quand ils ne travaillent pas, les hommes vont à la chasse. Ils traquent le renard, le hérisson, le cerf et le sanglier, pêchent dans les rivières et fournissent à la communauté de quoi se nourrir. La chasse à l'ours est un sport prisé. Cet animal puissant, d'apparence lourde et maladroite, reste un morceau de choix pour les chasseurs. Outre sa chair délicieuse qui ressemble un peu à celle du bœuf, il fournit une fourrure dont on fait des vêtements imperméables au froid et à l'humidité. Le vieux Moussu, qui désormais ne quitte plus sa cabane, car il marche difficilement, a gardé toute sa vie la gloire d'avoir osé affronter seul un ours et de l'avoir tué avec son pieu.

— Tu travailles bien ! dit Marquis à Patte-Raide, mais ne crois pas qu'on va te garder tout le temps. Ici, le gros travail se fait l'été et l'automne. On te garde pour te rendre service, l'hiver, tu n'auras plus ta place.

— Je partirai quand tu me le demanderas.

Quelques jours passent. Patte-Raide participe sans s'économiser à l'abattage des arbres. L'immensité de la forêt, la protection des feuillages et cette impression de ne plus appartenir au monde des hommes le gardent de penser. Une nuit, tandis qu'il dort sur son matelas de feuilles sèches, il rêve de Lydia, un rêve tellement fort qu'au matin il croit avoir vu réellement la jeune fille bien vivante, vêtue en princesse. Ce rêve attise son doute : Enguerrand lui a sûrement menti ! Il recommence à espérer, mais la menace des templiers ne s'arrêtera jamais. Où ira-t-il quand Marquis va lui demander de partir ?

Quels liens entretiennent les neveux de Marquis avec son ennemi Perrin ? Bien difficile à dire, dans ces sous-bois où le soleil ne passe que filtré par les branches et les feuilles. Les femmes manquent et sont une constante cause de querelles. Les deux groupes tentent chaque année d'attirer des malheureuses rejetées par leur famille ou des pauvresses, mais l'air d'ici est malsain, beaucoup meurent en couches, comme la mère de Feuillot, le meneur de loups.

Un après-midi, tandis qu'ils s'activent à couper le bois, des hommes vêtus en peaux de loups sortent des taillis. Une brève bagarre les oppose aux neveux de Marquis qui s'enfuient, laissant Patte-Raide seul, entouré de quatre gaillards qui baragouinent entre eux un langage que le jeune homme ne comprend pas. Ils s'emparent de lui, le maîtrisent rapidement.

— Qu'est-ce que vous me voulez ?

Un bossu qui semble commander le groupe tourne vers lui sa face maigre. Il n'a plus de dents, ce qui lui fait un menton plat démesuré, un bec de canard.

— Simple, on va te livrer à qui tu sais. Pour des femmes.

Patte-Raide bat des cils à plusieurs reprises.

— Je ne comprends pas.

— Tu comprendras vite.

Un homme de petite taille, mais trapu, sort du taillis, accompagné de deux énormes ours dressés sur leurs pattes arrière.

— Les autres ont les loups de Feuillot, nous on a les ours de Martin.

Le groupe s'éloigne de la coupe par un sentier entre les fougères. Patte-Raide comprend qu'il est prisonnier de Perrin, mais tout cela semble une mise en scène : les neveux de Marquis n'ont pas beaucoup résisté avant de s'enfuir !

— Ne cherche pas à comprendre, dit le bossu. Les gadauds de ton genre sont nos ennemis, même si on leur fait bonne figure. Il y a peu de monde dans la forêt, mais les nouvelles vont plus vite qu'ailleurs.

Le camp de Perrin est à quelques lieues de là. Les ours ouvrent la marche en poussant des grognements sourds. Le bossu marche derrière Patte-Raide, qui sent son regard ardent posé sur lui, comme des griffes.

Le campement est poisseux de saleté ; des porcs se vautrent dans une mare d'eau jaune et épaisse. Des chiens efflanqués gardent les entrées des huttes. Des enfants au gros ventre se cachent dans les taillis. Patte-Raide est poussé sans ménagement dans une baraque de planches grossières. Le bossu l'attache à un piquet et s'en va sans rien ajouter. Les marmots morveux le regardent par les trous des planches. Une femme hirsute, aux cheveux qui tombent de son chaperon sur sa figure, s'arrête devant la porte qu'on n'a pas fermée. Elle dévisage le jeune homme et lui sourit de sa bouche aux dents noires et clairsemées.

— Comme tu as de beaux cils ! dit-elle en tournant les talons.

Enfin, le dresseur d'ours arrive, accompagné de ses deux énormes animaux.

— Ils vont te garder, alors ne tente pas de t'évader. D'un coup de patte, ils peuvent t'arracher la tête. Et rappelle-toi : ils courent plus vite que toi et peuvent grimper aux arbres !

Il dit quelques mots aux ours, qui se couchent devant la porte. Perrin entre à son tour. Il est énorme et répand une épaisse odeur de purin écœurante. Sa chemise de toile flotte sur son poitrail poilu et sa lourde bedaine. Il rit.

— Tu penses bien que l'autre n'aurait pas manqué de te donner, s'il avait su qui te cherchait !

Du bout de son bâton, il tapote le genou raide du garçon.

— Nous on le savait, alors, bien sûr, on s'arrange. T'en fais pas, l'échange est à notre avantage. On t'a donné contre quatre pucelles...

Il sort sans rien ajouter. Son odeur reste longtemps, puissante, désagréable. La nuit tombe. Les hommes reviennent des coupes et bavardent un moment devant leurs huttes dans cette langue que Patte-Raide ne comprend pas puis rentrent chez eux. Dans sa cabane éclairée, Perrin ripaille en compagnie de ses femmes. Les éclats de voix, les rires n'empêchent pas la rumeur de la forêt d'envelopper la clairière avec ses lointains hurlements de loups, ses jappements de renards, ses cris d'oiseaux de nuit. Attaché au piquet, le jeune homme ne peut faire aucun mouvement et il a mal à l'estomac. Devant la porte, les ours montent une garde tranquille. Une femme, celle qui lui a souri tout à l'heure, apporte une gamelle de bouillie et de racines sauvages. Elle brandit devant son visage sa torche en résineux.

— Tu as vraiment de beaux cils ! répète-t-elle.

— J'ai envie de pisser ! fait Patte-Raide.

— T'en fais pas, Marteau et ses fils vont s'occuper de toi.

Le bossu arrive quelques instants plus tard, accompagné de deux jeunes garçons. Quelques poils de barbe hérissent leur menton.

— On va te détacher ! dit le bossu. Tu vas pouvoir faire tes besoins et manger. Attention, n'essaie pas de t'échapper. Je te répète que les ours courent plus vite que toi et ils ont bon nez. Demain, on t'emmènera chez qui te cherche.

La nuit est douce. Des hurlements s'appellent, se répondent. Un instant, Patte-Raide croit reconnaître la voix rude et profonde de Gaspard, le grand loup de Feuillot, mais la meute ne se hasardera pas ici et Patte-Raide n'a aucune chance de s'échapper. L'or qu'il peut promettre laisserait ces hommes indifférents.

Il mange sa bouillie sous la surveillance des deux garçons.

— Demain, tu pars en voyage. Ceux qui t'attendent ne manquent pas de moyens pour te faire parler.

— J'ai rien à dire.

La longue nuit commence. Patte Raide ne peut faire aucun mouvement et des douleurs aiguës parcourent ses membres. Le temps ne passe pas. Il écoute les bruits de l'extérieur autant pour oublier son inconfortable position que pour chercher dans cette rumeur lointaine les cris des loups de Feuillot.

Les ours couchés devant la porte poussent par moments des grognements profonds. Patte-Raide sait bien qu'il ne réussira pas à s'échapper, que sa vie va bientôt s'arrêter avec les tortures des templiers, car c'est à eux qu'il va être remis. S'il ne redoute pas la mort, il craint la douleur, la mutilation de son corps. Pourtant, il ne parlera pas, il ne doit pas parler. Donner cet or, c'est permettre à ces fous sanguinaires de dominer la chrétienté. L'Histoire aime ainsi les paradoxes et met en balance le tout et le rien, l'avenir d'un royaume et le courage d'un jeune homme seul à qui la naissance à tout refusé.

La nuit s'achève enfin, les bruits de la forêt font place à des chants d'oiseaux. Des chiens aboient, des hommes s'étirent devant leurs huttes. Le jour se lève au-dessus des arbres. Il tombe sur la clairière une lumière fine et douce d'un ciel limpide. Sans un mot, deux jeunes garçons détachent Patte-Raide, le hissent, couché sur le dos d'une mule, ligoté dans la position inconfortable d'un sac.

— On y va !

Le bossu est sorti et regarde le jeune homme avec un petit rire moqueur. Les ours sont partis devant, dans le sentier, en se dandinant sur leurs pattes arrière. Perrin s'approche et du plat de la main frappe Patte-Raide sur les fesses.

— Quatre femelles pas délurées ! C'est que tu vaux cher, toi !

Puis s'adressant aux deux jeunes hommes :

— Et vous, attention, vous n'y touchez pas, aux levrettes. Elles doivent arriver ici intactes.

L'un des garçons marmonne quelque chose et part devant la mule, qui le suit. La tête en bas, Patte-Raide a mal au cou et au dos. La torture, la première, et sûrement la moindre, dure des heures.

Enfin, les ours s'éloignent dans le bois. Patte-Raide en déduit qu'ils arrivent à un village. En effet, le sentier débouche sur un chemin empierré. Ils passent un pont et, sur la droite, découvrent une grosse bâtisse abandonnée. Le toit est éventré, les murs perdent leurs pierres. Une tour indique qu'il s'agit d'une ancienne maison forte, position avancée d'un fief de grande taille. Tant de villages sont désormais vides de leurs habitants ! Les champs retournent aux friches, les moulins sont morts sur les rivières. Les templiers ne sont pas loin d'avoir réussi : le riche royaume de France n'est que ruines et misère.

La mule s'arrête dans une cour où sont attachés des chevaux. Un homme vêtu de fer et portant la croix rouge sur la poitrine s'approche. Jusque-là, Patte-Raide a voulu croire au miracle, mais cette fois le doute n'est plus permis.

— Voilà la marchandise ! dit le garçon en détachant Patte-Raide et en le faisant glisser au sol.

— Parfait ! Les filles sont attachées dans la charrette bâchée. Vous n'avez qu'à y atteler votre mule.

— On va se reposer un peu avant de partir.

— À votre convenance ! dit l'homme, qui prend fermement Patte-Raide par le bras et l'emmène à l'intérieur de la maison.

Ils traversent une grande salle vide où les pas résonnent comme dans une église, descendent un escalier de pierre aux marches disjointes. Une torche a été disposée au mur et éclaire la cave en voûte. Sans un mot, l'homme pousse Patte-Raide dans un cachot, ferme la porte.

— Demain, nous t'emmènerons chez le grand maître, qui t'attend.

Le jeune homme se trouve alors dans le noir complet, n'osant faire un seul mouvement. L'image furtive de Lydia passe devant ses yeux, cette image irréelle de son rêve. Mourir tout de suite et la rejoindre dans l'au-delà, mais Dieu ne l'a pas décidé ainsi. Dieu a réservé à Patte-Raide la plus terrible épreuve qu'il soit possible d'imaginer. Aura-t-il la force de tenir jusqu'au bout ?

En mai 1319, Guibert de Boisse et Thibault du Val décident de retourner en Bas-Limousin pour rendre visite à leurs familles.

En arrivant à la ferme du Val, Thibault ne cache pas son étonnement. Tout a bien changé pendant son absence. Le vieux mur d'enceinte qui ne rebutait pas les loups a été reconstruit avec de véritables portes ferrées. À l'intérieur, la cour est remplie de volailles dodues et de porcs gras. Des laboureurs attellent une paire de bœufs, marque d'une aisance certaine. Il entre sur son cheval quand il reconnaît son père. Aîné n'en croit pas ses yeux.

— Thibault ! Toi ?

— Oui, moi ! Mais ça va bien ici ! fait le jeune homme en admirant la maison des maîtres qui a été restaurée.

Une vieille femme au visage tordue par une ancienne maladie de dents sort en s'aidant d'un bâton. Blandine pousse un cri de surprise en voyant ce superbe jeune homme aux épaules larges, l'épée au côté. Elle remarque surtout son visage au nez pointu, ses yeux en amande, une ressemblance qui ne trompe pas.

— Dieu soit loué ! dit-elle en se laissant choir à genoux.

Les larmes roulent sur ses joues craquelées. Elle se dresse, aidée par une servante, s'approche de Thibault sans oser lui tendre les bras.

— C'est bien vous, Thibault ?

— Mais voyons, fait Thibault en la serrant contre lui. Tu le vois bien !

Elle le voit mais n'ose le croire, comme si elle était dans un de ses rêves, un de plus, qui hantent ses nuits et se dissipent au matin. Elle a tant attendu ce moment, tant espéré que cela lui semble impossible.

— Venez, mon petit seigneur ! finit-elle par dire.

Thibault s'étonne : voilà que sa mère ne le tutoie plus. Il fait quelques pas en direction de la porte d'entrée restée ouverte.

— Que se passe-t-il ? Pourquoi me parles-tu ainsi ?

Elle trottine à côté de lui et ordonne à une fille d'apporter à boire à l'arrivant.

— Et pas de l'eau, du vin, et pas celui des valets.

Ils entrent dans la maison. Là aussi tout a bien changé. Les anciennes cloisons en bois ont été refaites en bon torchis. Les vieux coffres éventrés ont été remplacés par des neufs. Tout respire l'aisance.

— C'est beau, chez toi ! s'exclame Thibault. Les récoltes ont été bonnes, à ce que je vois.

— Nenni ! dit Blandine. Nous le devons aux largesses de l'évêque Roger Lescure de Gimel. Que Dieu le garde près de Lui !

Puis, reprenant son souffle, ne réussissant pas à détacher son regard de ce beau jeune homme, elle ajoute :

— Il vous a donné en propre le fief de Fontbelle, qui est terre noble comme vous l'êtes vous-même, puisque...

C'est trop difficile à dire. Aîné a eu la délicatesse de rester dehors, ce qui facilite l'aveu de la vérité.

— Puisque c'était votre père...

Thibault reste un moment sans voix. Il savait depuis sa plus tendre enfance qu'un mystère entourait sa naissance, il avait compris qu'Aîné n'était pas son véritable père, mais de là à s'imaginer le fils d'un aussi puissant personnage... Un peu de sueur perle sur son front, accroche une lumière blanche.

— Il n'était pas évêque à l'époque ! continue Blandine comme pour atténuer la portée de la faute. Il a voulu faire justice avant de mourir. Vous pouvez aller chez le notaire chercher vos titres et vous installer en votre château, qui nécessite réparations. Le fief est tenu par un intendant fort honnête puisqu'il m'apporte régulièrement les comptes.

Thibault n'en revient pas. Parti manant, le voici, sans avoir rien fait, à la tête d'un fief de terres nobles et de bons revenus ! Il rejoint Guibert à Boisse, où rien n'a changé. La misère est toujours la même, et, quand Thibault apprend sa fortune à son ami, Guibert s'exclame :

— Je comprends maintenant pourquoi tu aimes tant la guerre !

Il ne peut s'empêcher d'être un peu amer : son ami est désormais d'une condition supérieure à la sienne.

Le printemps est là. Le vent du sud apporte un air doux qui caresse le visage. Dans les fossés, les moutons broutent les premières herbes de l'année. La campagne fait peau neuve malgré les ruines, les hameaux abandonnés. Les vilains et les serfs survivants s'activent dans les champs et les prés. Cet hiver, ils ont pu manger un peu, non pas que la récolte de blé fût exceptionnelle, mais parce qu'il y avait peu de bouches à nourrir.

Le château de Boisse, avec sa tour déplumée, n'a pas changé. Les maladies et la mort ont épargné tout le monde et Guibert a retrouvé les siens avec plaisir. Sa sœur jumelle a épousé Louis de Gallois, un petit noble sans fortune qui parle d'aller s'installer sur sa tenure proche d'Argentat, mais les champs n'ont pas été labourés depuis plusieurs années et les bâtiments s'écroulent.

En vieillissant, dame Isabelle s'est rétrécie, asséchée comme une figue. Sa figure ridée garde pourtant ce regard plein de profondeur, d'intelligence et d'amour pour sa maisonnée.

— La belle paire que vous faites ! dit-elle en riant à Guibert et à Thibault. Les cœurs doivent fondre autour de vous.

Quelques jours plus tard, Thibault, accompagné du notaire, va prendre possession de son fief de Fontbelle. La terre y est bonne et les blés verdissent dans les champs. En apprenant l'arrivée de leur jeune seigneur, les serfs et tous les domestiques se sont rassemblés pour se prosterner devant lui. Thibault découvre l'ivresse du pouvoir, cette formidable aisance de celui qui marche debout quand les autres restent à genoux.

En compagnie de l'intendant Penaud, il visite son fief et fait des projets. Il estime que la maison forte est mal défendue et qu'il faudra élever un donjon à la place de la tour en mauvais état. Il fera recreuser les douves et construire une enceinte autour du village pour le protéger des agressions des Anglais. Thibault mesure l'importance de la tâche et se prend au jeu. Guibert le rejoint et ils entreprennent ces grands travaux durant cette année 1319, mais les bras manquent et le bon évêque a laissé un domaine où tout est à refaire. Thibault embauche des journaliers pour défricher, couper les taillis, récupérer des terres laissées à l'abandon. L'intendant, Léonard Penaud, un ancien vilain élevé à cette place par Lescure parce qu'il connaît mieux que personne les bons et les mauvais champs, le guide dans ses choix.

— Autrefois, toute la plaine était en blé ! dit-il. Mais voilà ce qu'ont donné deux années de pluie et de famine, sans parler de ces bandes de jeunes pilleurs que nous avons eues l'été dernier.

Le soir, dans la grande maison délabrée, sur sa paillasse, car il n'y a pas de lit, la chaleur et les caresses de Jeannette manquent à Thibault. Alors, il prête une oreille attentive à Guibert, qui lui propose de partir chercher Dyane en Normandie.

— Laisse donc à son barbon de mari le temps de mourir ! Nous partirons, c'est promis, l'année prochaine...

Les deux garçons répondent aux invitations des nobles des environs et organisent des fêtes à Fontbelle, où se presse une jeunesse qui cache une grande misère derrière des titres poussiéreux. Les cols des chemises sont élimés, les robes des filles parées de dentelles jaunies. Thibault et Guibert se souviennent des bals dans l'hôtel particulier de Bouqueville, des somptueuses parures des courtisans au Louvre. Ils rêvent tous les deux des feux de Paris, de ces femmes intelligentes qui parlent le français avec raffinement. Ici, les jeunes filles nobles ont le parler des bergères et le rude accent des charretiers. Pourtant, si Guibert observe un strict respect de son engagement auprès de Dyane, Thibault utilise sont art de la séduction et les belles ne sont pas farouches en cette année de blés abondants et de soleil chaud ; la vie est si courte !

Ils se rendent à Malemort et trouvent facilement la maison d'Enguerrand de Niollet, qui leur apprend que Patte-Raide est effectivement venu au mois de mars mais qu'il est reparti presque aussitôt.

— Je ne saurais vous dire où il se trouve ! fait Enguerrand, que le mensonge enlaidit. Chez mon fils, le goût des armes et de la guerre a pris le dessus sur celui de l'étude, ce qui est fort regrettable ! Mais où l'avez-vous donc rencontré ?

Thibault raconte comment Patte-Raide, chef des Pastoureaux, s'est bien battu et comment, fait prisonnier, il devait être ramené à Paris où le roi en personne souhaitait le voir.

— Et puis ce n'est pas un garçon à rester sagement en prison. Il s'est arrangé pour s'évader, mais la chose tourna mal. C'est Guibert et moi qui l'avons sauvé d'un fort mauvais pas !

— Comme je vous en suis reconnaissant, mes deux damoiseaux. S'il me fait parvenir de ses nouvelles, je ne manquerai pas de vous envoyer un messager.

Enguerrand pense à ce qu'il avait imaginé pour Thibault et se réjouit que, pour une fois, Dieu ne l'ait pas écouté.

Les premiers cas de la maladie sont signalés au début de l'été, dans le Poitou, terre d'apanage du roi Philippe V. Un mal d'entrailles, des brûlures à hurler, à se taper la tête contre les murs, des vomissements à n'en plus finir, puis la mort survient en quelques jours. La peau des malades prend une couleur violacée, le ventre gonfle comme s'il allait éclater. Très vite, les médecins s'aperçoivent que le mal est transmis par l'eau. Le roi lui-même est parmi les premières victimes, et, tandis qu'il souffre le martyre, Philippe V pense à cet homme en haillons qui lui avait crié, le jour de son sacre à Reims : « Gardez-vous de boire de l'eau ! » Pourquoi a-t-il pris à la légère cette menace que faisait peser sur lui la haine des templiers ?

Le mal se répand comme un feu de brindilles, prend des familles entières, des hameaux et gagne les autres régions.

Au début du mois d'août, tout le royaume est touché. Durant cet été brûlant, l'épidémie emporte surtout les hommes valides et les femmes en âge d'enfanter. Une fois de plus, les moissonneurs manquent dans les champs où le blé mûr attend la faucille.

Il ne faut surtout pas boire d'eau, et les vilains sont condamnés à supporter leur soif devant les fontaines fraîches. Les riches boivent du vin, les pauvres mangent des fruits encore verts, mais cela ne suffit pas à éteindre le feu qui les brûle. Ils tiennent de longues heures sous un soleil de plomb puis cherchent une source loin des habitations, oubliée entre ses herbes grasses, et boivent en cachette, comme des enfants qui mangeraient une sucrerie volée. Quelques jours plus tard, ils se tiennent le ventre en feu avant de rendre l'âme sans extrême-onction tant les curés ont à faire. Des malins vendent très cher de l'eau qu'ils disent saine, mais il faut vite déchanter, toute l'eau est contaminée. Après deux étés trop humides et frais, voici que les hommes souffrent d'une soif impitoyable dans une chaleur torride.

Les morts pourrissent à peine leur dernier souffle rendu. Il règne dans les villes et les villages une odeur atroce, lourde, écœurante. Les médecins et les barbiers refusent de porter assistance aux malades car ils savent que cela ne sert à rien. Qui sent la première douleur de ventre sera mort dans moins d'une semaine. La maladie frappe partout, dans les villages les plus reculés, les fermes isolées. Seuls ceux qui ont du vin y échappent et la pinte coûte le prix d'un porc gras. Ceux qui possèdent une vache ou une chèvre calment leur soif avec du lait, d'autres égorgent leurs chiens pour en boire le sang.

Une fois de plus, le peuple souffre en silence et enterre ses morts, mais l'exaspération est partout : les rixes éclatent pour une broutille. On se bat à mort dans les rues de Tulle pour un gobelet de vin ou une pomme aigre.

Sur les hauteurs de la Bachellerie, la forteresse de Foulque de Masvallier est remplie de malades et de mourants. Des hommes d'armes défendent des barils d'eau que l'on dit saine contre les attaques répétées de toute une piétaille assoiffée, mais Foulque et Iseult se gardent bien d'en boire.

Dans les quartiers qui leur sont réservés, les Juifs mettent leurs biens à l'abri tant ils redoutent un nouvel orage. Pourtant, ils ne sont pas inquiétés. Venue d'on ne sait où, une nouvelle rumeur se propage sur les places publiques : ce sont les lépreux qui ont empoisonné les sources, ces maudits lépreux habités par tous les vices. Car chacun sait que la lèpre ne s'en prend qu'aux hommes lubriques dont l'âme noire, toute vouée au plaisir et à la luxure, ne protège pas les chairs du mauvais sang qui les ronge !

Malgré cette conviction solidement ancrée, la lèpre terrorise tout le monde, même les plus vertueux. C'est le pire des maux dont les bien portants se protègent depuis des siècles d'une manière radicale par l'isolement total des malades. Enfermés derrière de hautes murailles, ils ne sortent que très rarement, en agitant une clochette pour éloigner les gens. Le lépreux est considéré comme mort, la porte des églises lui est fermée, il ne peut recevoir les sacrements et n'entend la messe que dehors, par le trou du lépreux, une minuscule ouverture pratiquée dans le mur...

L'indignation échauffe vite les esprits. Jusque-là, personne n'a jamais cherché querelle à ces miséreux quand ils respectent les règles imposées : rester à l'intérieur des léproseries où ils peuvent travailler, cultiver du blé, bénéficier des dons, se marier, élever leurs enfants, mais, cette fois, c'en est trop et les fils du diable qui empoisonnent les eaux des enfants de Dieu méritent un châtiment exemplaire !

Armés de bâtons, de fourches, de faux, des groupes se forment dans les villes, les villages. Des bûchers sont érigés ; avec la chaleur, le bois brûle bien et il en faut peu pour griller ce qui reste de ces corps rognés. Dans une folie de meurtre, un besoin de vengeance, de justice, les villageois les entassent sur les fagots. Une fois de plus, l'air pue la chair brûlée, la graisse qui grésille à Tulle comme à Limoges, Orléans ou Toulouse. Et dans la liesse populaire, au milieu des chansons grivoises, boiteux et manchots montent sur l'échafaud ou se laissent saigner comme des porcs. On oublie que ces charognes vivantes, qui n'ont plus de mains pour implorer et que l'on jette aux flammes comme des paquets nauséabonds, transmettent leur mal au moindre contact, et, à mesure que l'on vide les léproseries, la maladie se répand dans la population saine. Une lutte efficace de plusieurs siècles est ainsi anéantie par cette folie qui ne rend pas aux fontaines leurs eaux inoffensives, et l'hécatombe se poursuit.

Enguerrand de Niollet est sombre. Il assiste à ces débordements et n'en peut plus. Le vent lui apporte l'exécrable odeur des bûchers. Le sang, la souffrance, la mort le révoltent désormais. Quand cessera donc cette misère infligée ? Peut-on se dire fils de Dieu quand on tue toujours plus pour assouvir une vengeance jamais rassasiée ? Depuis que Patte-Raide est parti, depuis qu'il a été livré aux hommes du grand maître, Enguerrand ne croit plus en sa mission. Il passe ses journées à tourner en rond, à attendre il ne sait quoi, un visiteur qui lui apporterait une nouvelle, un chevaucheur venu de très loin pour lui dire qu'il est temps d'agir.

Où est Patte-Raide, et dans quel état ? Enguerrand a tant de regrets ! Comment a-t-il pu être aveuglé, fanatisé au point de sacrifier ce garçon à la folie de Léon de Tolède et de quelques templiers ? Il se sait le complice d'un génocide, ses mains ont trempé dans un sang qui les salit à jamais. À cinquante ans, l'heure des comptes approche et il se sent damné. Qu'a-t-il fait pendant toutes ces années, sinon ces manuscrits dont il peut être fier ? Il s'est donné à l'Ordre, il a supporté les pires tortures pour l'Ordre, il a survécu en se disant que Dieu lui confiait une mission, celle de rétablir la justice pour ses frères. Au lieu de cela, il a tué des innocents !

Quelqu'un frappe. Cette visite vient à point nommé pour le ramener des abîmes dans lesquels sa conscience le plonge. Il se dresse péniblement, se traîne jusqu'à la porte et pendant ce court instant espère vaguement la visite d'un autre dignitaire, comme lui rongé de remords, mais non, ce n'est qu'une pauvre femme.

— La Jeanne ! Entre donc, que veux-tu ?

Jeanne a le regard étrange de ceux qu'habitent deux personnalités, tantôt allumé d'une lueur franche, dévouée et honnête, tantôt assombri par la détermination de ceux que le crime ne rebute pas. Elle a perdu toutes ses dents, mais ses gencives dures comme de la corne peuvent broyer les croûtes les plus sèches. Ses cheveux gris sont toujours aussi sauvages et elle ne réussit pas à les dompter sous son chaperon blanc.

Après la mort de l'évêque, Enguerrand avait pensé lui faire subir un sort analogue à celui d'Aude de Lieucourt, mais il a préféré la garder pour d'autres services et parce qu'elle a donné le sein à Patte-Raide. Jeanne travaille pour Adrien Cluzeaux, un vieux menuisier veuf à qui elle prépare les repas, mais cette occupation lui semble bien fade après ce qu'elle a connu.

— Je m'ennuie de mon fils ! dit-elle en entrant.

Elle a pris l'habitude d'appeler Patte-Raide « mon fils », et Enguerrand a bien conscience que ce garçon l'unit à cette femme d'une manière étrange. Aussi la fait-il asseoir et lui propose-t-il un peu de vin.

— Je n'ai aucune nouvelle.

— J'espère qu'on ne lui fait pas de mal et qu'il n'est pas avec ces fous qui brûlent les lépreux. J'espère aussi que le mal de ventre ne l'a pas emporté !

— Tranquillise-toi ! Il va bien.

Elle a levé les yeux sur Enguerrand, qui détourne la tête, car il a caché sa dispute avec Patte-Raide.

— Je ne veux plus travailler pour le père Cluzeaux. Je veux aller chercher mon fils. Son absence creuse un trou en moi, si grand qu'on pourrait y mettre le château de Tulle.

Enguerrand est beaucoup plus dérangé par cette visite qu'il ne le montre.

— Jeanne, je te jure que j'irai le chercher, que je le retrouverai, mais il faut attendre encore un peu. Il faut que cette maladie s'arrête, que les routes redeviennent sûres. Si à l'automne...

Il allait dire « notre fils » mais se retient.

— ... Si Patte-Raide n'est pas revenu, j'irai le chercher.

Il veut gagner du temps mais refuse de garder la Jeanne chez lui : elle a appris à manier certains poisons et y a pris goût.

— Retourne chez Cluzeaux. À l'automne, je te promets...

Amélie de Capestang rentre au château de son époux au début du mois de juillet. Sitôt descendue de sa litière, elle ouvre la cage du pigeon qui va porter le message préparé à l'avance et enroulé autour de sa patte droite : « Bien arrivée, toujours pareil. Amélie. » La science de la Rigotte lui a coûté une bourse de pièces d'or et elle veut en constater les résultats. Guillaume, qui s'était si bien habitué à son absence, se contente d'un vague bonjour et s'éloigne aussitôt. Lydia est toujours aussi resplendissante. Amélie a beau scruter son visage pour y trouver les premières marques d'un mal mystérieux, elle ne voit rien. « Il faudra un peu de temps, lui a dit la sorcière. Ne perdez pas patience ! » Amélie remarque surtout cette lueur nouvelle dans le regard de son mari qui se trouve aussi dans celui de la jeune femme, cette complicité quand leurs yeux se croisent. « Ils sont amants ! pense Amélie. C'était fatal ! Elle lui a cédé, raison pour laquelle il souhaitait que je ne revienne jamais ! » Elle en conçoit une telle jalousie qu'elle se pâme dans les bras de ses suivantes. Très vite, elle recouvre ses esprits.

— Ce n'est rien, c'est la chaleur et la fatigue du voyage.

Mais des images crues s'imposent à son esprit, ces deux corps beaux et jeunes en train de faire l'amour, de se donner l'un à l'autre dans des étreintes avides. Elle chancelle de nouveau, doit s'appuyer contre l'épaule de Gélinot.

— Ce n'est rien ! répète-t-elle.

Les images défilent toujours, plus brutales les unes que les autres, leurs lèvres qui s'unissent, la sueur qui luit sur leurs peaux enfiévrées...

Comment Dieu peut-Il traiter aussi injustement ses enfants ? Tout donner aux uns, tout refuser aux autres, car l'amour, le véritable, pas celui d'une mère ou d'un ami, mais l'amour du corps, c'est tout ! La laideur maintient en retrait du monde. Amélie est aux premières loges du spectacle. Elle peut le voir, en constater l'immense bonheur, imaginer des plaisirs infinis, mais la vitre qui la sépare de la vie est incassable. Les regards qui s'attardent sur son visage ou sa silhouette difforme sont des regards de rejet, rarement de pitié. Elle pourrait être une sainte, personne ne l'admirerait ; seules les belles femmes ont du mérite à pratiquer la vertu !

Amélie est bien punie : elle est revenue pour se réjouir de la déchéance de sa rivale, pour assister chaque jour à la progression du mal, et c'est l'inverse qui se passe. Lydia chante, joue du luth, danse avec toujours autant de grâce. Guillaume ne la quitte plus et ne se préoccupe pas de son épouse, qui fuit dans son appartement pour cacher ses larmes.

Pendant ce temps, Capestang enterre ses morts par dizaines. De grandes fosses ont été ouvertes dans un pré contigu au cimetière où les charrettes apportent les cadavres gonflés. L'air est vicié par une forte odeur à laquelle on ne s'habitue pas. Au château, quelques cas sont signalés et tout le monde fait bien attention à ce qu'il boit. Amélie surveille Lydia et espère une première douleur chaque fois que sa rivale porte la main sur son ventre ou fait la moindre grimace. Mais la mort ne veut pas d'elle.

L'évêque Amaury de Monferré promène sa suffisance au milieu de ses clercs et parle à tort et à travers tant son esprit est faible. Il a pourtant une haute idée de lui-même et réprimande volontiers Guillaume, qui affiche sa liaison sans la moindre retenue.

— Mon épouse légitime ? s'étonne le jeune baron. Le mariage n'a pas été consommé. Qu'on le fasse constater !

— De toute façon, cette situation ne peut pas durer ! dit l'évêque. Vous devez régler la chose. Si le mariage n'a pas été consommé, vous pouvez obtenir son annulation. Je dois me rendre en Avignon auprès du pape et je veux bien plaider votre cause. Ensuite, vous pourrez épouser votre belle et ne plus vivre dans le péché. Par les temps qui courent, c'est beaucoup trop dangereux pour votre salut.

Guillaume pense à cela depuis longtemps et il n'aurait pas hésité une seconde s'il ne redoutait de se heurter au refus de Lydia.

— Vous êtes d'une grande bonté pour moi, lui dit souvent Lydia. Vous savez que je suis à vous, que je veux être votre amie, mais ne me demandez pas ce que je ne peux accepter.

— Voyons, Lydia, nous vivons dans le péché.

— Ce serait plus grand péché encore que de renier votre épouse actuelle.

Il sait, Guillaume, que ce refus vient surtout de ce jeune homme que Lydia ne se résout pas à oublier et qu'elle persiste à croire vivant.

— Tout cela s'arrangera ! dit l'évêque, qui s'agite toujours beaucoup et pour qui une peine d'amour n'a pas de sens.

L'été passe dans la crainte. Les fêtes, les tournois, les chasses rassemblent moins de monde que les années précédentes. Chacun se terre chez soi et, pour éviter la contamination, mange des melons, heureusement abondants, et des pêches. La populace oublie sa peur en allumant des bûchers et cela n'incite pas les nobles à sortir de leurs châteaux. Amélie espère toujours que Lydia sera enfin emportée par l'épidémie ou la magie. À la fin du mois de septembre, des pluies abondantes font déborder les ruisseaux, les mares et les sources. Plus un seul cas de la maladie n'est signalé. Amélie se dit qu'elle a dépensé une bonne bourse d'or pour rien.

De son côté, Lydia s'en veut. Les regards d'Amélie sont pleins d'une haine qui lui fait mal. Un jour elle va frapper à sa porte et lui demande la permission de rester quelques instants. Amélie n'a pas mauvais fond, bien au contraire. Ses colères, ses ressentiments proviennent de ce qu'elle doit endurer à longueur de journée, et comment ne pas ressentir la beauté de Lydia comme un affront ?

— Je suis venue vers vous, dit Lydia, parce que je souffre pour vous. Je ne veux pas que Guillaume fasse annuler votre mariage.

Amélie baisse la tête. Elle ne saurait soutenir un tel regard. Son amour-propre lui crie d'aller se cacher. Les larmes brillent dans ses yeux, roulent sur ses joues. Lydia s'approche et la prend dans ses bras.

— Je vous assure que je ne suis pour rien dans tout cela. Et je vous demande pardon pour tout ce mal.

Amélie renifle.

— Je suis si malheureuse, dit-elle, qu'il m'arrive de souhaiter le mal à la terre entière.

— Moi aussi, je suis malheureuse, reprend Lydia. Je n'épouserai jamais Guillaume, je tenais à vous le dire.

Amélie lève les yeux sur Lydia, qui remarque dans ce visage déformé un regard profond qui n'est pas dépourvu de charme.

— Je n'épouserai jamais votre mari, parce que je suis à un autre. Hélas, je ne sais s'il vit...

Lydia sort sans rien ajouter, laissant Amélie désemparée, partagée entre un sentiment de rejet et de compassion.

Guillaume veut montrer à Lydia sa grande résolution et décide de faire annuler son mariage au plus vite. Le baron, aveuglé par sa passion, a perdu ce discernement, cette faculté de comprendre les autres qu'il avait au moment de leur rencontre. C'était alors un jeune homme qui redoutait son père ; il est devenu un grand seigneur à qui tout le monde obéit. Ainsi lance-t-il la procédure d'annulation sans tenir compte des protestations du père d'Amélie qui le menace de lever une armée contre lui. Guillaume ne prend même pas la peine de lui répondre. Un matin, il fait irruption dans l'appartement d'Amélie et vient lui annoncer qu'une cour d'ecclésiastiques va siéger au château dès que possible. La jeune épouse réussit à se contenir et dit d'une voix blanche :

— Et pour quelle raison voulez-vous annuler notre mariage ?

— Parce que nous n'avons jamais été mari et femme.

— Et vous souhaitez convoler de nouveau. Êtes-vous certain que l'élue de votre cœur acceptera ?

— Cela ne vous regarde pas ! Je vous serais reconnaissant de ne pas entraver le travail de la haute cour.

L'évêque Amaury de Monferré ne connaît pas les regrets de l'âme. Il vit muré dans des certitudes solides et estime que les grands de ce monde doivent donner l'exemple. Puisque le baron ne veut plus de sa femme, il va casser son mariage et lui faire épouser sa maîtresse. C'est tellement simple qu'il se demande pourquoi il ne l'a pas fait plus tôt !

Le prélat fait diligence et réussit à réunir un collège d'ecclésiastiques au château à la fin du mois de septembre. Les vignerons récoltent le raisin. L'air en est poisseux, imprégné d'une odeur sirupeuse et grasse. La haute autorité du tribunal a été confiée par le pape à l'archevêque de Montpellier, qui fait le déplacement à Capestang, entouré d'une nuée de clercs, de secrétaires et de serviteurs. Ce prélat sait que l'importance d'un homme se mesure à son escorte. Aussi est-il suivi d'un impressionnant cortège de chariots dans lesquels il transporte, tel un roi, sa vaisselle, ses meubles et ses livres. Il dit volontiers que le pape le tient en grande estime et le consulte, ce qui n'est pas vrai : Jean XXII n'a besoin de personne pour diriger la chrétienté.

Guillaume de Capestang a souhaité que l'accueil de ce grand homme soit à la hauteur de ce qu'il attend de lui. Ainsi, l'archevêque constate que son hôte s'est renseigné sur ses goûts, et l'on sert à table du vin de Jurançon. Par déférence pour tous ces hommes de Dieu, Guillaume n'est pas paru avec Lydia, qu'il a priée de dîner dans sa chambre. Amélie n'est pas là non plus : on a estimé qu'il n'était pas décent de mettre à la même table les juges et celle qu'ils allaient condamner à ne plus être mariée.

Le lendemain, la cour se réunit dans la grande salle du bas, où sont donnés les spectacles et les banquets, que l'on a apprêtée pendant la nuit. L'archevêque s'installe avec dignité dans son fauteuil qui domine les autres et déclare la séance ouverte. Guillaume de Capestang commence par jurer sur la Bible que son mariage avec Amélie de Puisserguier n'a pas été consommé. Amélie, pâle, les larmes au bord des yeux, doit à son tour déclarer et jurer son infortune tandis que tous les prélats la regardent. Le gros archevêque se dit que Dieu n'est pas toujours tendre avec les filles de noblesse ; qu'Il fasse des paysannes ou des bergères difformes, cela, tout le monde en a l'habitude, mais malmener ainsi des filles de famille, cela porte préjudice au bel équilibre du monde !

— Jurez-vous sur la Bible que votre mariage n'a jamais été consommé ?

Amélie regarde autour d'elle : c'est son procès. On l'accuse de laideur, de ne pas être désirable et de repousser les hommes. Comme l'archevêque, elle pense à l'injustice divine qui fait les femmes belles ou laides, comme lui, elle se dit que Dieu la pousse au mensonge. Car ici devant tous ces dignitaires de l'Église, elle éprouve l'envie du parjure, de donner son âme au diable puisque Dieu n'en a pas voulu.

— Répondez.

— Je n'ai jamais rien refusé à mon époux.

Un brouhaha fait suite à cette réponse. À cet instant, le regard d'Amélie brille d'une méchante lueur et soutient celui de Guillaume. Si le vieux comte était là, cette humiliation lui aurait été épargnée. Guillaume a la force des faibles, il écrase qui ne peut se défendre, et il finit par baisser la tête. Le jeune homme comprend le sens de ce regard, en mesure le défi ; désormais, tout dépend d'Amélie.

— Répondez par oui ou non, fait l'archevêque. Je vous ai demandé si votre union avec Guillaume de Capestang n'avait jamais été consommée.

Elle fait durer ce moment d'incertitude, le savoure. Un mensonge, et cet homme qui n'a pas voulu d'elle sera accusé d'adultère. Finalement, elle cède par crainte d'une laideur plus grande que celle du corps, mais qui ne se voit pas, celle de l'âme.

— Non !

Guillaume pousse un soupir. Par ce non, Amélie s'est exclue de cette maison. Ce soir ou demain, elle fera ses malles et repartira dans le château de son père avec ses rêves envolés, lourde d'un désespoir qu'elle ira cacher dans un couvent. La séance est levée. Les prélats bavardent comme des élèves dans une cour de récréation. Guillaume en profite pour s'approcher de son ancienne épouse.

— Sachez que...

Que cherche-t-il à dire ? Les mots ne conviennent pas dans certaines situations, ils sont hérissés d'épines et achèvent celui qui a perdu.

— Vous avez une grande âme, madame. Sachez que vous garderez toujours mon amitié et mon dévouement.

Amélie baisse la tête pour cacher ses larmes. Guillaume lui offre son amitié, c'est ce que l'on donne toujours quand on refuse l'amour ! Elle ne veut pas d'une amitié qui marque son échec.

Un grand banquet rassemble tous les prélats et les membres du tribunal. Cette fois, Amélie doit y paraître. Elle n'est plus l'épouse légitime, mais une dame comme les autres, comme Lydia, la beauté en moins, et personne ne s'occupe d'elle tandis que Lydia est entourée d'une cour de clercs et de chevaliers. Tous voient en elle la future baronne de Capestang, même si les mauvaises langues murmurent dans les couloirs qu'elle fut fille de bordel.

Le soir même, elle se rend dans la chambre d'Amélie ; les deux femmes ne se sont pas parlé depuis leur dernière rencontre.

— Guillaume a perdu tout bon sens ! dit Lydia. Je tenais à vous préciser que ce qui vient de se passer ne me fera pas revenir sur ma décision : je ne l'épouserai pas.

— Je vais faire mes malles et rentrer chez mon père ! fait Amélie, résignée. Voilà comment finissent les beaux contes de fées ! Parlez-moi de vous. Je vous ai tellement haïe que...

Lydia ne la laisse pas terminer. Certaines émotions s'émoussent quand on les exprime.

— Je suis née à Tulle. Patte-Raide aussi était de Tulle. Nous avons étudié ensemble le latin ; lui les mathématiques, la théologie, moi le luth, chez Enguerrand de Niollet, un ancien templier...

— Vous dites Patte-Raide ?

— Mon double. Sans lui, je ne vis pas. S'il est mort, je mourrai. S'il vit, je sais qu'il reviendra me chercher, qu'il me trouvera. Nous serons un jour réunis, cela ne peut être autrement !

Lydia soupire. Amélie reprend :

— Je vous envie cette grande peine. Moi, je n'ai même pas de souvenirs.

Depuis des mois, des années peut-être, Patte-Raide croupit au fond de son cachot. Le temps ne se mesure pas dans les ténèbres, il semble long et court à la fois, il ne passe pas et pourtant la conscience de la durée s'estompe très vite. Les tortures répétées ont cassé le ressort de sa vie. L'été succède au printemps, puis vient l'automne, l'hiver ; le froid humide reste le même dans cette fosse profonde sans véritable lumière, à part la lueur blanche d'une minuscule ouverture. Ses membres sont cassés, ses articulations démantelées par les coins de la question. Son corps n'est qu'une charogne qu'on tourmente régulièrement, puis qu'on soigne puisque sa mort priverait le grand maître de l'or des Juifs.

Alors les tourmenteurs experts s'obstinent, ouvrent des blessures, arrachent les chair à vif et demandent aux médecins de panser les plaies. Vit-il seulement ? Oui, il vit, même s'il est depuis longtemps en enfer. Il n'a pas parlé, c'est cela sa force, sa grandeur, son seul contentement. Il ne pense plus à la mort. Pour l'avoir trop approchée, il ne la voit plus. Mourir le priverait de ce pouvoir suprême sur l'Ordre : son secret.

L'hiver est revenu, terrible dans l'immense château de Vaucelle peuplé d'hommes d'armes où Léon de Tolède passe la mauvaise saison. Le vent hurle sur les sommets, soulève des nuages d'une poudre de neige qui glace le visage des guetteurs. Patte-Raide est atteint d'une toux sèche qui inquiète ses tourmenteurs. Ils en parlent au grand maître, qui décide alors :

— Qu'on me l'amène.

Léon de Tolède tend ses longues mains au feu qui crépite. Dehors, le gel décore de feuilles blanches très délicates les petites vitres de la croisée retenues par des lanières de plomb. En contrebas, le Rhône coule un flot sombre et puissant.

— Mais il pue ! dit frère Clément.

— J'ai dit qu'on l'amène ! fait le maître, qui se trouve dans l'ombre de la cheminée.

Ses yeux ont toujours cette lumière particulière, propre aux loups et aux déments.

Frère Clément apporte Patte-Raide, qui ne pèse pas plus de soixante livres. Son visage de vieillard s'est ridé, souligné de longues tranchées noires. Ses joues creuses sont piquées de quelques poils d'une barbe hirsute. Seuls, sous son large front, ses grands cils noirs ont conservé toute leur beauté mobile.

Il ne peut pas se tenir debout. Ses jambes ont été pansées, ses genoux soignés des plaies que les derniers coins ont ouvertes. Son bras droit a été cassé au coude, mais, là aussi, les chirurgiens de l'Ordre ont fait un miracle en remettant les os à leur place. Ses vêtements sont sales, couverts d'immondices. Le grand maître le regarde un instant, soutient ses yeux, qui ne se sont pas baissés. Il s'y connaît en hommes et se dit que, peut-être, il a sous-estimé celui-là.

— Je n'ai pas oublié ta présence chez Enguerrand. Je sais aussi qu'il t'aime, te veut pour fils. Mais tu n'as pas voulu parler.

— Je ne parlerai jamais ! fait Patte-Raide avec cette détermination qui va au-delà de toute douleur. Vous le savez, alors vous pouvez me tuer.

Depuis que les premiers instruments de torture ont mordu sa chair, que les pinces ont arraché sa peau, que les coins ont écrasé ses articulations, depuis qu'il a entendu casser les phalanges de ses mains, les os de ses bras, alors que sa tête entière était prise d'un feu insupportable, qu'il est allé au-delà de la douleur, depuis qu'il ne souffre plus quand les chirurgiens viennent réparer le mal des tourmenteurs, Patte-Raide pense à Dieu. Il L'a découvert dans la douleur, vivant, proche de lui, décidé à l'aider. Lui qui ne connaissait que la haine des autres apprise d'abord par maître Perrot puis par Enguerrand, a découvert l'amour et cette lumière intérieure que procure le don de soi, plus précieuse que la vie. La souffrance infinie a ouvert les yeux de ce petit félin qui tuait froidement pour une poignée de pièces ! Le voilà au niveau des martyrs, animé d'une volonté supérieure qu'aucun humain ne pourra fléchir.

Léon de Tolède repousse son capuchon sur son haut front. Patte-Raide voit briller ses yeux braqués sur lui.

— Je souffrirai autant qu'il plaira à Dieu, mais je ne céderai jamais ! poursuit Patte-Raide.

— Autant qu'il plaira à Dieu, dis-tu ? Et s'il Lui plaisait d'arrêter tout de suite, de te donner des vêtements propres et secs, des repas et tout ce qu'un homme peut souhaiter sur cette terre ?

— Je ne souhaite plus rien ! dit Patte-Raide. J'ai eu l'enfer et je sais que le paradis n'est pas de ce monde.

— Je sais que tu as été un grand chef chez les Pastoureaux...

— Ce que je regrette... Car je croyais à la croisade ! C'était possible si l'on avait profité de l'élan du début.

— Pourquoi refuses-tu de rendre l'or qui ne t'appartient pas ?

— Parce qu'il ne vous appartient pas à vous non plus et que je veux éviter de nouveaux massacres d'innocents.

— Libre à toi de parler ainsi. Nous nous reverrons !

Le grand maître tape dans les mains. Frère Clément arrive aussitôt.

— Qu'on l'emmène.

Léon de Tolède se tourne vers les flammes.

— Dommage qu'il ne veuille pas coopérer !

Frère Clément emporte le prisonnier. Quand ils sont à la porte de la cellule, Patte-Raide dit :

— Le grand maître est un fou dangereux ! Frère Clément, je t'en conjure, écoute-moi !

Sans un mot, Clément dépose Patte-Raide sur ce qui lui sert de lit puis se dirige vers la porte.

— Frère Clément, poursuit le jeune homme, tu sais que je ne céderai jamais parce que c'est Dieu Lui-même qui me donne cette force. L'Ordre fait fausse route...

Clément se tourne. La détermination de ce garçon force son admiration.

— Va trouver Enguerrand de Niollet, celui qui m'a donné. Dis-lui que je ne lui en veux pas. Je sais qu'il a compris son erreur et qu'il regrette... Fais-vite parce que je vais bientôt mourir.

Mourir enfin ! La délivrance, la lumière infinie ! Son seul regret sera de ne pas revoir Lydia, de ne pas la serrer une dernière fois contre lui, sentir l'odeur de sa peau, la douceur de ses cheveux, Lydia, qui serait si fière de son courage !

— Lydia ! Tu as été un cadeau du ciel ! murmure-t-il en détachant chaque mot tandis que Clément s'éloigne. Sans ton souvenir, j'aurais cédé. Je te reverrai bientôt, quand j'aurai franchi la rivière...

L'hiver fige la campagne. La bise siffle sur le donjon du château de Tulle. La Corrèze roule des blocs de glace qui sapent les berges. Un homme sort par la porte du Midi et demande au sergent de faction la route de Malemort.

— C'est tout simple, dit l'homme, vous n'avez qu'à suivre la rivière, mais vous n'y êtes pas encore, avec toute cette neige...

L'homme ne répond pas et engage sa mule dans le chemin. La nuit est tombée quand il arrive à Malemort et frappe à la porte d'Enguerrand de Niollet. Ce n'est pas un amateur de beaux livres venu de Flandres ni un marchand de soies précieuses d'Orient, il ne porte aucun bagage. Sa démarche hésitante, sa silhouette cassée montrent qu'il est passé sur la table des tourmenteurs. Enguerrand attendait cette visite depuis si longtemps ! Il reste un moment incrédule face à l'arrivant puis lui tend les bras.

— Frère Clément... Ta présence ici me comble. Serait-ce que notre grand maître...

— Permets-moi d'entrer, frère Enguerrand. La situation est grave. Je ne suis venu ici qu'après de longues réflexions.

— Moi aussi, j'ai beaucoup réfléchi depuis l'été, depuis que mon fils adoptif a quitté cette maison.

Ils se taisent tous les deux. Enguerrand poursuit, comme pour lui-même :

— Tant de morts, tant de ruines... As-tu vu ces campagnes désolées, ces friches, ces maisons écroulées...

— J'ai vu ! dit Clément. Et c'est l'objet de ma visite.

— Je l'avais compris.

Clément retire sa cape et s'approche du feu. Il est plus petit qu'Enguerrand, plus trapu, et son corps déformé ressemble à celui d'un ours qui marche en se dandinant.

— Le grand maître est un fou sanguinaire et nous l'avons suivi ! dit-il sans quitter les flammes des yeux. Dieu ne nous pardonnera jamais une telle erreur !

Ils se taisent de nouveau. Le crépitement du feu n'estompe pas en eux la portée de ces mots.

— Il faut arrêter cela ! dit calmement Enguerrand, et il n'y a qu'une solution.

— C'est ton fils qui m'a convaincu, dit Clément. C'est lui qui m'envoie...

Enguerrand a un léger sourire. Il se sent tout à coup léger : Patte-Raide a pensé à lui, preuve qu'il lui a gardé toute sa confiance.

— Il m'en veut ?

Clément sourit. Enguerrand demande à sa servante d'apporter du vin et de préparer un lit pour Clément.

— Comment t'en voudrait-il ? Il m'a dit : « Va trouver Enguerrand ! Tu lui parleras de mes amis Thibault du Val et Guibert de Boisse. Ce sont de bonnes lames ! » Alors, me voilà.

Enguerrand s'assombrit.

— Ce ne sera pas facile. Le maître est bien gardé par des hommes déterminés. Et nous ne pouvons pas nous rendre au château de Vaucelle avec une grande escorte sans réveiller ses soupçons.

— Il faut agir discrètement ! dit Clément. Quelques frères sont gagnés à notre cause sur place.

Le lendemain matin, ils se rendent à Fontbelle. Il a encore neigé pendant la nuit et les deux templiers peinent la journée entière sur des chemins remplis de congères. Le ciel est gris, la brume noie les collines. Quand ils arrivent, la nuit tombe, ils sont trempés et fatigués. Thibault et Guibert qui passe plus de temps à Fontbelle qu'à Boisse, reconnaissent aussitôt Enguerrand, qu'ils invitent près du feu.

— Je vous présente frère Clément, qui est venu de très loin, des bords du fleuve Rhône, pour m'apporter des nouvelles de mon fils.

Une servante arrive avec une aiguière de vin chaud.

— Il est prisonnier, sans aucune chance de s'évader, cette fois ! Et nous venons vous demander votre aide pour le délivrer.

— La saison n'est pas très bonne pour voyager ! fait remarquer Guibert.

— Peut-être, mais le temps presse, insiste Clément.

Pendant le repas et une partie de la nuit, Enguerrand et Clément expliquent aux deux jeunes gens le rôle des templiers pendant les deux dernières famines, leur action auprès des Pastoureaux pour les conduire au massacre.

— Le grand maître de l'Ordre, précise Clément, se sait traqué. Il ne passe pas plus d'une saison au même endroit. Il faut dire que les châteaux et les maisons de templiers abandonnés ne manquent pas !

— Je suis damné ! dit Enguerrand en baissant sa tête massive. C'est ma faute s'il est prisonnier du maître ! C'est moi qui l'ai livré ! Dieu ne me pardonnera jamais mes fautes !

— Nous partons demain ! décide Thibault.

— Ce ne sera pas une mission facile ! poursuit Clément. Nous ne pouvons pas nous présenter au château avec une escorte. Nous devons nous débrouiller nous-mêmes. Quelques frères sont acquis à notre cause et nous aideront. Frère Jean est en train de recruter une centaine de lances sur place pour le cas où nous en aurions besoin. Ils entreront dans le château par un souterrain que j'ai moi-même exploré.

Ils partent le lendemain. La neige souligne les branches des arbres. Le soleil brille sur cette campagne éclatante et figée, Thibault éprouve un certain bonheur à voyager dans un air aussi limpide, aussi transparent. Les naseaux de son cheval fument, l'aventure est au bout du chemin, cela lui manquait.

La nuit tombe tôt. Les quatre hommes s'arrêtent dans les auberges et passent les longues heures de la soirée à bavarder. Enguerrand a recommandé la discrétion : les oreilles des templiers traînent partout, entendent tout, et n'oublient rien.

Au bout de plusieurs jours de voyage, ils arrivent au château de Vaucelle, près de Condrieu, une forteresse en très mauvais état qui surplombe le Rhône. Ici, l'hiver est clément et il n'a pas neigé. L'endroit est escarpé. Le chemin d'accès a été taillé à flanc de rocher et les chevaux ne sont pas rassurés.

Clément se présente le premier à l'entrée, il a pour mission d'enfermer les frères dans la chapelle à la vesprée. Enguerrand et les deux jeunes hommes attendent dans une auberge où brûle un bon feu. Ils se font servir à manger, mais Enguerrand n'a pas faim et fait part de ses inquiétudes.

— Je devrais avoir des nouvelles de frère Jean et de ses cent lances et je ne vois personne !

— Bah ! fait Thibault avec l'insouciance de son âge, quelques coups d'épée et tout rentrera dans l'ordre !

— Détrompez-vous ! dit Enguerrand Les templiers sont de bonnes lames.

L'heure arrive enfin. La nuit tombe sur le Rhône, que la brume englue. Ils se présentent au château.

— J'ai fait tout ce chemin par ce froid car j'ai des nouvelles importantes à transmettre à notre maître ! dit Enguerrand aux gardiens. Il en va de la survie de l'Ordre.

— Que veux-tu dire, mon frère ? Un nouveau complot est-il ourdi contre nous ?

— Ça se pourrait. En tout cas, il est temps de prendre des dispositions.

— Notre maître va te recevoir.

— Permets à mes deux jeunes amis de se reposer comme à l'accoutumée dans l'aile droite du château et de panser leurs chevaux dans l'écurie. Nous repartirons demain à l'aube.

Guibert et Thibault savent ce qu'ils doivent faire. Leurs chevaux attachés dans l'écurie, ils passent dans l'aile du château qui sert d'auberge aux visiteurs. Clément les rejoint.

— C'est fait, la plupart des frères sont enfermés dans la chapelle. Il faut faire vite.

Enguerrand se fait conduire chez Léon de Tolède. Il pense à cette scène depuis longtemps : il l'a répétée tant de fois dans sa tête ; pourtant, ses jambes sont molles. Jamais sa démarche n'a été aussi lourde et saccadée. Il doit s'arrêter au milieu de l'escalier pour souffler. Il pense à Patte-Raide qui se trouve dans quelque cave de ce château et qu'il veut sauver. Cela lui donne un peu de courage, mais sa main tremble et il redoute de rater son coup.

Léon de Tolède se trouve dans la grande pièce, debout à son écritoire près d'un grand feu. Sa haute stature se perd dans l'ombre. Ses yeux ardents se tournent vers Enguerrand.

— Toi ? Venu de si loin, mon frère ? Adoncques, cela veut-il dire que tu veux tenter de convaincre ton fils de céder ?

Enguerrand hésite, bredouille, regarde autour de lui. Le frère qui l'a accompagné se trouve à la porte. Le maître croit comprendre.

— Laisse-nous, frère Geoffroy.

L'autre se retire et ferme la porte.

— Que veux-tu ? demande de nouveau le maître sans quitter Enguerrand des yeux. J'ai fait tout ce que j'ai pu pour lui éviter de souffrir, mais il ne veut pas parler...

Enguerrand sait qu'il doit avoir du courage, que la moindre hésitation peut être fatale à ceux qu'il a entraînés dans cette expédition, pourtant, comment ne pas trembler face à un acte aussi grave ?

— Approche-toi du feu, mon frère et ami ! poursuit Léon de Tolède en prenant place lui-même sur un siège.

Peut-on frapper quelqu'un qui vous appelle son frère et son ami ? Enguerrand chasse toute pensée de son esprit, pense à Patte-Raide, qui gît par sa faute quelque part dans ce château froid, à Guibert et à Thibault, qui attendent dans l'aile droite. Il remplit ses poumons d'air comme s'il allait plonger dans un abîme sans fond. Sa main tremble encore en sortant l'arme de sa manche, puis d'un geste rapide, les yeux fermés, il frappe ce dos sans défense.

Léon de Tolède se tourne lentement, comme si le coup ne l'avait qu'effleuré, et regarde, la respiration bloquée, celui qui vient de l'assassiner. Alors Enguerrand, les yeux dans ce regard où la lueur s'éteint, dit :

— Cela ne pouvait durer ! Dieu m'a commandé ce crime pour que cessent les tourments de Ses fils.

Le visage de Léon de Tolède s'anime, il remue les lèvres, mais un flot de sang sort de cette bouche édentée qui a prononcé tant de menaces et commandé tant de crimes. Il roule de son siège sur le sol. Celui qui se voulait le maître du monde règle désormais ses comptes avec l'au-delà.

Sans perdre son sang-froid, Enguerrand ouvre la croisée et siffle en direction des écuries. Clément, Thibault et Guibert accourent, l'épée au clair. Quelques gardes tentent de s'opposer, mais la bataille ne dure pas. Les trois hommes montent l'escalier en courant, arrivent sur le palier. Là, une quinzaine de templiers les arrêtent.

— Frère Clément, voilà que tu nous enfermes dans la chapelle ? Où est le maître ?

— Le maître est mort ! dit Clément sans se démonter. Cela ne pouvait plus durer !

— Mort ?

— Mort, frère André, pour que l'amour remplace la haine.

Frère André a blêmi. Il fait un signe aux autres.

— Qu'on s'empare de ces trois meurtriers.

La bataille s'engage mais s'arrête vite. Clément, Guibert et Thibault sont très vite encerclés. André, l'épée en avant, entre dans la pièce où se trouve Enguerrand. Léon de Tolède gît près du feu dans une flaque de sang.

— Qu'as-tu fait, traître ?

Enguerrand ne se démonte pas. Il regarde fixement André, un homme de petite taille, mais solide sur ses jambes. Il a échappé aux tortures et s'est facilement imposé comme meneur au milieu de ces éclopés.

— Tu peux me tuer, André. Je n'ai pas peur. J'ai fait ce que Dieu m'a commandé et je ne regrette rien.

André crie aux hommes qui sont restés dans le couloir :

— Saisissez cet homme et qu'on dresse quatre potences dans la cour.

Enguerrand est vite maîtrisé.

— Ce que tu voulais, surtout, c'était prendre la place du grand maître ! dit André, mais c'est fini pour toi.

Enguerrand est emmené sans ménagement jusqu'à la cour intérieure où, d'ordinaire, on harnache les chevaux. La nuit est tombée, des torches ont été accrochées aux murs et diffusent une lumière tremblante et rougeâtre. Deux hommes qui maugréent parce qu'il fait froid attachent des cordes à une poutre posée à dix pieds du sol d'un côté sur le rebord d'une meurtrières du donjon et de l'autre sur le mur du bâtiment central.

— A-t-on besoin de faire tant de manières ! dit l'un d'eux. Il suffisait de les passer au fil de l'épée !

Les mains attachées dans le dos, Guibert et Thibault sont là. Guibert se lamente :

— Je ne reverrai plus Dyane ! Que ne suis-je resté à Boisse !

Thibault ne parle pas. Il réfléchit au moyen de se tirer de là, mais sa tête, d'ordinaire pleine d'idées, reste vide. L'ombre de la mort est déjà en lui. Il avait imaginé cet ultime instant, il redoutait d'avoir peur et d'être lâche, mais il n'éprouve aucun regret. Finalement, mourir n'est pas si difficile qu'on le pense. Clément ne cesse de se tourner vers le donjon. Que fait Jean ? Enguerrand dit :

— Épargnez au moins ces deux jeunes hommes qui ne sont venus que parce que je le leur ai demandé.

— Nous n'épargnerons personne ! crie André. Et qu'on fasse vite, on gèle !

— Au premier de ces messieurs ! dit le bourreau improvisé monté sur un escabeau et qui tient une corde.

Enguerrand, l'épaule droite plus haute que l'autre, courbé vers l'avant comme s'il n'avait plus la force de porter sa grosse tête, s'approche en boitant de l'escabeau et se tourne vers les frères.

— Ce que j'ai fait a été commandé par Dieu pour que l'Ordre cesse de semer la haine et la mort, pour que nos frères perpétuent leurs traditions et leur savoir dans la parole de Dieu qui est amour...

Tout à coup, des éclats de voix montent du donjon, des armes se choquent, des hommes vêtus de fer font irruption dans la cour. Clément soupire, voici enfin frère Jean à la tête de ses reîtres.

— Aucun mal ne sera fait à personne ! crie Jean. Jetez vos armes, mes frères, et détachez vos prisonniers.

André tente de s'opposer.

— Pourquoi vous obéirions-nous ? Cet homme a tué notre maître vénéré, il doit payer.

— Vous m'obéirez parce que j'ai cent lances déterminées. Cet homme a fait ce que Dieu commandait. Notre maître n'avait plus sa raison et nous avons tous commis le péché de lui obéir dans la haine.

— Moi le premier ! s'écrie Enguerrand. J'ai même livré celui que j'aime le plus au monde et que je voulais comme fils ! Je mérite d'être damné !

Guibert pousse un grand soupir de soulagement. Thibault n'est pas surpris, quelque chose lui disait qu'il ne mourrait point.

Libre, Enguerrand se précipite vers les caves, suivi des deux garçons. Le vieux templier descend lentement les marches en se tenant aux pierres du mur. Son effort, la maladresse de ses membres forcent l'admiration de Thibault et de Guibert. Ils arrivent enfin dans une salle voûtée dont les instruments et la table aux lanières de cuir indiquent qu'il s'agit d'un lieu de tortures. Un gardien vêtu de fer se tient près d'une porte.

— Où est le prisonnier ? demande Thibault en pointant son épée devant lui.

L'homme les regarde, incrédule.

— Dépêche-toi, nous perdons vite patience.

Le templier ne cherche pas à parlementer, et ouvre une porte. Alors Enguerrand découvre Patte-Raide, couché sur des planches. Le jeune homme tourne vers son maître ses grands cils noirs puis sourit à Guibert et à Thibault.

— Je savais que vous viendriez ! dit-il d'une voix faible. En me sauvant une deuxième fois, vous venez de sauver le royaume de France.

Enguerrand, malgré ses jambes peu agiles, se met à genoux et lui prend la main.

— Pourras-tu un jour me pardonner ?

Guibert se souvient de ce fier cavalier à la jambe pendante sur le flanc de son cheval blanc.

— Qu'on l'emmène et qu'on prépare pour lui le meilleur lit de la maison ! s'écrie Enguerrand. Et je veux qu'on lui apporte à manger.

De retour à Malemort, Patte-Raide recouvre bien vite la santé. Au printemps suivant, tandis que fleurissent les pruniers dans les vergers, il peut enfin marcher en s'aidant de cannes. Thibault et Guibert lui rendent de fréquentes visites et font leur possible pour le distraire, mais, à mesure que son corps reprend des forces, une profonde mélancolie s'empare de lui. Il ne sourit plus et passe des heures seul, assis au bord de la rivière, à regarder le soleil jouer avec le courant.

La Jeanne lui rend de fréquentes visites. Elle s'assoit à côté de lui et reste ainsi une partie de l'après-midi, silencieuse. Quand c'est l'heure de partir, elle regarde une dernière fois le jeune homme puis se lève et s'en va sans un mot.

Pas une fois Enguerrand ne lui parle du trésor volé aux Juifs. Patte-Raide n'y pense pas. Il a décidé de ne jamais toucher à cet or qui pourrait faire de lui l'homme le plus riche du royaume, mais au fond de sa douleur, quand, torturé quotidiennement, il a découvert que l'amour de Dieu et des hommes était le bien le plus précieux.

Une seule personne lui manque, et souvent, il regrette d'avoir survécu. Sans Lydia, l'eau de la Corrèze sanglote ; les doigts du jeune homme ont perdu toute habileté à peindre des enluminures. Sans Lydia, son esprit reste aussi noir que la nuit, les conversations en latin l'ennuient, vivre chaque jour est une nouvelle torture...

Enguerrand comprend tout cela et s'en veut un peu plus d'avoir souhaité la mort de la jeune fille. Il l'a fait chercher discrètement, mais il n'a rien pu apprendre de nouveau et a acquis la certitude que Lydia était bien morte !

À Capestang, le baron ne décolère pas. Lui qui était autrefois gai et souriant se montre désormais d'humeur sombre et brutale. Les fêtes et les tournois sont rares, on ne danse plus au son des fifres et des vielles. La gaieté et les rires ont déserté le château comme si Mme Amélie les avait emportés. Et tout le monde sait que rien ne changera tant que la belle Lydia refusera d'épouser Guillaume.

— Je suis la risée de tout le pays ! se plaint-il auprès de sa belle.

— Je vous avais averti, mon ami, et je ne changerai pas d'avis. Tant que je n'aurai pas la certitude que Patte-Raide est mort, je ne vous épouserai pas...

À quinze lieues de là, au château de Puisserguier, le père d'Amélie rêve de vengeance. L'affront que lui a infligé Guillaume mérite une leçon, mais il se sait trop faible pour lever une armée capable de faire le siège de la forteresse de Capestang. C'est encore le nain, Marcelot, qui trouve la solution.

— Monseigneur, dit-il en tournant autour de son maître tant il est vrai que les nains, en plus de la taille, gardent toujours un esprit d'enfant, pourquoi n'essayeriez-vous pas de voir un peu plus clair dans tout cela ?

— Que veux-tu dire ? Explique-toi ou je te botte les fesses !

— Je voulais dire que cela ne coûterait pas beaucoup de demander à Amélie de se rapprocher de cette Lydia, de la questionner adroitement et de tenter de retrouver ce beau chevalier qu'elle n'arrive pas à oublier !

C'est ainsi qu'à la fin du mois de mai un chevaucheur apporte un courrier à Lydia. C'est Amélie qui souhaite la voir : « J'ai été méchante avec vous, écrit-elle. Je m'en veux et vous offre mon amitié. J'aimerais que nous nous revoyions. »

— Voilà de bonnes intentions qui montrent une âme pleine de noblesse ! constate Guillaume.

La première rencontre se fait la semaine suivante. Guillaume est parti visiter ses terres avec ses intendants ; Lydia se fait conduire à la maison forte de Lineuil, à dix lieues de Capestang, qui appartient à Amélie, cadeau de mariage que Guillaume lui a laissé après leur séparation. Le jeune baron se dit enchanté de ces retrouvailles, il lui semble que le rapprochement de sa maîtresse et de son épouse répudiée peut favoriser ses desseins.

Il fait très beau à Lineuil, et Amélie propose enfin une promenade à Lydia.

Elles s'éloignent dans un chemin entre deux grandes haies d'aubépines fleuries. Le coucou chante, le vent du sud est doux : au loin, des bergers dansent au son d'un flûtiau.

— À propos, demande Amélie, n'avez-vous jamais songé à retrouver votre fiancé ?

— Guillaume s'y oppose.

— Eh bien, moi, je peux le faire pour vous. Je peux envoyer quelqu'un en Limousin. Il pourrait nous rapporter des nouvelles.

Le cœur de Lydia bat très fort. Elle s'assoit dans l'herbe à côté d'Amélie.

— Il faut aller chez Enguerrand de Niollet, qui habite à Malemort, une maison près de la rivière Corrèze, dit-elle. Si quelqu'un a des nouvelles de Patte-Raide, ce ne peut être que lui.

Elles décident de se revoir au mois de juin. Un fol espoir s'est emparé de Lydia, qui attend avec impatience le retour des chevaucheurs que le père d'Amélie a envoyés à Malemort.

Elles se retrouvent enfin au début de l'été. Un soleil de plomb tape sur les petites collines qui reflètent une lumière aveuglante. Les deux femmes s'assoient à l'ombre d'une épaisse charmille.

— Quand vous partîtes, qui était au château de Tulle ?

— Geoffroy Barbe-Noire.

— Il est mort et fut aussitôt remplacé par son frère, Foulque.

Lydia s'en moque. L'impatience de savoir où est Patte-Raide pince son ventre en une douleur vive. Elle se poste devant Amélie et demande, d'une voix pleine d'anxiété :

— Et Patte-Raide ? Avez-vous des nouvelles ?

— Non, aucune !

Lydia en sait assez. Elle a envie de mourir ; ce soir, elle se jettera dans les douves de Capestang.

— Vos hommes sont-ils allés à Malemort chez Enguerrand de Niollet ?

— Oui, ils y sont allés sous prétexte de lui acheter un manuscrit.

— Et qui ont-ils vu ?

Elle a crié.

— Ils ont vu deux jeunes hommes, l'un qui doit s'appeler Guibert de Boisse et l'autre Thibault de Fontbelle. Ce sont des habitués de la maison. Il y a aussi un autre garçon...

Lydia prend Amélie par le bras qu'elle serre à lui faire mal.

— C'est Patte-Raide ? Il marchait en boitant ?

— Je ne sais pas, il était assis et n'a pas bougé de son siège. Et quand le vieux copiste a compris que nos hommes venaient surtout pour poser des questions, il s'est méfié et leur a montré la porte.

— Mais ne pouvaient-ils pas parler de moi ? Il faut en envoyer d'autres, je leur donnerai une lettre. Nous avons perdu tout ce temps pour rien. Mais, à propos, que vous ont-ils dit sur ce troisième jeune homme ?

Amélie hausse les épaules.

— Non, rien de particulier. Il n'a pas dit un seul mot. Il reste des heures assis au bord de la rivière...

Elle fait quelques pas en direction d'un écureuil qui la regarde du haut de sa branche.

— Un de nos hommes a aussi été frappé par ses cils noirs longs et relevés, très beaux, des cils de fille.

Lydia s'arrête, reste un long moment immobile. Elle ne respire plus, elle ne fait pas un geste, ce qu'elle vient d'entendre la glace jusqu'aux os alors qu'elle devrait avoir chaud au cœur. Au bout de longues minutes de silence, elle s'approche d'Amélie et tombe à genoux sur l'herbe nouvelle.

— Mon Dieu ! dit-elle. Vous me le rendez !

Puis son regard se trouble, et elle ouvre la bouche pour parler. Enfin, elle lève ses grands yeux bleus sur Amélie et lui prend les mains.

— Vous me le rendez ! répète-t-elle. Comment faut-il que ce soit vous qui me fassiez ce grand bonheur, moi qui suis la cause de tous vos ennuis...

Amélie ne trouve pas les mots pour répondre. Elle repousse une mèche de cheveux qui lui chatouille le nez. Lydia se ressaisit, se lève, regarde les collines, le bois où les arbres verdissent, le champ de blé vert. Tout cela semble irréel, un nuage de fumée. Deux grosses larmes roulent sur ses joues.

— Et moi qui suis là quand il m'attend. Il faut que je parte, vite, tout de suite...

— Voyons, vous ne pouvez pas...

— Si, il me faut des chevaux, quelques hommes pour m'accompagner. Je dois partir à l'instant ! Je devrais déjà être partie.

— Et Guillaume ?

Lydia l'avait oublié, complètement chassé de ses pensées, comme si, à cet instant, il n'avait jamais existé.

— Vous lui demanderez pardon pour moi. Je vous en supplie, dites à votre père de m'aider...

Elle se sent lasse alors que le voyage n'est pas encore commencé, ses membres sont lourds. Patte-Raide n'est pas mort et il l'attend dans la maison d'Enguerrand. Jusque-là, elle dormait, voici qu'elle se réveille.

Amélie a un léger sourire. Sa vengeance arrive, enfin. La grande humiliation que Guillaume lui a fait subir va être payée au prix fort. La femme qu'il aime sera partie ce soir, sans aucun espoir de retour. Désormais, il errera dans le grand château de Capestang à la recherche d'un regard, d'un sourire, d'une silhouette perdus. Amélie devrait en être heureuse, et pourtant elle a envie de pleurer.

Le soleil descend sur l'horizon, bientôt, il va falloir rentrer. Lydia sait qu'elle ne retournera pas à Capestang. Gélinot, l'homme de confiance d'Amélie, fait préparer les chevaux et l'escorte. Il faut aller vite, très vite.

Au-dessus des collines baignées d'une lumière ocre s'allume l'étoile du berger...